CBT 무료 제공 안내

SQLD 모의고사를 풀어볼 수 있는
온라인 CBT(Computer Based Test)를 이용할 수 있습니다.

01 아이리포 CBT 사이트에 접속합니다(모바일 가능).

https://cbt.ilifo.kr/

02 회원가입을 하고, 로그인을 합니다.

03 구매한 SQLD 도서를 선택합니다.

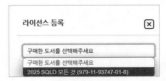

04 SQLD 도서에서 질문의 답을 찾아서 기입합니다.

05 모의고사를 풀고, 점수와 해설을 확인합니다.

#SQLD **14일 합격**   **2025**

SQLD
모든 것

- 아이리포 카페 https://cafe.naver.com/ilifobooks
  Q&A 및 정오표
  SQLD 14일 스터디 운영
  기출문제복원/도서리뷰/합격후기 이벤트
- QR코드로 바로 확인 가능한 핵심개념/SQL구문/문제풀이 유튜브 해설 →

To. 도서기획부터 검토·문제풀이까지 함께한 베타리더 님, 고맙습니다.
   김강산, 노승진, 박주호, 송광호, 이아름, 정지은

#SQLD14일 합격
2025 SQLD 모든 것

초판 1쇄 발행 · 2024년 6월 1일
초판 2쇄 발행 · 2024년 8월 1일
초판 3쇄 발행 · 2024년 9월 1일
초판 4쇄 발행 · 2025년 2월 1일
지은이 · 조용학
펴낸이 · 이동철
펴낸곳 · (주)아이리포
주소 · 서울시 마포구 월드컵북로 396 누리꿈스퀘어 비즈니스타워 8층
전화 · 02-6356-0182 / 팩스 · 070-4755-3619
등록 · 2020년 12월 23일 제 2020-000352호
ISBN · 979-11-93747-01-8 13000
기획 / 편집 · 송성근
표지 · nu:n / **내지디자인 / 조판** · 로아스

이 책에 대한 의견이나 오탈자 및 잘못된 내용에 대한 수정 정보는 (주)아이리포의 카페나 아래 이메일로
알려주십시오. 잘못된 책은 구입하신 서점에서 교환해 드립니다. 책값은 뒤표지에 표시되어 있습니다.
아이리포 카페 https://cafe.naver.com/ilifobooks / 이메일 books@ilifo.kr

지금 하지 않으면 할 수 없는 일이 있습니다.
책으로 펴내고 싶은 아이디어나 원고를 메일(books@ilifo.kr)로 보내주세요.
(주)아이리포는 여러분의 소중한 경험과 지식을 기다리고 있습니다.

#SQLD **14일** 합격 **2025**

조용학 지음

아이리포

지은이 글

SQLD 자격증은 기본적으로 DBA를 위한 자격증이라고 알려져 있지만 사실은 자격증 명칭에 있는 대로 개발자(Developer)를 위한 자격증이라고 할 수 있습니다. SQL을 잘 알면 애플리케이션을 개발하는 개발자에게는 데이터베이스에 대한 지식을 바탕으로 보다 정확하고 최적의 성능을 발휘하는 SQL을 직접 작성할 수 있게 되어 실무에 큰 도움이 됩니다. 개발자가 아니라 하더라도 자격증의 내용을 잘 살린다면 DBA나 DA와 같은 데이터베이스 전문가로 성장하는데 큰 도움이 될 수 있는 것도 물론입니다. SQLD 자격증을 단순하게 취업을 위한 수단 정도로 여기기보다는 자신의 진로에 있어서의 디딤돌로 삼고 전문성을 확대해 나가는 좋은 기회로 삼는다면 자격증의 가치가 더욱 더 빛을 발할 것이라고 믿습니다.

책의 내용은 비전공자도 SQLD 자격증 취득에 어려움이 없도록 하는데 많은 노력을 기울였습니다. 설명은 비교적 간결하고 명확하게 하고자 했고 출제예상문제와 기출문제는 많은 분량보다는 필수적인 것 위주로 엄선해서 담았습니다. 무엇보다도 비교적 짧은 학습시간에 자격증 취득이 가능하도록 하기 위해 전체적인 분량이 너무 많아지지 않도록 하였습니다. 이 책을 기본서로 하여 충분히 공부한 후 SQLD 공식문제집을 차근차근 풀어본다면 누구라도 큰 어려움 없이 SQLD 자격증 취득에 성공할 수 있을 것입니다.

소프트웨어 개발자의 길을 걸으면서 언제고 책을 써서 내 지식을 사람들과 나누고 싶다는 생각을 오래도록 해왔는데 모처럼 좋은 기회를 갖게 되어 기쁘고 감사하게 생각합니다. 책을 쓰는 과정은 어렵고 힘들었지만 이 책으로 공부하는 분들이 SQLD 자격증 취득에 성공하여 자신의 꿈을 이뤄나가는 데 작게나마 도움이 된다면 더 바랄 것이 없습니다.

끝으로 책의 저술을 제안해 주시고 편집과 출판 과정에서 여러모로 도움을 주신 아이리포 송성근 팀장, 박주호 선임에게 감사의 말씀을 전하고 싶습니다.

요즘 세상에 애국자란 소리를 듣게 해주는 우리 윤우, 윤재, 윤찬 모두 사랑하고, 오늘도 아들 셋에 힘겨운 하루를 보내고 있을 아내에게도 고맙고 사랑한다는 말을 전합니다.

2024. 5. 조용학

○ 직무내용

SQL 개발자는 데이터 모델링에 관한 기본 지식을 바탕으로 SQL 작성, 성능 최적화 등 데이터베이스 개체 설계 및 구현 등에 대한 전문지식 및 실무적 수행 능력을 그 필수로 한다.

○ 검정방법

구분	시험과목	과목별 세부 내용	문항수	배점	검정시험시간
1과목	데이터 모델링의 이해	• 데이터 모델링의 이해 • 데이터 모델과 SQL	10	20(문항당 2점)	90분
2과목	SQL 기본 및 활용	• SQL 기본 • SQL 활용 • 관리 구문	40	80(문항당 2점)	

○ 합격기준

합격기준	과락기준
총점 60점 이상	과목별 40% 미만 취득

○ 응시자격

제한 없음

○ 시행처 및 접수

데이터 자격검정(www.dataq.or.kr) 사이트를 통한 인터넷 접수,
SQL 개발자 자격검정 응시료(50,000원)

○ 자격취득 시 학점은행제 6학점 인정(국가평생교육원)

14일 학습플랜

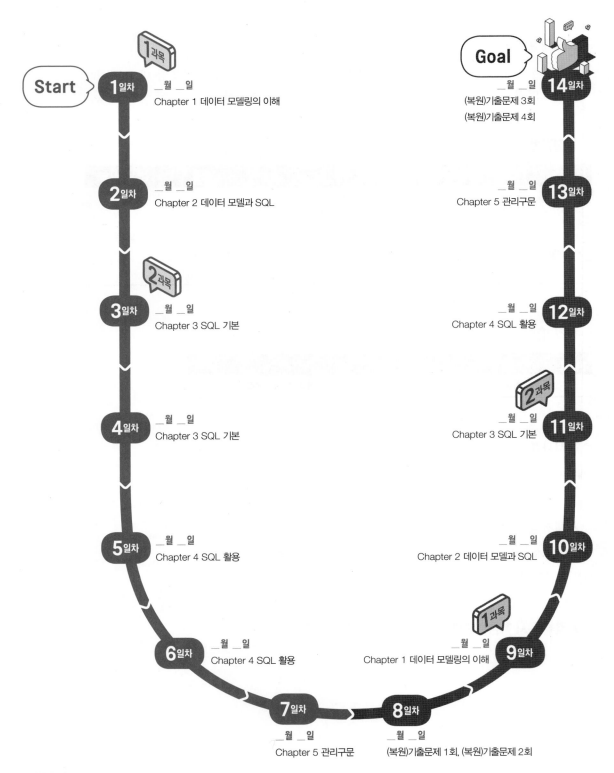

Start

1과목

1일차 __월 __일
Chapter 1 데이터 모델링의 이해

2일차 __월 __일
Chapter 2 데이터 모델과 SQL

2과목

3일차 __월 __일
Chapter 3 SQL 기본

4일차 __월 __일
Chapter 3 SQL 기본

5일차 __월 __일
Chapter 4 SQL 활용

6일차 __월 __일
Chapter 4 SQL 활용

7일차 __월 __일
Chapter 5 관리구문

8일차 __월 __일
(복원)기출문제 1회, (복원)기출문제 2회

1과목

9일차 __월 __일
Chapter 1 데이터 모델링의 이해

10일차 __월 __일
Chapter 2 데이터 모델과 SQL

2과목

11일차 __월 __일
Chapter 3 SQL 기본

12일차 __월 __일
Chapter 4 SQL 활용

13일차 __월 __일
Chapter 5 관리구문

Goal

14일차 __월 __일
(복원)기출문제 3회
(복원)기출문제 4회

○ **SQLD 비전공자 1트 합격자가 말하는<SQLD 합격> 필살기 !!**

Tip1. (1일차~7일차) 다 이해되지 않아도, 잘 몰라도 1회독!

→ 1회독에 의의를 두고, 빠르게 진도를 뺍니다. 초반에는 잘 모르는 단어가 나오고, 내용을 이해하기가 쉽지 않을 것입니다.

Test문제, 출제예상문제에서 많이 틀리는 것이 당연합니다. 해설을 충분하게 실었으니 틀린 문제는 해설을 읽어보고, 그래도 정리가 되지 않는다면 해당 문항이 설명되어 있는 본문 페이지로 가서 확인하세요.

Tip2. (8일차) 틀려도 도움이 된다, 기출문제 1회, 2회 풀어보기!

→ 1회독이 끝났다면 바로 2회분의 기출문제를 풀어봅니다. 이 시점에서 기출문제를 푸는 것에 대한 부담이 있겠지만, 1회독에서 학습했던 내용이 어떻게 시험문제에 출제되는지 감을 잡을 수 있기 때문에 '다 틀려도 좋다'는 각오로 푸는 것을 추천 드립니다.

문제를 풀고, 틀린 문제를 확인하고, 오답노트를 정리한다면 2회독 시 중점적으로 읽어야 할 부분이 눈에 들어옵니다.

Tip3. (9일차 ~ 13일차) 오답노트를 확인하면서 2회독 학습하기

→ 8일차에서 정리한 오답노트를 확인하면서 2회독을 진행합니다.

점차 용어가 익숙해지고, 개념이 이해되실 거예요.

Tip4. (14일차) 기출문제 3회, 4회 풀어보기

→ 틀린 문제는 본문에서 확인하고, 오답노트에 꼭 적습니다.

Tip5. (시험 D-1) 오답노트를 확인하고, 목차 훑어보는 것으로 마무리

→ 오답노트를 확인해서 자주 틀리는 문제유형에 대비합니다.

'목차'를 뼈대로 잡고 주요 개념을 정리합니다. 목차에는 중요 키워드가 드러납니다.

SQLD는 누구든지 단기간에 취득할 수 있습니다. 14일 동안의 시험준비로도 충분히 가능합니다.

단기합격을 위한 학습전략, <14일 학습플랜>과 함께하세요.

목차

Chapter 3

2 과목

SQL 기본 및 활용

데이터 모델링의 이해

Chapter 1

데이터 모델링의 이해

1.1 데이터 모델의 이해

1.1.1 모델링의 개념

SQLD_01

모델링의 개념과 특징

1Day

모델링(Modeling)이란 현실세계를 대상으로 일종의 모델(Model)*을 만드는 것을 의미한다. 여기서 모델이란 현실세계의 사물 혹은 개념을 구성요소로 나누고 이를 일정하게 도식화한 것이라고 할 수 있다. 중요한 것은 이때 도식화하는 방법이 약속된 표기법을 따라야만 한다는 점이다. 약속되지 않은 방법으로 표현하는 것은 결코 모델링이라고 할 수 없는데 우리가 모델링을 하는 이유 중 하나가 업무의 흐름을 가시화하고 명세화**하여 이를 설계, 개발 또는 시스템 관리에 사용하기 위한 것이기 때문이다. 약속되지 않은 표기법을 사용할 경우 다른 업무 참여자들은 그 의미를 이해할 수 없으므로 업무에 활용할 수 없다.

---

* 모델(Model)이란 우리 말로 모형을 의미하며, 기본적으로 실물을 본떠서 축소하거나 단순하게 만든 것을 의미한다. 프라모델이나 3D 모델 같은 것을 떠올리면 쉽게 이해할 수 있을 것이다.

** 업무의 흐름을 가시화하고 명세화하는 것을 업무 형상화라고 한다.

9Day

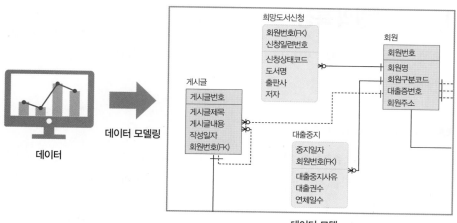

데이터 모델

모델링을 이해할 때 또 하나의 중요한 점은 모델링이 추상화를 기본으로 한다는 점이다. 추상화라는 것은 사물을 있는 그대로 나타내는 것이 아니라 특징을 추려서 단순화하여 나타내는 것을 의미한다. 이때 어떤 특징을 어느 정도로 표현할지는 모델링의 목적에 따라 달라지며, 그 목적은 우리가 처리하고자 하는 업무 프로세스의 데이터에 따라 달라진다. 업무 프로세스상 관리가 필요 없는 것까지 불필요하게 구체화할 필요는 없으며 필요한 수준에서 데이터를 추상화하여 단순·명료하게 표현하는 것이 중요하다.

정보시스템을 구축하기 위해서 데이터베이스를 설계하는 것도 마찬가지로 하나의 모델링이며, 이를 데이터 모델링 또는 데이터베이스 모델링이라고 한다. 이후에 나오는 모델링은 모두 데이터 모델링을 뜻한다.

≫Test

01. 다음 중 모델링의 개념을 설명한 것으로 옳지 않은 것은?

① 현실세계의 데이터를 약속된 표기법으로 표현하는 것이다.
② 업무의 흐름을 가시화, 명세화하며 정보시스템을 구축하기 위한 분석, 설계 과정의 일환이다.
③ 업무 프로세스와 데이터를 분석하여 추상화하는 것이다.
④ 데이터베이스 구축의 사전 작업일 뿐이며 업무 형상화와는 관계가 없다.

해설
데이터 모델링은 데이터베이스 구축을 위한 사전 작업임과 동시에 업무 형상화의 의미를 가진다. 업무를 분석하여 업무의 흐름을 가시화, 명세화하는 것이 업무 형상화이다.

1.1.2 모델링의 특징

모델링은 구축하고자 하는 정보시스템에 맞게 현실세계를 표현하는 것으로서 주요 특징은 다음과 같다.

❶ 추상화(Abstraction)

대상의 주요 특징을 추출하여 일정한 형식으로 표현한다. 대상을 범주화하여 클래스로 구분하고 공통된 특징을 서술하는 객체지향 설계에서의 추상화의 개념도 이와 같은 의미라고 할 수 있다.

❷ 단순화(Simplification)

복잡한 현실세계를 그대로 표현하지 않고 보다 단순하게 표현한다. UML(Unified Modeling Language)이나 ERD(Entity Relationship Diagram)와 같이 제한된 언어나 약속된 표기법을 사용하여 누구나 이해하기 쉽도록 한다.

❸ 명확화(Clarity)

모델링의 결과는 보는 사람에 따라 서로 다르게 해석되지 않고 대상을 명확하게 이해할 수 있도록 모호함이 없게 기술한다.

따라서 데이터 모델링*이란 일정한 표기법을 사용하여 대상이 되는 데이터를 추상화, 단순화, 명확화하여 표현하는 것이다.

---

* 정보시스템을 구축하기 위해서 데이터베이스를 설계하는 것도 하나의 모델링이며 이를 데이터 모델링이라고 한다. 추상화, 단순화, 명확화는 일반적인 모델링의 특성임과 동시에 데이터 모델링의 특성이기도 하다.

Tip 데이터 모델링 시 유의사항

- 중복(Duplication) 최소화: 데이터베이스의 여러 곳에 같은 정보를 중복하여 저장하지 않아야 한다.
- 비유연성(Inflexibility) 최소화: 데이터의 정의와 데이터의 사용 프로세스를 분리하여 데이터 또는 프로세스의 변화가 응용 프로그램과 데이터베이스에 미치는 영향을 최소화해야 한다.
- 비일관성(Inconsistency) 최소화: 데이터 간의 상호 연관관계를 명확하게 정의하여 데이터가 일관성 있게 유지되어야 한다.

》Test

02. 다음 중 모델링의 특징을 설명한 것으로 옳지 않은 것은?

① 일정한 형식으로 표현하여 대상을 추상화한다.
② 복잡한 현실의 대상을 누구나 이해하기 쉽도록 단순화한다.
③ 모델링 결과는 보는 사람의 관점에 따라 다르게 해석될 수 있다.
④ 대상을 명확하고 모호하지 않게 표현한다.

해설

모델링 결과는 보는 사람의 관점에 따라 다르게 해석되면 안 되며 모호함이 없도록 명확해야 한다.

1.1.3 모델링의 세 가지 관점

데이터 모델링은 업무 프로세스를 분석하여 이를 데이터 모델로 만드는 과정이다. 업무 프로세스가 무엇을 대상으로 하는지, 대상을 어떻게 처리하는지, 그리고 대상과 처리방법이 어떤 상관관계를 맺고 있는지를 분석하고 이를 모델링한다.

❶ 데이터 관점(대상, What)

업무를 구성하는 데이터에 집중하여, 어떤 데이터들이 서로 관계를 맺고 사용되는지를 모델링하는 것이다. 정적분석, 구조분석 등을 기반으로 한다.

❷ 프로세스 관점(처리방법, How)

업무의 흐름에 집중하여, 업무가 실제로 처리하는 일이 어떻게 처리되는지를 모델링하는 것이다. 동적분석, 도메인분석 등을 기반으로 한다.

❸ 데이터와 프로세스의 상관 관점(대상과 처리방법의 상관관계, Interaction)

업무를 구성하는 데이터와 프로세스가 서로 어떻게 관계를 맺고 영향을 주고받는지를 모델링하는 것이다. CRUD(Create, Read, Update, Delete) 분석을 기반으로 한다.

≫Test

03. 다음 중 모델링의 세 가지 관점이 아닌 것은?

① 데이터 관점
② 비즈니스 관점
③ 프로세스 관점
④ 데이터와 프로세스의 상관 관점

해설
데이터 모델링은 데이터 관점, 프로세스 관점, 데이터와 프로세스의 상관 관점에서 이루어진다. 비즈니스 관점은 데이터 모델링의 관점이 아니다.

1.1.4 모델링의 세 가지 단계

데이터 모델링은 거시적, 포괄적 수준에서 먼저 모델링을 수행하고, 점차 상세한 수준으로 들어가며 최종적으로 물리적 모델링을 수행한다. 각 단계는 아래와 같다.

❶ 개념적 데이터 모델링(Conceptual Data Modeling)

가장 높은 추상화 레벨을 가진 모델링으로 업무와 개념 중심으로 포괄적인 수준에서 모델링을 수행한다. 전사적 차원의 데이터 모델링을 수행할 때 이루어진다. EA(Enterprise Architecture)를 수립할 때 많이 이용되며 이 단계에서 엔터티(Entity)와 속성(Attribute)을 도출한다.

❷ 논리적 데이터 모델링(Logical Data Modeling)

데이터 모델에 대한 키(Key), 속성(Attribute), 관계(Relationship) 등을 표현하며 서로 다른 DBMS(Database Management System)에 적용이 가능한 수준에서의 추상화 레벨을 가지므로 재사용성이 높다. 정규화를 통해 중복 데이터를 최소화한다. 이 단계에서 식별자를 도출하고 관계를 정의한다.

❸ 물리적 데이터 모델링(Physical Data Modeling)

특정 DBMS에 맞추어 구현이 가능한 수준에서 모델링을 수행하는 것으로 DBMS의 성능이나 보안, 가용성 등을 고려하여 설계하는 것이다. 가장 낮은 수준에서의 추상화 레벨을 가진다. 성능 향상을 위해 반정규화를 수행하며 테이블, 인덱스, 함수 등을 생성한다.

》Test

04. 다음 데이터 모델링 단계에 대한 설명에서 빈칸에 들어갈 단계를 옳게 짝지은 것은?

> 정보시스템으로 구축하고자 하는 업무에 대해 키, 속성, 관계 등을 정확하게 표현하는 단계로 재사용성이 높은 것을 (㉠) 데이터 모델링이라고 하고, 실제로 데이터베이스에 이식할 수 있도록 성능, 저장 등 물리적인 성격을 고려하여 설계하는 것을 (㉡) 데이터 모델링이라고 한다.

① ㉠ – 개념적, ㉡ – 논리적
② ㉠ – 논리적, ㉡ – 개념적
③ ㉠ – 논리적, ㉡ – 물리적
④ ㉠ – 물리적, ㉡ – 논리적

SQLD_02

모델링의 세 가지 단계
VS 3단계 스키마 구조

1.1.5 ANSI-SPARC에서 정의한 3단계 스키마 구조

ANSI-SPARC(American National Standards Institute, Standards Planning and Requirements Committee)에서 정의한 데이터베이스 아키텍처는 데이터 독립성*을 보장하기 위한 설계방법을 제시한다. 1975년에 DBMS의 추상적인 설계표준으로 제안되었다. 데이터의 독립성 보장을 위해 3단계 스키마 구조를 가지며 이는 각각 사용자, 설계자, 개발자** 관점에서 스키마를 정의한 것이다.

---

* 데이터 독립성이란 데이터를 사용하는 사용자 영역과 실제로 데이터를 저장하는 디스크나 메모리 영역을 서로 분리하여 상호 간에 데이터 구조나 형식에 있어서 독립적으로 설계되고 운용될 수 있도록 하는 특성을 말한다. 데이터 독립성이 보장되면 각 계층별 의존성이 감소하여 전체 시스템의 유지보수성이 향상된다. 시스템 변경 작업 시 작업기간 단축, 비용 감소 등의 이점이 있다.

** 여기서 말하는 개발자란 응용 프로그래머를 말하는 것이 아니라 DBMS의 SQL문을 작성하는 개발자를 의미한다.

❶ 외부 스키마(External Schema)

사용자 관점, 사용자 또는 애플리케이션이 바라보는 데이터베이스 스키마를 정의한다. 다중 사용자 뷰를 제공한다.

❷ 개념 스키마(Conceptual Schema)

설계자 관점, 모든 사용자가 바라보는 데이터베이스 스키마를 통합하여 나타낸다. 전체 데이터베이스에 저장되는 데이터와 그 관계를 정의한다. 통합된 뷰를 제공한다.

❸ 내부 스키마(Internal Schema)

개발자 관점, 디스크나 메모리 상의 물리적, 실질적 저장구조를 나타내며, 테이블, 칼럼, 인덱스 등을 정의한다. 물리적 뷰를 제공한다.

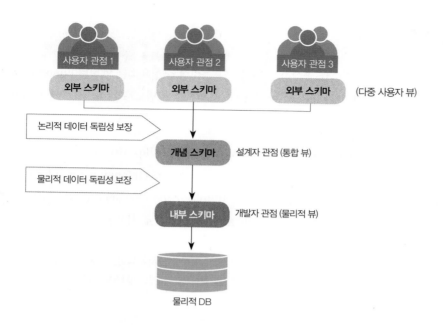

논리적 데이터 독립성 보장

물리적 데이터 독립성 보장

외부 스키마 (다중 사용자 뷰)

개념 스키마 설계자 관점 (통합 뷰)

내부 스키마 개발자 관점 (물리적 뷰)

물리적 DB

Tip 3단계 스키마 구조를 통해 보장되는 데이터 독립성

- 논리적 데이터 독립성: 외부 스키마와 개념 스키마 간의 독립성. 개념 스키마가 변경되어도 외부 스키마는 영향을 받지 않는다.
- 물리적 데이터 독립성: 개념 스키마와 내부 스키마 간의 독립성. 내부 스키마가 변경되어도 개념 스키마나 외부 스키마는 영향을 받지 않는다.

≫ Test

05. 다음 중 ANSI-SPARC에서 정의한 3단계 스키마 구조에 대한 설명으로 옳지 않은 것은?

① 조직 전체의 관점에서 통합된 뷰를 제공하는 것을 개념 스키마라고 한다.
② 사용자나 애플리케이션이 바라보는 데이터베이스 스키마를 사용자 스키마라고 한다.
③ 개발자 관점에서 바라보는 것으로 물리적 저장구조를 나타내는 것을 내부 스키마라고 한다.
④ 응용 프로그래머가 접근하는 데이터베이스의 정의를 외부 스키마라고 한다.

해설

사용자나 애플리케이션이 바라보는 데이터베이스 스키마를 외부 스키마라고 하며 사용자 스키마라는 것은 없다. 응용 프로그래머가 접근한다는 것은 애플리케이션의 접근과 같은 의미이다.

1.1.6 ERD

ERD*는 데이터베이스를 구성하는 데이터의 논리적 구성요소를 엔터티(Entity)로 정의하고, 엔터티들 간의 관계(Relationship)를 특별한 표기법으로 나타냄으로써 스키마를 설계하는 방법을 제공한다.

1976년 피터 첸(Peter Chen)에 의해 Entity-Relationship Model(E-R Model)이라는 표기법이 만들어졌다. 이외에도 IDEF1X(Integration DEFinition for Information Modeling) 표기법, 바커(Barker) 표기법, IE(Information Engineering) 표기법 등 여러 가지 표기법이 있는데 이 책에서는 IE 표기법을 기본으로 사용한다.

---

* ERD(Entity Relationship Diagram)는 데이터 모델링에 대한 문서화 방법을 제공한다. 시스템 분석·설계의 결과를 가시화, 문서화, 명세화하여 사용자, 설계자, 개발자 간의 의사소통 수단이 된다.

카디널리티

까치발이라고 부르는 관계의 카디널리티는 O은 0, 세로 실선은 1,
세 개의 까치발 모양은 다수(2 이상)를 의미한다.

엔터티

엔터티는 박스로 나타낸다.
엔터티 이름은 박스 상단에 표시한다.

회원

회원번호
회원명
회원구분코드
대출증번호
회원주소

희망도서신청

회원번호(FK)
신청일련번호
신청상태코드
도서명
출판사
저자

속성

속성은 박스 안에 리스트 형태로 표현한다.
주식별자(PK)와 일반 속성은 칸막이로 구분한다.

관계

관계는 박스를 연결한 선으로 표현한다.
식별자 관계는 실선, 비식별자 관계는 점선으로 표현한다.

Tip ERD 작성순서

① 엔터티를 도출한다.

② 도출된 엔터티를 적절하게 배치한다. 중요한 엔터티는 왼쪽 상단에 배치한다.

③ 엔터티 간의 관계를 설정한다.

④ 관계명을 기술한다. (행위 관계, 존재 관계를 표현)

⑤ 관계의 참여도(Cardinality)를 기술한다. (일대일, 일대다, 다대다 표현)

⑥ 관계의 필수/선택 여부를 기술한다. (Null 값을 가질 수 있는지 여부)

»Test

06. ERD에 대한 설명으로 가장 부적절한 것은?

① 일반적인 ERD 작성은 엔터티 도출 → 엔터티 배치 → 관계 설정 → 관계명, 참여도, 필수/선택여부 기술 순서를 따른다.

② 중요한 엔터티는 왼쪽 상단에 배치한다.

③ 1976년 피터 첸(Peter Chen)에 의해 Entity-Relationship Model(E-R Model)이라는 표기법이 만들어졌다.

④ 관계의 참여도는 관계의 표현에 있어서 중요하지 않으므로 생략이 가능하다.

해설

관계의 참여도는 관계의 표현에 있어서 매우 중요하며 일반적으로 생략하지 않는다.

1.2 엔터티

1.2.1 엔터티의 개념

엔터티(Entity)란 데이터베이스의 구성요소 중 독립적으로 식별 가능한 객체(Object)를 말한다. 예를 들어 도서관 데이터베이스를 모델링한다고 했을 때 회원, 대출, 도서와 같은 것들을 엔터티로 정의할 수 있다. 데이터 모델링은 엔터티를 정의하는 것으로부터 시작된다.

권위 있는 분들의 엔터티에 대한 정의를 살펴보면 다음과 같다.

정의한 사람(연도)	정의
Peter Chen(1976)	변별할 수 있는 사물
C.J. Date(1986)	데이터베이스 내에서 변별 가능한 객체
James Martin(1989)	정보를 저장할 수 있는 어떤 것
Thomas Bruce(1992)	정보가 저장될 수 있는 사람, 장소, 물건, 사건 그리고 개념 등

엔터티는 보다 상세히 자신을 표현하기 위해서 속성(Attribute)이라는 하위요소를 가진다. 회원 엔터티의 속성으로는 회원명, 주소, 전화번호, 아이디, 비밀번호 등이 있을 수 있다.

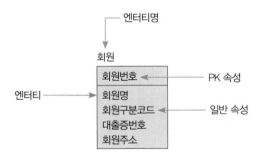

⊙ Tip PK(Primary Key)

주식별자를 다른 말로 PK(Primary Key)라고 한다. 엔터티를 ERD로 표현할 때 PK 속성과 일반 속성은
칸막이로 구분한다.

≫ Test

07. 다음 중 도서관 시스템 구축 시 작성 가능한 엔터티로 적합하지 않은 것은?

① 회원

② 대출

③ 도서

④ 도서관

해설

도서관 시스템에서 관리 대상이 될 수 있는 독립된 객체들이 엔터티가 될 수 있다. 도서관에 등록된 회원,
회원을 대상으로 한 도서대여 정보를 담는 대출, 도서관에 소장된 책 자체를 나타내는 도서 등은 엔터티
가 될 수 있다. 도서관은 도서관 시스템 전체를 포함하는 한 개의 객체이므로 엔터티가 될 수 없다. (엔터
티는 두 개 이상의 인스턴스를 가져야 한다.)

1.2.2 엔터티의 특징

엔터티의 주요 특징은 다음과 같다.

① 업무에서 필요로 하고 관리하고자 하는 정보이어야 한다.

② 식별이 가능하도록 유일한 식별자를 가져야 한다.

③ 영속적으로 존재하는 인스턴스*가 두 개 이상인 집합을 이루어야 한다.

④ 하위요소로 반드시 속성을 가져야 한다.

⑤ 엔터티는 다른 엔터티와 한 개 이상의 관계를 가져야 한다. 단, 통계성 엔터티나 코드성 엔터티의
　경우 관계를 생략할 수 있다.

---

* 인스턴스: 엔터티는 구조를 정의한다. 이 구조에 맞게 실제로 디스크에 저장된 데이터 1건을 인스턴스라
　고 한다.

1Day

─ SQLD_03 ─

엔터티의 개념과 특징

9Day

08. 다음 중 엔터티의 특징으로 가장 옳지 <u>않은</u> 것은?

① 업무에서 필요로 하지 않더라도 데이터로 존재한다면 엔터티로 정의될 수 있다.

② 다른 엔터티와 최소 한 개 이상의 관계가 있어야 한다. 단, 통계성이나 코드성 엔터티는 예외로 한다.

③ 엔터티는 반드시 상호 식별 가능해야 한다.

④ 엔터티는 반드시 하위요소로 속성을 가져야 한다.

해설
업무에서 필요로 하고 관리 대상일 때에만 엔터티로 정의한다. 데이터 모델링은 최대한 단순하고 명확해야 하므로 필요 없는 것까지 모델링 하지는 않는다.

1.2.3 엔터티의 분류

❶ 발생 시점/상속 관계에 따른 분류

− **기본 엔터티**: 자신의 고유한 주식별자를 가지는 독립적으로 생성되는 엔터티이다.
  예) 사원, 부서, 고객, 상품, 자재

− **중심 엔터티**: 기본 엔터티로부터 주식별자를 상속받아 생성되며 업무의 중심 역할을 하는 엔터티이다.
  예) 급여, 주문

− **행위 엔터티**: 두 개 이상의 엔터티를 상속받아 생성되는 엔터티이며 내용이 자주 변경되거나 데이터양이 계속 증가된다.
  예) 급여내역, 주문내역

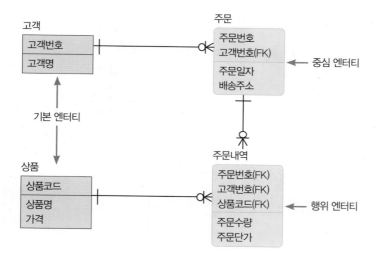

❷ 물리적 형태의 존재 여부에 따른 분류

- **유형 엔터티:** 물리적 형태가 존재하는 엔터티

  예) 사원, 상품, 학생

- **개념 엔터티:** 물리적 형태 없이 개념적으로 정의되는 엔터티

  예) 부서, 상품분류, 강의

- **사건 엔터티:** 업무를 수행하면서 발생하는 행위나 이벤트를 나타내는 엔터티

  예) 주문, 대여, 수강

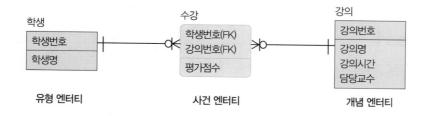

Tip 교차 엔터티(Interaction Entity)

M:N 관계를 해소하기 위해 만들어진 엔터티를 교차 엔터티라고 한다.

교차 엔터티

Tip 엔터티 명명법

- 엔터티 생성 의미대로 이름을 부여하며 간결하고 명확하게 표현한다.
- 가능하면 약어를 사용하지 않는다. 단, 너무 이름이 길어질 때에는 약어를 표준화하여 사용할 수 있다.
- 영문의 경우 대문자를 사용하며 단수명사를 사용한다.
- 협업의 업무 용어를 사용하여 업무상의 의미를 분명하게 한다.
- 모든 엔터티의 이름은 서로 구별될 수 있도록 유일해야 한다.
- 의미상 중복이 없도록 한다.

》Test

09. 다음 중 엔터티의 분류에 대한 설명으로 옳지 않은 것은?

① 물리적 형태가 존재하는 엔터티를 유형 엔터티라고 한다.

② 기본 엔터티로부터 주식별자를 상속받아 생성되는 엔터티를 중심 엔터티라고 한다.

③ 행위 엔터티는 한 개의 부모 엔터티만 가지며 업무 수행 과정에서 발생하는 엔터티이다.

④ 자신의 고유한 주식별자를 가지는 독립적 엔터티를 기본 엔터티라고 한다.

해설

행위 엔터티는 기본 또는 중심 엔터티를 두 개 이상 상속받아 생성되는 엔터티이다. 업무 수행 과정에서 발생하는 행위, 이벤트를 나타내는 엔터티는 사건 엔터티라고 한다.

1.3 속성

1.3.1 속성의 개념

속성(Attribute)이란 엔터티에 대한 자세하고 구체적인 정보를 나타낸 것으로 엔터티의 하위요소이다. 속성은 엔터티를 나타내는 특징 중에서 업무와 관계되어 필요한 것들로 정의한다. 사원이라는 엔터티의 속성으로는 사원명, 직급, 직책, 주소, 연락처 등이 있을 수 있다. 속성의 개수에는 제한이 없지만 처리하고자 하는 업무 프로세스에 꼭 필요한 것인지 따져보고 해당 엔터티를 정의하는데 필수적인 것들로 최소화해야 한다. 속성은 의미상으로 더 이상 분리되지 않는 최소의 데이터 단위이다.

》Test

10. 다음 중 속성의 개념으로 옳지 않은 것은?

① 엔터티에 대한 자세하고 구체적인 정보를 나타낸다.
② 엔터티의 특징 중 업무와 관계되어 필요한 것들을 속성으로 정의한다.
③ 속성은 최대한 많이 추가하여 해당 엔터티를 상세히 설명할 수 있어야 한다.
④ 속성은 의미상으로 더 이상 분해되지 않는 최소의 데이터 단위이다.

해설
속성의 개수는 제한이 없으나 업무 프로세스에 꼭 필요한 것인지 따져보고 필수적인 것들로 최소화해야 한다.

1.3.2 속성값

속성 자체는 자신이 가질 수 있는 속성값들의 집합이라고 할 수 있다. 즉, 속성값이란 속성이 가질 수 있는 특정 값을 말하며 하나의 엔터티 인스턴스가 가진 속성의 구체적인 값을 말한다. 하나의 엔터티 인스턴스에서 각각의 속성은 한 개의 속성값만을 가져야 한다.

만약 한 개 이상의 속성값을 가질 수 있는 경우라면 1차 정규화를 수행하여 한 개의 속성값만 갖도록 해야 한다.

》Test

1.3.3 엔터티, 인스턴스, 속성값

엔터티, 인스턴스, 속성값의 주요 특징은 다음과 같다.

– 한 개의 엔터티는 두 개 이상의 인스턴스를 가진다.(엔터티는 인스턴스의 집합이다.)

– 한 개의 엔터티는 두 개 이상의 속성을 가진다.(엔터티는 속성의 집합이다.)

– 한 개의 속성은 한 개의 속성값만 가진다.

	EMPNO	ENAME	JOB	SAL	DEPTNO
1	7,369	SMITH	CLERK	800	20
2	7,499	ALLEN	SALESMAN	1,600	30
3	7,521	WARD	SALESMAN	1,250	30
4	7,566	JONES	MANAGER	2,975	20
5	7,654	MARTIN	SALESMAN	1,250	30
6	7,698	BLAKE	MANAGER	2,850	30
7	7,782	CLARK	MANAGER	2,450	10

엔터티 / 속성값 / 속성 / 인스턴스

12. 다음 중 엔터티와 속성에 대한 설명으로 옳지 <u>않은</u> 것은?

① 한 개의 엔터티는 두 개 이상의 인스턴스를 가져야 한다.

② 한 개의 엔터티는 두 개 이상의 속성을 가져야 한다.

③ 한 개의 속성은 한 개의 속성값만 가져야 한다.

④ 한 개의 인스턴스만 존재하는 경우라도 중요하다면 엔터티로 정의할 수 있다.

해설
엔터티를 정의할 때 인스턴스가 한 개인 경우라면 굳이 엔터티로 정의할 필요가 없다.

1.3.4 속성의 분류

❶ 속성의 특성에 따른 분류

- **기본 속성:** 엔터티가 본래부터 가지고 있어야 하는 속성

- **설계 속성:** 엔터티가 본래부터 가지고 있던 속성은 아니지만 설계 시 필요하다고 판단되어 도출된 속성

- **파생 속성:** 다른 속성으로부터 계산되거나 특정 규칙에 따라 변형되어 만들어진 속성

❷ 속성의 구성방식에 따른 분류

- **PK(Primary Key, 기본키) 속성:** 해당 엔터티의 인스턴스를 유일하게 식별할 수 있는 속성

- **FK(Foreign Key, 외래키) 속성:** 관계를 통해 다른 엔터티의 속성을 가져와 포함시킨 속성

- **일반 속성:** 키(PK 또는 FK)가 아닌 나머지 일반 속성

≫Test

13. 다음 중 원래의 속성에서 값을 계산하여 저장할 수 있도록 만든 속성은 무엇인가?

① 기본 속성
② 일반 속성
③ 파생 속성
④ 설계 속성

해설
원래의 속성으로부터 값을 계산하거나 특정 규칙에 따라 변형되어 만들어진 속성을 파생 속성이라고 한다.

SQLD_04

속성과 도메인

1.3.5 도메인

속성이 가질 수 있는 값의 범위(값의 데이터 타입과 크기)를 정의한 것이다. 일반적으로 도메인은 데이터 타입, 크기, 제약사항 등을 묶어 별도의 이름을 붙여 정의하며 이렇게 정의된 도메인을 각각의 속성에 지정할 수 있다. 도메인이 지정된 속성은 해당 도메인의 데이터 타입, 크기, 제약사항 등을 따른다.

≫Test

14. 아래의 설명이 나타내는 개념으로 가장 적당한 것은?

주문이라는 엔터티가 있을 때 단가라는 속성값의 범위는 10에서 1,000 사이의 정숫값이며, 상품명 속성은 길이가 30자리 이내의 문자열이다.

① 도메인
② 시스템 카탈로그
③ 용어사전
④ 카디널리티

해설
속성이 가질 수 있는 값의 범위(데이터 타입과 크기)를 정의한 것을 도메인이라고 한다.

• 시스템 카탈로그: 데이터베이스에 저장되어 있는 모든 데이터 객체들에 대한 정의나 명세에 대한 정보가 수록되어 있는 시스템 테이블
• 용어사전: 논리적, 물리적 데이터베이스 설계 시 사용되는 용어들의 의미를 정의해 놓은 문서
• 카디널리티: 관계의 차수를 말하며 특정 데이터 집합의 유일한 값의 개수를 말한다.

정답 13. ③ 14. ①

1.4 관계

1.4.1 관계의 개념

엔터티와 엔터티 간에 맺고 있는 연관성을 의미한다. 엔터티 관계는 존재적 관계와 행위적 관계로 나눌 수 있으나 ERD에서는 이 둘을 구분하지 않고 동일하게 표현한다. (UML의 클래스 다이어그램에서는 이 둘을 연관관계와 의존관계로 구분하며 표기도 실선과 점선으로 다르게 표현한다. ERD에서 실선과 점선의 구분은 식별자 관계와 비식별자 관계를 구분할 때 사용한다)

Tip 연관관계, 의존관계

- 연관관계: Car는 Wheel을 멤버로 가지며 클래스 수준에서 사용한다.(존재 자체로 연관성을 가짐)

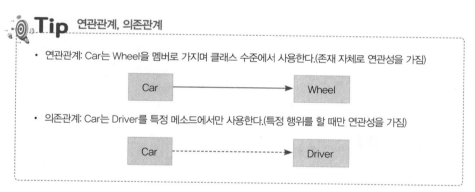

- 의존관계: Car는 Driver를 특정 메소드에서만 사용한다.(특정 행위를 할 때만 연관성을 가짐)

❶ 존재적 관계

사원과 부서의 관계처럼 일종의 소속 관계를 갖는 경우로, 존재 자체로 서로 연관성을 갖는 관계를 의미한다.

❷ 행위적 관계

고객과 주문의 관계처럼 한 엔터티가 특정 행위나 이벤트를 일으킬 경우에 연관성이 발생하는 관계를 의미한다.

≫Test

15. 관계(Relationship)에 대한 설명으로 옳지 <u>않은</u> 것은?

① 엔터티와 엔터티 간에 맺고 있는 연관성을 의미한다.

② 존재적 관계, 행위적 관계, 개념적 관계, 물리적 관계 등으로 나누어 볼 수 있다.

③ 사원과 부서의 소속 관계와 같이 존재 자체로 서로 연관성을 가지는 것을 존재적 관계라고 한다.

④ 고객과 주문의 관계처럼 한 엔터티가 일으키는 행위가 연관성을 발생시키는 경우를 행위적 관계라고 한다.

해설
관계는 존재적 관계와 행위적 관계로 나눌 수 있다. 개념적 관계와 물리적 관계는 관계의 유형이 아니다.

1.4.2 표기법

❶ 관계명(Membership)

관계의 이름을 나타낸다. 존재적 관계와 행위적 관계를 기술한다.

❷ 관계차수(Cardinality)

1:1(일대일), 1:M(일대다), M:N(다대다)과 같이 관계를 맺는 엔터티 인스턴스의 차수를 나타낸다.

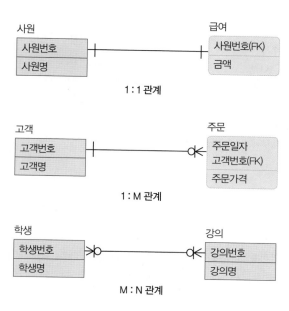

❸ 관계선택사양(Optionality)

필수적 관계인지 선택적 관계인지를 나타낸다. (Null 가능 여부를 의미한다.) 필수적 관계인 경우 Null 값을 가질 수 없고 선택적 관계인 경우 Null 값을 가질 수 있다. 선택적 관계인 경우에는 까치발 기호에 O 표시가 덧붙는다.

고객과 주문의 관계에서 주문에 대해 고객은 반드시 있어야 하므로 필수적 관계이고, 고객은 주문을 하지 않을 수도 있으므로 고객에 대해 주문은 선택적 관계이다. (주문 쪽 까치발 기호에 O 표시가 붙어 있다.)

Tip 관계 읽기

① 기준 엔터티를 엔터티 이름 앞에 '한 개의(One)' 또는 '각(Each)'을 붙여 읽는다.

② 대상 엔터티를 관계차수(Cardinality)에 맞춰 읽는다. (하나 또는 하나 이상)

③ 관계선택사양(Optionality)과 관계명(Membership)을 읽는다.

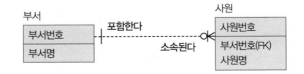

- 각 부서는 하나 이상의 사원을 선택적으로 포함한다.
- 각 사원은 하나의 부서에 필수적으로 소속된다.

»Test

16. 다음 중 관계의 표기법에 대한 설명으로 옳지 않은 것은?

① 관계명은 관계의 이름을 나타내며 존재적 관계, 행위적 관계를 나타낸다.

② 관계차수, 즉 카디널리티란 일대일, 일대다, 다대다와 같이 관계를 맺는 엔터티 인스턴스의 차수를 의미한다.

③ 관계선택사양은 관계가 필수적 관계인지 선택적 관계인지를 나타낸다.

④ 필수적 관계의 경우 Null 값을 가질 수 있는 경우를 말한다.

해설

필수적 관계란 반드시 하나 이상의 엔터티 인스턴스와 관계를 맺는다는 것을 의미하므로 Null 값을 가질 수 없다.

1.5 식별자

1.5.1 식별자의 개념

일반적으로 사람을 신분증(ID Card)으로 구분하는 것처럼 엔터티 인스턴스 역시 유일하게 구별할 수 있는 속성이 있어야 하며, 이런 속성을 식별자(Identifier)*라고 부른다. 식별자는 해당 엔터티 인스턴스의 대표 속성이라고 할 수 있다.

---

* 식별자와 유사한 개념으로 키(Key)라는 것이 있다. 조건에 맞는 검색이나, 정렬, 조인 등의 기준이 되는 속성을 키라고 하는데, 키의 종류에는 슈퍼키(Super Key), 후보키(Candidate Key), 기본키(Primary Key), 대체키(Alternate Key), 외래키(Foreign Key) 등이 있다.

≫Test

17. 다음 중 식별자로 볼 수 없는 속성은 어느 것인가?

① 주민등록번호

② 회원명

③ 고객번호

④ 상품번호

해설

회원명의 경우 동명이인이 있을 수 있으므로 엔터티를 유일하게 구별할 수 있는 식별자로서는 적합하지 않다.

1.5.2 주식별자

주식별자는 해당 엔터티 인스턴스를 유일하게 구별해주는 식별자로서 PK(Primary Key)에 해당하는 속성을 말한다. 주식별자는 아래의 네 가지 성질을 만족해야 한다.

성질	설명
유일성	각 엔터티 인스턴스를 유일하게 구별할 수 있어야 한다.
최소성	유일성을 보장하면서도 최소 개수의 속성이 되어야 한다.
불변성	속성값이 최초 생성 시 부여된 값에서 변경되지 않고 유지되어야 한다.
존재성	반드시 값을 가져야 하며 Null 값을 가질 수 없다.

 Tip PK 제약조건

PK는 유일성과 존재성을 가져야 하므로 Unique Key + Not Null의 제약조건을 갖는다.

≫ Test

18. 다음 중 주식별자의 성질이 아닌 것은?

① 유일성
② 존재성
③ 희소성
④ 불변성

해설
주식별자의 네 가지 성질은 유일성, 최소성, 불변성, 존재성이다.

1.5.3 식별자의 분류

❶ 대표성 여부

- **주식별자(Primary Identifier):** 해당 엔터티 인스턴스를 유일하게 구별할 수 있는 식별자로 유일성, 최소성, 불변성, 존재성을 만족하는 식별자이다. 다른 엔터티와 참조관계를 연결할 수 있다.

- **보조식별자(Alternate Identifier):** 해당 엔터티를 유일하게 구별할 수 있는 식별자이기는 하나 대표성을 가지지 못하며 다른 엔터티와 참조관계를 연결할 수 없는 식별자이다.

정답 18. ③

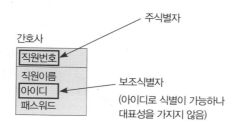

❷ 스스로 생성 여부

- **내부식별자(Internal Identifier)**: 엔터티 내부에서 스스로 만들어지는 식별자이다.

- **외부식별자(Foreign Identifier)**: 관계를 통해 다른 엔터티로부터 받아오는 식별자이 다. FK(Foreign Key)라고도 한다.

❸ 속성의 수

- **단일식별자(Single Identifier)**: 식별자를 구성하는 속성이 하나인 식별자이다.

- **복합식별자(Composite Identifier)**: 식별자를 구성하는 속성이 둘 이상인 식별자이다.

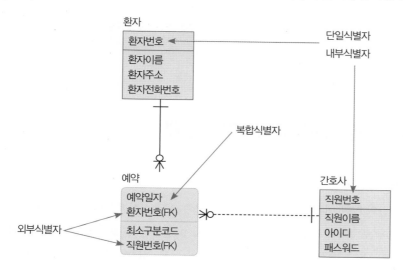

❹ 대체 여부

- **본질식별자(Original Identifier):** 업무에 존재하는 본래의 식별자. 원조식별자라고도 한다.

- **인조식별자(Surrogate Identifier):** 업무에 존재하지 않으나 원조식별자가 너무 복잡하게 구성되어 있어 인위적으로 만든 식별자. 대리식별자라고도 한다.

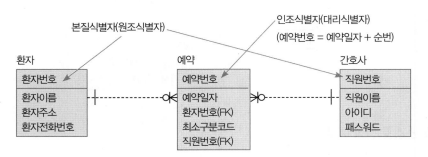

SQLD_05

식별자 관계 VS 비식별자 관계

1.5.4 식별자 관계, 비식별자 관계

❶ 식별자 관계

엔터티 간의 강한 연결 관계를 표현한다. 부모 엔터티의 식별자가 자식 엔터티의 주식별자 구성에 포함되며 ERD로 그릴 때 실선으로 표현한다. 부모 엔터티 인스턴스와 자식 엔터티 인스턴스가 같은 생명주기를 가질 때, 즉 부모 엔터티 인스턴스가 소멸할 때 자식 엔터티 인스턴스도 같이 소멸하는 경우에는 식별자 관계로 표현하는 것이 적합하다.

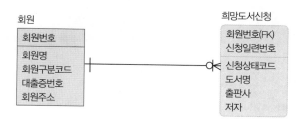

❷ 비식별자 관계

엔터티 간의 약한 연결 관계를 표현한다. 부모 엔터티의 식별자가 자식 엔터티의 일반 속성이 된다. ERD로 그릴 때 점선으로 표현한다. 부모와 자식 엔터티 인스턴스가 서로 다른 생명주기를 가질 때에는 비식별자 관계가 더 적합하다. 자식 엔터티의 주식별자를 부모 엔터티와 별도로 생성하거나 부모 엔터티 인스턴스에 참조값이 없어도 자식 엔터티 인스턴스가 생성될 수 있을 때는 비식별자 관계를 고려해야 한다. 여러 개의 엔터티를 하나로 통합하면서 각각의 엔터티가 가지고 있는 여러 개별관계가 통합될 때에도 비식별자 관계를 우선적으로 고려하는 것이 좋다.

»Test

20. 다음 중 식별자 관계에 대한 설명으로 옳지 않은 것은?

① 부모 엔터티의 식별자가 자식 엔터티의 주식별자에 포함되며 ERD로 그릴 때 실선으로 표현한다.
② 부모 엔터티의 인스턴스가 자식 엔터티와 같이 소멸되는 경우에 적합하다.
③ 자식 엔터티에서 독립적인 주식별자의 구조를 갖길 원할 때 고려한다.
④ 부모 엔터티의 주식별자를 자식 엔터티에서 받아 손자 엔터티까지 계속 흘려보내고 싶을 때 고려한다.

해설

자식 엔터티에서 독립적인 주식별자 구조를 가진다는 것은 상호 연결 관계가 약한 경우로 비식별자 관계를 고려하는 것이 좋다.

②: '부모 엔터티의 인스턴스가 자식 엔터티와 같이 소멸되는 경우'라고 하는 것은 생명주기(Life Cycle)를 같이 한다는 의미임.

③: '자식 엔터티에서 독립적인 식별자 구조를 갖길 원한다'는 것은 부모 엔터티의 식별자가 자식 엔터티의 주식별자에 포함되지 않는다는 의미임.

④: '부모 엔터티의 주식별자를 자식에서 손자까지 흘려보낸다'는 것은 부모 엔터티의 주식별자를 자식 엔터티의 주식별자에 포함시킨다는 의미임.

01. 다음 중 가장 추상화 수준이 높은 데이터베이스 모델링은 어느 것인가?

① 개념적 모델링
② 물리적 모델링
③ 논리적 모델링
④ 추상적 모델링

해설

데이터 모델링은 개념적 데이터 모델링 → 논리적 데이터 모델링 → 물리적 데이터 모델링 순으로 수행하며 단계가 진행될수록 추상화 수준은 점점 낮아진다.

각 단계에 대한 설명은 다음과 같다.

모델링 단계	설명
개념적 데이터 모델링	가장 먼저 수행하는 데이터 모델링으로 높은 추상화 수준에서 업무와 개념 중심으로 모델링을 수행한다.
논리적 데이터 모델링	개념적 모델링을 기본으로 하여 키, 속성, 관계 등을 정의하며 정규화를 통한 중복 저장의 최소화, 식별자의 확정 등을 수행한다.
물리적 데이터 모델링	추상화 수준이 가장 낮은 단계로서 데이터베이스를 실제로 구축하고 성능, 보안, 저장 등 물리적인 수준에서 모델링을 수행한다. 반정규화를 통한 성능 최적화 작업을 수행한다.

02. 아래에서 설명하고 있는 데이터 모델링의 관점은 무엇인가?

가. 업무를 구성하는 데이터와 프로세스가 어떻게 서로 관계를 맺고 영향을 주고받는지를 모델링한다.
나. CRUD(Create, Read, Update, Delete) 분석을 기반으로 한다.

① 데이터 관점
② 프로세스 관점
③ 데이터와 프로세스의 상관 관점
④ 관계 관점

해설

데이터 모델링은 업무를 분석하여 데이터 모델을 만드는 과정이다. 업무가 무엇을 대상으로 하는지를 나타내는 데이터 관점, 그 대상을 어떻게 처리하는지를 나타내는 프로세스 관점, 대상과 처리방법 간의 상관관계를 분석하는 데이터와 프로세스의 상관 관점, 이렇게 세 가지 관점에서 데이터 모델링을 수행한다.

03. ANSI-SPARC에서 정의한 3단계 스키마 구조 중에서 아래에서 설명하고 있는 것은 어느 것인가?

> 가. 설계자 관점에서 데이터베이스를 바라보며 통합된 뷰를 제공한다.
> 나. 모든 사용자 관점을 통합한 조직 전체의 관점에서 데이터베이스 스키마를 정의한다.
> 다. 전체 데이터베이스에 저장된 데이터와 그들 간의 관계를 정의한다.

① 외부 스키마
② 내부 스키마
③ 개념 스키마
④ 통합 스키마

해설

스키마	설명
외부 스키마	사용자나 애플리케이션 또는 응용 프로그래머가 바라보는 스키마를 정의한다. 사용자 관점에서의 스키마 정의이며 다중 사용자 뷰를 제공한다.
개념 스키마	모든 사용자 관점을 통합한 조직 전체의 관점에서 데이터베이스를 바라본다. 모든 사용자와 애플리케이션이 필요로 하는 데이터를 통합한 조직 전체의 데이터베이스를 정의하며 통합된 뷰를 제공한다.
내부 스키마	디스크나 메모리상의 물리적, 실질적 저장구조를 나타낸다. 테이블, 칼럼, 인덱스 등을 정의하며 물리적 뷰를 제공한다.

04. 다음 중 데이터 모델링을 할 때의 유의사항으로 옳지 않은 것은?

① 데이터 정의를 데이터 사용 프로세스와 분리하여 유연성을 높인다.
② 여러 장소의 데이터베이스에 같은 데이터를 저장하지 않도록 하여 중복성을 최소화한다.
③ 사용자가 처리하는 프로세스나 장표 등에 따라 데이터가 매핑될 수 있도록 응용 프로그램과 테이블 간의 연계성을 높인다.
④ 데이터 상호 간의 연관관계를 명확하게 정의하여 데이터가 일관되게 유지되도록 한다.

해설

프로그램은 데이터를 사용하는 방법을 뜻하며 테이블은 데이터의 정의를 뜻한다. 데이터의 정의(스키마, 테이블)와 데이터를 사용하는 방법(프로세스, 프로그램)을 최대한 느슨하게 결합하도록(Loosely Coupled) 설계해야 시스템의 유지보수성을 높일 수 있다. 전체가 하나로 타이트하게 묶여 있으면(Tightly Coupled) 사소한 변경사항이 발생해도 결국 전체를 수정해야 하므로 작업의 시간과 비용이 늘어난다.

05. **기출** ERD(Entity Relationship Diagram) 작성 순서로 올바른 것을 고르시오.

> 가. 엔터티를 그린다.
> 나. 엔터티를 적절하게 배치한다.
> 다. 엔터티 간에 관계를 설정한다.
> 라. 관계명을 기술한다.
> 마. 관계의 참여도를 기술한다.
> 바. 관계의 필수 여부를 기술한다.

① 가 → 나 → 다 → 라 → 마 → 바
② 나 → 가 → 다 → 라 → 마 → 바
③ 가 → 나 → 라 → 다 → 마 → 바
④ 가 → 나 → 다 → 마 → 바 → 라

해설

ERD 작성의 기본 순서는 다음과 같다.

엔터티 도출 → 엔터티 배치 → 관계 도출 → 관계명, 관계차수, 관계선택사양 기술

엔터티를 배치할 때는 중요한 엔터티를 좌측 상단에 배치하여 ERD를 보는 사람이 자연스럽게 구성 엔터티를 파악할 수 있도록 하는 것도 중요하다.

06. 다음 중 고객과 주문의 ERD에 대한 설명으로 가장 옳지 않은 것은?

① 한 명의 고객은 여러 개의 제품을 주문하거나 또는 주문을 전혀 안 할 수도 있다.
② 고객에 데이터를 입력할 때는 주문데이터가 존재하는 고객만이 입력 가능하다.
③ 주문에 데이터를 입력할 때는 주문하는 고객의 고객 데이터가 반드시 존재해야 한다.
④ 하나의 주문은 반드시 한 명의 고객에 의해서만 이루어진다.

관계의 카디널리티(Cardinality)가 일대다(1 : M)으로 연결되어 있다. 즉, 고객 하나에 대해 주문은 다수(0 이상)가 입력될 수 있는 것이다. 이것은 한 명의 고객이 주문을 0건 이상 할 수 있다는 의미이고 한 건의 주문에 대해서는 반드시 고객이 한 명이라는 의미이다. [고객] 테이블은 [주문] 테이블을 참조하고 있지 않으므로 고객 데이터를 입력할 때는 주문 데이터가 필요 없다. [주문] 테이블에는 [고객] 테이블의 고객번호 속성이 FK로 참조되고 있으므로 주문 데이터를 입력할 때는 반드시 고객 데이터가 존재해야 한다.

07. **기출** 다음 ERD에서 교차 엔터티에 해당하는 것은?

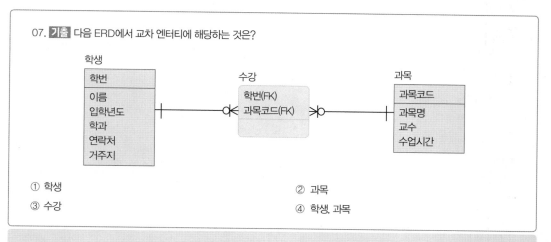

① 학생

② 과목

③ 수강

④ 학생, 과목

교차 엔터티(Interaction Entity)란 다대다(M : N) 관계를 해소하기 위해서 만들어진 엔터티를 말한다. 보기에서 학생과 과목 간에는 다대다(M : N) 관계가 성립하며 중간에 [수강] 엔터티를 추가하여 학생과 수강, 과목과 수강 간에 1 : N 관계를 맺도록 하였다. 이렇게 중간에 추가된 [수강] 엔터티가 바로 교차 엔터티이다.

08. 다음 중 다른 엔터티로부터 상속받지 않은 자신의 고유한 주식별자를 가지며 고객, 상품, 자재, 사원, 부서 등이 예가 될 수 있는 엔터티는 어느 것인가?

① 기본 엔터티

② 중심 엔터티

③ 행위 엔터티

④ 고유 엔터티

해설

기본 엔터티와 중심 엔터티를 혼동하지 않아야 한다. 데이터 모델링 시 데이터를 업무의 기본 단위로 쪼개고 이를 나타내는 각각의 객체를 엔터티로 정의하는 것이 먼저이며 이를 기본 엔터티(키 엔터티)라고 한다. 이렇게 기본 엔터티를 먼저 정의한 다음에는 업무 프로세스를 좀 더 자세히 분석하여 보다 핵심적이고 중심적인 업무를 엔터티로 정의하게 된다. 이러한 엔터티들은 대부분 기본 엔터티를 대상으로 삼거나 기본 엔터티로부터의 관계를 통해 정의되므로 기본 엔터티를 상속한 형태가 된다. 이를 중심 엔터티(메인 엔터티)라고 한다. 예를 들어 도서관 시스템을 모델링한다고 하면 가장 기본이 되는 도서, 회원 등은 기본 엔터티가 되며, 대출, 열람, 도서신청 등은 중심 엔터티가 될 수 있다.

09. 기출 식별자 중에서 대체 여부로 분류되는 식별자로서 비즈니스 프로세스에 의해서 만들어지는 식별자를 무엇이라고 하는가?

① 본질식별자   ② 단일식별자
③ 내부식별자   ④ 인조식별자

해설

식별자는 대체 여부에 따라서 본질식별자와 인조식별자로 나뉘며, 업무에 존재하는 본래의 식별자로서 비즈니스 프로세스에 의해서 만들어지는 식별자를 본질식별자라고 한다.

10. 기출 다음 ERD에서 식별자 분류로 올바른 것은?

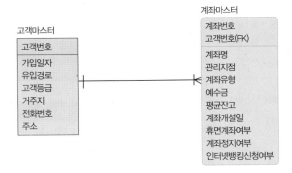

[고객마스터] 테이블의 고객번호는 대표성에 따른 식별자 분류로 (㉠)이고 스스로 생성했는지 여부에 따라서는 (㉡)이다. 또한 계좌마스터의 고객번호는 스스로 생성여부에 따라서 (㉢)이다.

① ㉠ 보조식별자, ㉡ 외부식별자, ㉢ 단일식별자   ② ㉠ 주식별자, ㉡ 내부식별자, ㉢ 외부식별자
③ ㉠ 보조식별자, ㉡ 내부식별자, ㉢ 외부식별자   ④ ㉠ 내부식별자, ㉡ 단일식별자, ㉢ 보조식별자

대표성 여부에 따라 주식별자와 보조식별자로 나뉘고, 스스로 생성 여부에 따라 내부식별자와 외부식별자로 나뉜다. [고객마스터] 테이블의 고객번호는 대표성을 가지고 [계좌마스터] 테이블과 참조관계를 연결하고 있으므로 주식별자이고, 테이블 내부적으로 만들어지는 식별자로서 내부식별자이다. [계좌마스터] 테이블의 고객번호는 FK로 [고객마스터] 테이블로부터 받아오는 식별자이므로 외부식별자이다.

11. 다음 중 두 개의 엔터티 사이에 관계를 도출할 때 참고할 사항을 모두 고른 것은?

가. 두 개의 엔터티 사이에 정보의 조합이 발생되는가?
나. 두 개의 엔터티 사이에 관심 있는 연관규칙이 존재하는가?
다. 업무기술서, 장표에 관계연결을 가능하게 하는 동사(Verb)가 있는가?
라. 업무기술서, 장표에 관계연결에 대한 규칙이 서술되어 있는가?

① 가, 다, 라
② 가, 나, 라
③ 가, 나, 다
④ 가, 나, 다, 라

해설

연관 또는 관계연결에 대한 규칙이나 동사(Verb) 표현으로부터 관계(Relationship)를 도출할 수 있다. 정보의 조합이 발생한다는 것은 공통의 기준키를 통한 조인이 필요하다는 의미이므로 이런 경우에도 관계를 도출할 수 있다. 관계연결을 가능하게 하는 동사(Verb)로부터는 관계를, 명사(Noun)로부터는 엔터티를 도출한다.

12. 다음 중 ERD에서 관계(Relationship)를 나타낼 때 표시되지 않는 것은?

① 관계의 이름(Relationship Membership)
② 관계의 차수(Relationship Degree/Cardinality)
③ 관계의 선택사양(Relationship Optionality)
④ 관계의 중요도(Relationship Priority)

해설

관계(Relationship)를 나타내는 세 가지 요소는 관계명(Membership), 관계차수(Degree/Cardinality), 관계선택사양(Optionality)이다.

13. **기출** 다음은 어떤 증권회사의 데이터베이스 모델링으로서 고객과 계좌 간의 관계를 표현한 것이다. 다음의 보기 중에서 그 설명이 올바르지 않은 것은?

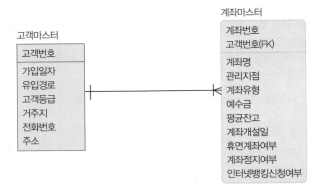

① 계좌를 개설하지 않은 고객은 본 증권회사에 고객이 될 수가 없다.

② 계좌번호는 전체 고객마다 유일한 번호가 부여된다.

③ 고객마스터와 계좌마스터의 관계는 식별관계이다.

④ 한 명의 고객에 하나의 고객등급만 부여된다.

해설

[고객마스터] 테이블에 대해서 [계좌마스터] 테이블이 필수관계로 표현되어 있으므로 고객은 반드시 계좌를 1개 이상 가져야 한다. [계좌마스터] 테이블의 주식별자가 계좌번호와 고객번호의 복합식별자로 되어 있으므로 계좌번호는 고객별로는 유일하나 전체 고객에 대해서는 유일하다고 볼 수 없다. [고객마스터] 테이블의 주식별자인 고객번호가 [계좌마스터] 테이블의 주식별자에 들어가 있으므로 식별관계이다. [고객마스터] 테이블의 일반 속성으로 고객등급을 가지고 있으므로 고객등급 속성값은 고객별로 하나이다.

14. 아래의 내용은 주식별자의 어떤 특징을 설명한 것인가?

학생의 학번으로 고유한 구조를 표현할 수가 있다. 하지만 ABC대학교의 [학생] 엔터티의 주식별자를 학번과 입학일자로 해서 잘못된 모델링을 했다.

① 유일성

② 최소성

③ 불변성

④ 존재성

주식별자는 엔터티를 식별할 수 있는 유일성을 만족하면서 최소의 개수로 구성해야 한다. 이를 최소성이라고 한다. [학생] 엔터티는 학번만으로 이미 고유한 구조를 표현할 수가 있다고 했으므로 학번은 유일성을 만족한다. 여기에 입학일자라는 불필요한 속성을 주식별자에 포함시켰다는 것이므로 이는 최소성을 위배한 것이다.

15. 데이터베이스 모델링과 관련된 개념으로 다음에서 설명하고 있는 것으로 가장 올바른 것은?

증권회사에서 주문을 발주할 때 해당 종목에 대한 호가단위가 있다. 즉, 주문은 10호가를 기준으로 발주할 수가 있어서 어떤 종목을 주문할 때 1003원과 같은 금액으로는 발주할 수가 없다. 이처럼 데이터베이스에서 값이 가질 수 있는 조건을 정의하는 것이다.

① 시스템 카탈로그(System Catalog)
② 다중 값 속성(Multivalued Attribute)
③ 선택도(Selectivity)
④ 도메인(Domain)

속성이 가질 수 있는 값의 범위를 도메인이라고 한다. 도메인은 데이터 타입, 크기, 제약조건 등을 묶어 정의하므로 보기와 같이 값이 가질 수 있는 조건은 도메인으로 정의할 수 있다. 시스템 카탈로그는 데이터베이스에 저장되어 있는 모든 데이터 객체들에 대한 정의나 명세에 대한 정보가 수록되어 있는 시스템 테이블이다.

16. 다음 중 보기에서 엔터티 내에 주식별자를 도출하는 기준으로 옳은 것을 모두 고르면?

가. 해당 업무에서 자주 수정되는 속성을 주식별자로 지정한다.
나. 명칭, 내역 등과 같이 이름으로 기술되는 것들을 주식별자로 지정한다.
다. 복합으로 주식별자를 구성할 경우 너무 많은 속성을 포함하지 않도록 한다.
라. 해당 업무에서 자주 사용되는 속성을 주식별자로 지정한다.

① 가, 나
② 가, 다
③ 다, 라
④ 나, 라

주식별자는 해당 엔터티를 구별하는 유일하고 고유한 값을 가져야 한다(유일성). 따라서 Null 값을 가질 수 없고(존재성) 이름과 같이 값이 겹칠 수가 있는 것은 사용할 수 없다. 주식별자는 다른 엔터티에서 이를 참조하는 경우가 많으므로 한번 값이 지정되면 거의 바뀌지 않는다(불변성). (아주 예외적으로 값의 변경이 필요한 경우에도 해당 값을 참조하는 모든 데이터를 다 찾아서 같이 변경해주어야 하고 이 과정에서 시스템에 오류를 일으킬 가능성이 크기 때문에 일반적으로는 거의 없다고 봐도 무방하다.) 주식별자를 복합으로 구성하는 경우에도 유일성을 만족하는 범위에서 최소한으로 구성해야 한다(최소성). 주식별자는 엔터티에 대한 일종의 신분증과 같기 때문에 조회 시 자주 사용되므로 해당 업무에서 자주 이용되는 속성으로 지정하는 것이 좋다.

17. 다음 중 보기에서 설명하고 있는 금액 속성과 주문합계 속성의 종류를 바르게 짝지은 것은?

ABC 온라인 쇼핑몰은 매일 고객들의 주문정보를 [주문] 테이블에 저장하고 있다. 그리고 매일 24시에 [주문] 테이블에 있는 금액을 조회하여 [일별주문합계] 테이블에 상품별, 일별 주문합계 금액을 보관한다. 이때 [주문] 테이블의 금액 속성과 [일별주문합계] 테이블의 주문합계 속성은 서로 데이터 정합성을 유지해야 한다.

① PK 속성, FK 속성
② 기본 속성, 파생 속성
③ 기본 속성, 설계 속성
④ 일반 속성, 파생 속성

[주문] 테이블의 금액 속성은 테이블에 입력되는 데이터로 기본 속성에 해당한다. [일별주문합계] 테이블의 주문합계 속성은 금액 속성으로부터 계산되는 속성으로 파생 속성에 해당한다. PK 속성, FK 속성은 속성의 구성 방식에 따른 분류로 여기에는 해당되지 않는다.
기본 속성, 설계 속성, 파생 속성에 대한 설명은 다음과 같다.

종류	설명
기본 속성	엔터티가 본래부터 가지고 있어야 하는 속성
설계 속성	엔터티가 본래부터 가지고 있던 속성은 아니지만 설계 시 필요하다고 판단되어 도출된 속성
파생 속성	다른 속성으로부터 계산되거나 특정 규칙에 따라 변형되어 만들어진 속성

18. 다음 중 엔터티, 관계, 속성에 대한 설명으로 올바르지 않은 것은?

① 한 개의 엔터티는 두 개 이상의 인스턴스를 가진다.

② 한 개의 엔터티는 두 개 이상의 속성을 가진다.

③ 한 개의 엔터티는 두 개 이상의 관계를 가진다.

④ 한 개의 속성은 한 개의 속성값을 가진다.

해설

엔터티는 엔터티 인스턴스의 집합이다. (집합의 구성은 최소 2개 이상의 원소를 갖는 것이다.) 또한 엔터티는 속성의 집합이다. 한 개의 속성은 오직 1개의 속성값만을 가지며 2개 이상의 속성값을 가지는 경우에는 1차 정규화를 수행하여 속성의 원자성을 확보해야 한다. 또한 엔터티는 1개 이상의 관계를 가진다. 단, 통계성이나 코드성 엔터티는 관계를 생략할 수 있다.

19. 다음 주어진 그림과 같은 ERD 표기법을 무엇이라 하는가?

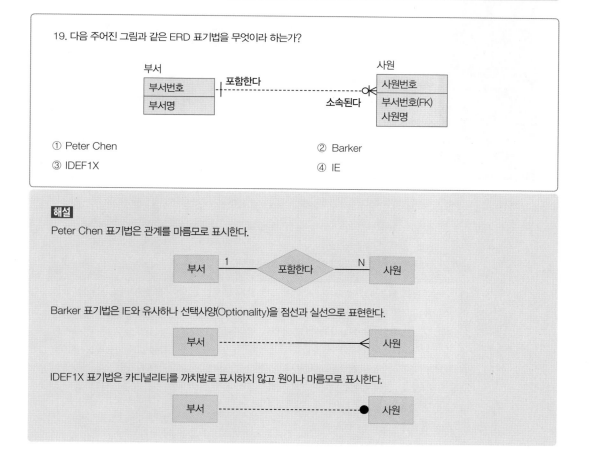

① Peter Chen

② Barker

③ IDEF1X

④ IE

해설

Peter Chen 표기법은 관계를 마름모로 표시한다.

Barker 표기법은 IE와 유사하나 선택사양(Optionality)을 점선과 실선으로 표현한다.

IDEF1X 표기법은 카디널리티를 까치발로 표시하지 않고 원이나 마름모로 표시한다.

20. 다음 중 식별자 관계에 대한 설명으로 옳지 않은 것은?

① 부모와 자식 간의 강한 연결 관계를 표현한다.

② 자식의 주식별자를 독립적으로 구성한다.

③ 부모의 주식별자가 자식의 주식별자에 포함된다.

④ ERD에서 실선으로 표현한다.

해설

자식의 주식별자를 독립적으로 구성하는 경우에는 비식별자 관계가 더 적절하다.

식별자 관계와 비식별자 관계를 비교하면 다음과 같다.

	식별자 관계	비식별자 관계
ERD	부서 부서번호 부서명 ──┤├──○<┤ 사원 사원번호 부서번호(FK) 사원명	부서 부서번호 부서명 ──┤├┈┈○<┤ 사원 사원번호 사원명 부서번호(FK)
연결 관계	강한 연결 관계를 표현	약한 연결 관계를 표현
주식별자 포함 위치	부모의 주식별자가 자식의 주식별자에 포함	부모의 주식별자가 자식의 일반 속성에 포함
관계 표기	실선으로 표기	점선으로 표기
주식별자 이전	상속받은 주식별자를 타 엔터티에 이전	상속받은 주식별자를 타 엔터티에 차단
주식별자 구성	자식의 주식별자 구성이 부모의 주식별자에 의존	자식의 주식별자를 독립적으로 구성

Chapter 2

데이터 모델과 SQL

2.1 정규화

모델링된 데이터베이스의 테이블*과 관계들은 데이터를 입력, 수정, 삭제하는 과정에서 의도치 않게 일관성이 깨질 수가 있는데 이를 데이터베이스의 이상현상(Anomaly)이라고 한다. 예를 들어 동일한 데이터가 서로 다른 테이블에 중복 저장되어 있는데 한 쪽의 값만 변경해서 다른 쪽에 저장된 값과 달라지게 되면, 이를 사용하는 애플리케이션 쪽에서 오류가 발생할 수 있다. 이때 이상현상이 발생했다고 한다. 이러한 문제를 방지하기 위해 데이터의 중복을 최소화하면서 테이블을 보다 잘 조직된 상태로 분해하는 과정이 바로 정규화이다.

정규화를 수행하면 데이터의 입력, 수정, 삭제 성능은 일반적으로 올라가고, 조회성능은 조건에 따라 향상될 수도 있지만 대부분 많은 조인이 발생하면서 하락하게 된다.** 이때 조회성능을 올리기 위해서 반정규화를 수행한다.

---

* 논리적 데이터 모델링에서 엔터티(Entity)라고 부르는 것을 물리적 데이터 모델링에서는 테이블(Table)이라고 부르며 관계형 데이터베이스의 경우 릴레이션(Relation)이라고 부르기도 한다. 결국 엔터티, 테이블, 릴레이션은 모두 같은 개념이다.

** 정규화가 항상 조회성능을 떨어뜨리는 것은 아니다. 정규화가 잘 되어 있지 않으면 불필요한 트랜잭션이 발생하는 등 전체적인 시스템 성능이 하락할 수가 있다. 반정규화를 통한 성능 향상은 반드시 잘 되어 있는 정규화를 전제로 한다.

> **Tip** 데이터베이스 이상현상(Anomaly)
>
> 정규화되지 않은 테이블에 데이터를 삽입, 수정, 삭제할 때 데이터의 일관성(Consistency)이 깨질 수 있다. 이런 현상을 데이터베이스 이상현상이라고 한다.
>
> ① 삽입 이상(Insertion Anomaly): 테이블에 데이터를 삽입할 때 의도하지 않은 정보까지 삽입해야 하는 현상
>
> ② 갱신 이상(Update Anomaly): 중복 저장되어 있는 데이터 중 하나만 갱신하고 다른 하나를 갱신하지 않을 때 나타나는 데이터의 불일치 현상
>
> ③ 삭제 이상(Deletion Anomaly): 테이블의 특정 데이터를 삭제할 때 의도하지 않은 정보까지 삭제되는 현상

Tip 정규화 절차

정규화 절차	설명
제1정규화	릴레이션의 속성값이 모두 원자값(Atmoic Value)만으로 구성되어야 한다. – 중복값을 제거한다. – 기본키를 설정한다.
제2정규화	기본키가 2개 이상의 속성으로 이루어진 경우 부분 함수종속성을 제거한다.
제3정규화	기본키를 제외한 칼럼 간의 종속성을 제거한다. 이행 함수종속성을 제거한다.
BCNF	기본키를 제외하고 후보키가 있는 경우 후보키가 기본키를 종속시키면 분해한다.

2.1.1 제1정규형

모든 속성이 하나의 속성값만을 가지고 있으면서 유사한 속성이 반복되지 않는 상태*를 제1정규형이라고 하며 제1정규형으로 만드는 것을 제1정규화 또는 1차 정규화라고 한다.

하나의 속성이 여러 속성값을 가질 때나 하나의 테이블에 유사한 속성이 반복될 때 이를 별도의 테이블로 분리한다.

---

* 이런 상태를 말할 때, 속성의 원자성(Atomicity)이 확보되었다고 말한다.

Tip 1차 정규화 수행 후의 관계

하나의 엔터티 내에서 주식별자에 대해 일반 속성은 1 : 1 관계를 가져야 한다. 만약 1 : M의 관계가 성립한다면 1차 정규화 대상이다. 1 : M 관계가 성립한다는 것은 결국 하나의 속성이 여러 속성값을 가질 때나 하나의 테이블에 유사한 속성이 반복될 때와 같기 때문이다.

아래의 [일재고] 엔터티는 장기재고수량과 장기재고금액이 각각 1개월치와 2개월치가 함께 포함되어 있어 유사한 속성이 반복되고 있다. 3개월치 재고 데이터가 추가된다면 모델을 변경해야 하는 문제를 가지고 있는 것이다. 이는 1차 정규화 대상으로 [일재고] 엔터티와 [일재고상세] 엔터티로 분리하는 1차 정규화를 수행한다.

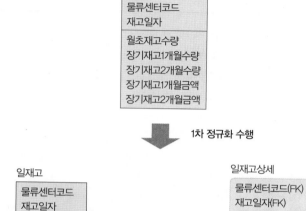

이때 [일재고]와 [일재고상세]는 1 : M의 관계를 가진다.

》Test

01. 다음 중 1차 정규화와 관련된 설명으로 옳지 않은 것은?

① 속성의 원자성을 확보하기 위해 테이블을 분리하는 것이다.

② 테이블의 종류가 너무 많아지지 않도록 유사한 속성을 하나의 테이블에 모두 포함시킨다.

③ 1차 정규화를 수행하면 일반적으로 삽입, 수정, 삭제 성능이 향상된다.

④ 1차 정규화를 통해 분리된 테이블의 정보를 한 번에 조회하려면 조인이 발생한다.

해설

유사한 속성이 하나의 테이블에 포함되어 있으면 새로운 데이터를 추가할 때 새로운 속성을 추가해야 하는 등 모델 자체를 변경해야 할 수 있다. 테이블의 종류가 많아지는 것보다 데이터를 추가하면서 모델이 계속 변경될 수 있는 설계 자체가 문제가 될 수 있다. 따라서 이렇게 유사한 속성이 반복될 때 1차 정규화를 수행하여 이를 별도의 테이블로 분리한다.

02. 다음 테이블의 문제점과 필요한 정규화 단계로 옳은 것은?

주문번호(PK)	주문일시	주문제품	배송요청여부
1011	2024-01-22	모니터, 마우스	Y
1012	2024-01-22	연습장, 가위, 풀	N
1013	2024-01-23	키보드, 마우스	Y

① 주문제품 속성의 속성값이 여러 개이다. – 1차 정규화
② 동일한 주문일시 속성값이 반복되어 나타난다. – 1차 정규화
③ 배송요청여부 속성이 속성의 원자성을 만족하지 않는다. – 1차 정규화
④ 주문번호가 주식별자로 적절하지 않다. – 1차 정규화

해설

주문제품 속성의 속성값이 하나가 아니라 여러 개이다. 이렇게 되면 특정 제품명으로 주문을 조회하는 것이 불가능하며 제품명을 변경할 때에도 처리가 어렵다. 1차 정규화를 수행하여 다음과 같이 두 개의 테이블로 분리한다. 이때 주문과 주문제품은 1 : M 관계가 성립한다.

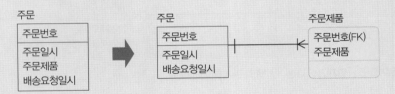

[주문]

주문번호(PK)	주문일시	배송요청여부
1011	2024-01-22	Y
1012	2024-01-22	N
1013	2024-01-23	Y

[주문제품]

주문번호(PK)	주문제품(PK)
1011	모니터
1011	마우스
1012	연습장
1012	가위
1012	풀
1013	키보드
1013	마우스

2.1.2 제2정규형

주식별자가 두 개 이상으로 구성된 복합식별자인 경우*, 일반 속성이 주식별자의 일부에만 종속성을 가질 때가 있는데 이를 부분 함수종속성이라고 한다. 제2정규형은 이런 부

분 함수종속성을 제거한 상태이다. 제2정규형을 만드는 것을 제2정규화 또는 2차 정규화라고 한다.

주식별자에 완전하게 종속적이지 않은 속성을 별도의 테이블로 분리한다.

---

* 주식별자가 단일식별자일 때는 제2정규화가 필요 없으며 그 자체가 이미 제2정규형이다.

>  **Tip** 함수종속성(FD, Functional Dependency)
>
> 함수(Function)란 집합 X에서 집합 Y로의 대응 관계를 말한다. 하나의 X값에 대해서 하나의 Y값만 대응되며 X를 Y의 결정자라고 하고, Y를 X의 종속자라고 한다.
>
> 함수종속성이란 테이블의 속성이 함수의 대응 관계처럼 논리적 종속 관계를 가지는 성질을 말한다. 테이블의 모든 일반 속성은 주식별자에 완전하게 종속적이어야 하며 이를 완전 함수종속성이라고 한다.

예제-1

아래의 [보관금원장] 엔터티는 관서번호에만 종속되는 관서명, 관서등록일자가 엔터티에 같이 들어있다. 이를 함수종속성(FD)으로 표현하면 다음과 같다.

```
[관서번호, 납부자번호] -> {직급명, 통신번호}
[관서번호] -> {관서명, 관서등록일자}
```

이 엔터티는 일반 속성의 일부가 주식별자의 일부에만 종속되는 부분 함수종속성을 가지고 있어 2차 정규화 대상이다. 관서번호를 주식별자로 하는 [관서] 엔터티를 분리한다.

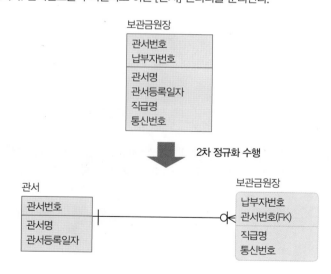

예제-2

아래의 [수강지도] 엔터티의 함수종속성(FD)을 표현하면 아래와 같다.

[학번, 과목코드] -> 학점
[과목코드] -> 과목명

부분 함수종속성이 존재하므로 2차 정규화를 수행하여, [과목] 엔터티를 분리한다.

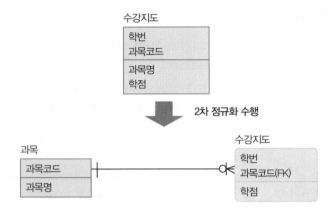

이때 [과목] 엔터티는 [수강지도] 엔터티의 주식별자 중 일부로부터 독립했으므로 [과목]과 [수강지도] 간에는 1:M 관계가 성립한다.

》Test

03. 다음 중 제2정규화와 관련 있는 함수종속성은?

① 완전 함수종속성
② 이행 함수종속성
③ 부분 함수종속성
④ 결정자 함수종속성

해설

제2정규화는 부분 함수종속성을 제거하는 것을 말한다. 결정자 함수종속성이란 후보키가 아닌 속성이 결정자인 함수 종속 관계가 존재하는 경우이며 보이스-코드 정규화(BCNF)를 수행한다.

2.1.3 제3정규형

주식별자가 아닌 일반 속성 간에 함수종속성이 존재할 때 이를 이행 함수종속성*이라고 한다. 이행 함수종속성이 제거된 상태가 제3정규형이며 제3정규형을 수행하는 것을 제3정규화 또는 3차 정규화라고 한다.

---

* 이행 함수종속성(Transitive Dependency)의 정확한 의미는 집합 A, B, C가 있을 때, A → B이고 B → C이면 A → C가 성립한다는 것이다. PK 속성 A와 일반 속성 B, C가 있을 때, B → C의 함수종속성이 존재하면 C는 A에 대해 이행 함수종속성을 가진다고 말한다. (일반 속성 B는 PK 속성 A에 대해 A → B가 이미 성립하므로) 즉, 일반 속성이 PK 속성에 대해 이행 함수종속성을 가진다는 것은 직접적 함수 종속 관계가 아니라는 것이므로 이를 분리하는 제3정규화가 필요한 것이다.

예제

학생지도

학번
지도교수
학과

[학생지도]

학번(PK)	지도교수	학과
101	강철민	전산과학과
102	이기철	경영학과
103	오진호	전산과학과
104	이기철	경영학과

위 엔터티의 함수종속성(FD)을 표현하면 아래와 같다.

```
[학번] -> {지도교수, 학과}
[지도교수] -> 학과
```

일반 속성 내에서의 함수 종속이 존재하는 이행 함수종속성이 존재하므로 3차 정규화를 수행하여, [학생지도] 엔터티와 [지도교수학과] 엔터티로 분리한다.

테이블을 살펴보면 다음과 같다.

[학생지도]

학번(PK)	지도교수
101	강철민
102	이기철
103	오진호
104	이기철

[지도교수학과]

지도교수(PK)	학과
강철민	전산과학과
이기철	경영학과
오진호	전산과학과

≫Test

04. 정규화와 관련된 다음 설명 중 옳지 않은 것은?

① 속성의 원자성이 확보되어 있는 경우 제1정규형이다.

② 속성의 원자성이 확보되어 있고 주식별자가 단일식별자인 경우 제2정규형이다.

③ 제2정규형이며 일반 속성 간에 함수종속성이 존재하는 경우 제3정규화 대상이다.

④ 이행 함수종속성이란 주식별자의 일부에 일반 속성이 함수종속성을 갖는 것을 말한다.

해설

모든 일반 속성은 주식별자에 대해서 함수종속성을 가져야 한다. 일반 속성 간에 함수종속성이 있는 경우 이를 이행 함수종속성이라고 하며 제3정규화 대상이다. 주식별자의 일부에 일반 속성이 함수종속성을 갖는 것은 부분 함수종속성이다.

2.2 관계와 조인의 이해

정규화를 통해 분해된 테이블들은 조회 과정에서 여러 번의 조인이 발생할 수 있다. 조인*은 데이터베이스의 성능 측면에서 다소 부하가 높은 연산이므로 정규화를 통해 많은 테이블로 분해된 데이터베이스는 전체적으로 조회성능이 떨어질 수 있다. 이러한 성능 저하를 막기 위해서는 조회 조건에 따라 새로운 관계를 정의하며 조인이 발생하는 빈도를 줄이는 것이 필요하다. 물론 이 과정에서 다시 데이터의 중복이 증가할 수 있는데 데이터의 중복이 증가하면 데이터의 정합성이 깨질 가능성도 높아진다. 다시 말해서 데이터의 정합성과 조회성능 간에는 트레이드 오프 관계**가 성립한다고 볼 수 있다. 데이터베이스 모델러는 모델링을 하는 과정에서 시스템의 요구사항에 맞게 적절한 수준에서 정합성 수준을 결정해야 한다.

* 조인(JOIN)이란 두 개의 테이블을 공통의 식별자를 통해 데이터를 조회할 수 있도록 하나의 테이블로 합치는 것이다. 이 과정에서 보통 $O(N^2)$의 연산이 발생하므로 매우 높은 부하를 유발한다. 인덱스(Index)와 옵티마이저(Optimizer)를 통해 조인의 부하를 낮출 수는 있지만 근본적으로 부하 자체를 없앨 수는 없다.

** 트레이드 오프(Trade-off) 관계란 두 개의 속성이 서로 상충하는 관계로서 하나가 증가하면 다른 하나는 감소하는 관계를 말한다.

Tip 성능 데이터 모델링

성능 데이터 모델링이란 분석/설계 과정에서부터 데이터베이스의 성능을 충분히 고려하여 데이터 모델링을 수행한다는 개념으로 아래의 절차를 따른다.

① 데이터 모델링 시 정규화를 정확하게 수행한다.

② 데이터베이스 용량산정을 수행한다.

③ 데이터베이스에 발생되는 트랜잭션의 유형을 파악한다.

④ 용량과 트랜잭션의 유형에 따라 반정규화를 수행한다.

⑤ 이력모델의 조정, PK/FK 조정, 슈퍼타입/서브타입 조정 등을 수행한다.

⑥ 성능관점에서 데이터 모델을 검증한다.

2.2.1 반정규화가 필요한 상황

데이터베이스를 운영하다 보면 데이터의 정합성도 중요하지만, 때에 따라서 조회성능, 즉 질의에 대한 응답 성능이 중요한 경우가 있다. 또한 해당 데이터베이스를 사용한 시스템을 개발하고 운영할 때 전체적인 구조를 보다 단순화하여 시간과 비용을 절감하는 것이 더 중요할 때도 많다. 이렇게 조회성능의 향상, 개발과 운영의 단순화가 필요한 경우가 바로 반정규화가 필요한 상황이다.

반정규화(De-Normalization)는 정규화와는 반대로 데이터의 중복을 허용하거나 데이터를 그룹핑하여 조회성능을 높이는 것을 말한다.

반정규화는 데이터베이스의 정합성을 낮추어 또 다른 문제를 발생시킬 수 있으므로 그 이전에 다른 대안*을 충분히 검토한 후에 수행해야 한다.

---

* 반정규화 이전에 검토할 수 있는 대안으로 뷰 테이블 생성, 인덱스 조정, 클러스터링 적용, 응용 애플리케이션에서의 처리 등의 방법이 있다.

Tip 반정규화 수행절차

반정규화를 수행하는 절차는 다음과 같다.

① 반정규화 대상 조사: 범위처리 빈도수 조사, 통계성 프로세스 조사, 테이블 조인 개수 등 반정규화 대상을 조사한다.

② 다른 방법 검토: 뷰 테이블 생성, 인덱스 조정, 클러스터링 적용, 응용 애플리케이션에서의 처리 등 대안을 먼저 검토한다.

③ 반정규화 적용: 테이블 반정규화, 칼럼 반정규화, 관계 반정규화 등 반정규화를 수행한다.

》Test

05. 다음 중 반정규화에 대한 설명으로 잘못된 것은?

① 반정규화 절차는 대상 조사 및 검토 → 대안 검토 → 반정규화 적용 순서이다.
② 조회성능을 높이기 위해 데이터의 중복을 줄이는 것이다.
③ 반정규화는 모델의 유연성을 낮추므로 사전에 충분한 대안 검토 후 수행해야 한다.
④ 반정규화의 대안으로 뷰 테이블 생성, 인덱스 조정, 클러스터링 적용, 응용 프로그램에서의 처리 등의 방법이 있다.

해설
반정규화는 조인의 발생에 따른 조회성능 하락을 줄이기 위해 데이터의 중복을 늘리는 것이다.

2.2.2 테이블 반정규화

❶ 테이블 병합

조인의 발생 빈도가 높아서 아예 여러 테이블을 하나로 합치는 것이 성능 향상에 효율적일 때에는 테이블을 병합한다. 1:1 관계 테이블 병합, 1:M 관계 테이블 병합, 슈퍼타입/서브타입 관계 테이블 병합*이 있다.

1:M 관계 테이블을 병합할 때, 속성의 개수가 너무 많은 경우 많은 수의 중복이 발생하므로 이를 그대로 수행하는 것은 적절하지 않으며 다른 대안을 먼저 찾아야 한다.

---

* 슈퍼타입/서브타입 관계 테이블 병합
 - One to One Type: 개별로 발생되는 트랜잭션에 대해서는 개별 테이블로 구성한다.
 - Plus Type: 슈퍼타입+서브타입에 대해 발생되는 트랜잭션은 JOIN 연산에 의한 성능저하를 가져오므로 슈퍼타입 + 서브타입 테이블로 구성한다.
 - Single Type: 전체를 한 번에 조회하는 트랜잭션은 UNION 연산에 의한 성능저하를 가져오므로 전체를 하나의 테이블로 통합한다.

SQLD_07
슈퍼타입/서브타입
관계 테이블 병합
2Day

예제-1 1:M 관계 테이블 병합

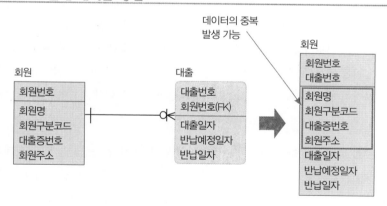

10Day

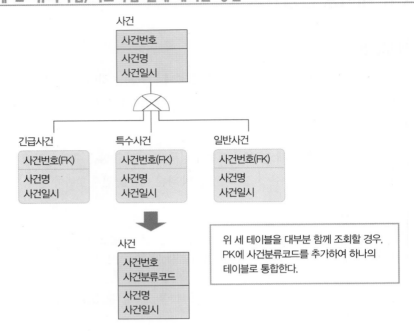

위 세 테이블을 대부분 함께 조회할 경우, PK에 사건분류코드를 추가하여 하나의 테이블로 통합한다.

❷ 테이블 분할

테이블의 특정 속성들에 대해서만 집중적으로 접근하는 경우 별도의 테이블로 분할한다. 이를 통해 접근 빈도나 잠김 또는 경합 현상이 감소하는 효과가 있으나 분할된 테이블의 속성을 한 번에 조회할 때에는 결국 유니온(UNION)*이나 조인(JOIN)을 사용해야 하므로 성능 하락이 발생한다는 점을 감안해야 한다. 테이블 분할에는 수직분할과 수평분할이 있다.

- **수직분할:** 특정 속성들에 대해서만 접근이 빈번할 때 해당 속성들을 별도의 테이블로 분할하여 1:1 관계로 만든다. 로우체이닝**이 발생할 경우 테이블의 수직분할을 우선적으로 고려해야 한다.(테이블에서 수직으로 열(Column)을 쪼갠다고 해서 수직분할임)

---

* 유니온(UNION)이란 같은 스키마를 가진 두 테이블에 대한 합집합 연산을 말한다. 조인(JOIN)은 스키마가 다른 테이블을 기준키를 사용해서 병합하는 연산이다.

** 한 테이블에 너무 많은 칼럼이 존재할 경우 행(Row) 하나의 크기가 매우 커질 수가 있다. 이때 한 행의 크기가 너무 커서 디스크의 데이터 블록 하나에 저장되지 못하고 두 개 이상의 블록에 걸쳐서 저장이 되는 것을 로우체이닝(Row Chaining)이라고 한다. 로우체이닝이 발생하면 해당 테이블의 조회성능이 매우 나빠지므로 자주 접근하는 칼럼을 분석하여 1 : 1로 테이블을 분리하여 디스크 I/O를 줄이는 것이 좋다.

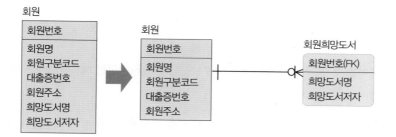

- **수평분할(파티셔닝):** 속성의 값에 따라서 구분하여 조회하는 경우(예를 들어 연도별로 조회하는 경우) 인스턴스들을 그룹핑하여 나누어질 수 있도록 분할하는 방법이다. 분할된 테이블의 스키마는 원래의 테이블과 동일하다.*(테이블에서 수평으로 행(Row)을 쪼갠다고 해서 수평분할임)

---

* 수평분할, 즉 파티셔닝을 통해 분리된 테이블은 물리적으로는 여러 개의 테이블이지만 논리적으로는 스키마가 같은 하나의 테이블이라고 볼 수 있다.

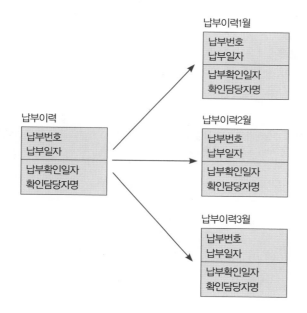

❸ 테이블 추가

조회에 필요한 속성을 포함하는 새로운 테이블을 추가한다. 중복, 통계, 이력, 부분 테이블 추가 방법이 있다.

- **중복 테이블 추가:** 다른 업무나 서버에 있는 테이블과 동일한 구조의 테이블을 중복해서 추가하여 원격 조인을 제거하는 방법

- **통계 테이블 추가**: SUM(합), AVG(평균) 등 통계값에 해당하는 연산을 미리 계산하여 저장하는 별도의 테이블을 추가하는 방법

- **이력 테이블 추가**: 변경 이력 등 이력 데이터를 관리할 수 있는 테이블을 별도로 추가하는 방법

- **부분 테이블 추가**: 디스크 I/O를 줄이기 위해 하나의 테이블 내에 특별히 자주 사용하는 속성들만 별도로 모아서 새로운 테이블로 추가하는 방법

≫ Test

06. 다음 설명이 의미하는 반정규화 기법의 종류는 무엇인가?

연도별 조회와 같이 속성의 값에 따라서 구분하여 조회하는 경우 인스턴스들을 그룹핑하여 나누어질 수 있도록 분할하는 방법으로 파티셔닝이라고도 한다. 분할된 테이블의 스키마는 원래의 테이블과 동일하다.

① 테이블 수평분할
② 테이블 수직분할
③ 1:M 테이블 병합
④ 부분 테이블 추가

해설
테이블 반정규화 중 수평분할에 대한 설명이다.

≫ Test

07. 다음의 테이블 반정규화 중 테이블 추가 기법이 아닌 것은?

① 이력 테이블 추가
② 파생 테이블 추가
③ 통계 테이블 추가
④ 부분 테이블 추가

해설
테이블 추가 방법으로는 중복 테이블 추가, 통계 테이블 추가, 이력 테이블 추가, 부분 테이블 추가가 있다.

2.2.3 칼럼 반정규화

❶ 중복 칼럼 추가

조인을 감소시키기 위해 자주 사용하는 칼럼을 중복 추가하는 기법이다.

예제

아래 ERD에서 박스로 표시한 회원번호 칼럼은 조인을 통하지 않고 바로 조회할 수 있도록 중복해서
추가된 칼럼이다.

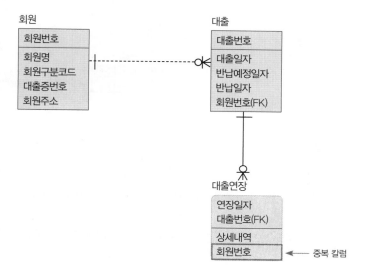

2Day

❷ 파생 칼럼 추가

트랜잭션 처리 시 계산에 의한 부하 발생을 줄이기 위해 계산값을 별도의 칼럼으로 미리 추
가하는 기법이다.

10Day

예제

아래 ERD에서 박스로 표시한 주문금액은 주문별로 제품단가를 합하여 미리 계산해 추가한 파생칼럼
이다.

❸ 이력 테이블 칼럼 추가

대량의 데이터를 처리할 때 조회성능 저하를 예방하기 위해 이력 테이블에 조회 조건에 해당하는 기능성 칼럼을 추가하는 기법이다.

예제

아래 ERD에서 박스로 표시한 주문등록여부 칼럼은 등록여부를 조회할 때의 성능 향상을 위한 기능성 칼럼으로 추가된 것이다.

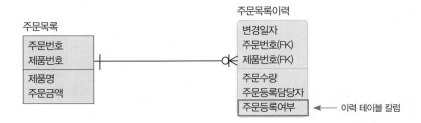

❹ PK에 의한 칼럼 추가

복합 의미를 갖는 PK를 단일 속성으로 구성했을 때, PK를 파싱*해서 추가적인 내용을 조회해야 하는 경우에 성능 하락이 있을 수 있으므로 이를 일반 속성으로 추가하는 기법이다.

* 파싱(Parsing)은 구문분석이라고 하여 일정한 형식으로 구성된 텍스트를 구성요소로 분해하여 값을 추출, 해석하는 것을 말한다.

예제

[접수] 엔터티의 PK인 접수번호에 접수날짜 정보가 포함되어 있을 경우, 이를 일반 속성에 별도로 추가한다.

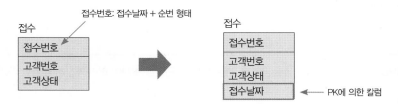

❺ 응용 시스템 오동작을 위한 칼럼 추가

응용 시스템에서 데이터 처리 도중 오류가 발생한 경우에 원래의 값을 복원하는 것처럼, 오동작 처리를 위해 이전 데이터를 임시적으로 중복하여 보관하는 기법이다.

예제

현재 작업상태 값을 백업 저장하는 이전작업상태 칼럼을 추가하여 오류 발생 시 값을 복원할 수 있도록 한다.

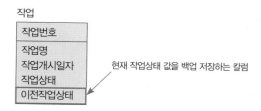

작업

| 작업번호 |
| 작업명 |
| 작업개시일자 |
| 작업상태 |
| 이전작업상태 |

← 현재 작업상태 값을 백업 저장하는 칼럼

≫Test

08. 다음 중 칼럼 반정규화에 해당하지 않는 것은?

① 중복 칼럼 추가

② 파생 칼럼 추가

③ 이력 테이블 칼럼 추가

④ 종속 칼럼 추가

해설

종속 칼럼 추가라는 것은 없다. 칼럼 반정규화에는 중복 칼럼 추가, 파생 칼럼 추가, 이력 테이블 칼럼 추가, PK에 의한 칼럼 추가, 응용 시스템 오동작을 위한 칼럼 추가 등이 있다.

≫Test

09. 다음 설명이 의미하는 칼럼 반정규화 기법은 어느 것인가?

> 대량의 데이터를 처리하는 경우 시작과 종료 일자, 최근 값 등을 조회할 때 나타날 수 있는 조회성능 저하를 예방하기 위해 이력 테이블에 조회 조건에 해당하는 기능성 칼럼을 추가하는 기법

① 중복 칼럼 추가

② 파생 칼럼 추가

③ 이력 테이블 칼럼 추가

④ PK에 의한 칼럼 추가

해설

이력 테이블 칼럼 추가에 대한 설명이다. 이력 테이블 칼럼이란 최근 값 조회나 시작, 종료 일자 등 과거의 이력에 기반한 조회를 수행할 때에 나타날 수 있는 성능 저하를 예방하기 위해 이력 테이블에 추가한 기능성 칼럼이다.

2.2.4 관계 반정규화

여러 관계를 거쳐 다수의 조인을 통해 처리가 가능하지만 이때 발생할 수 있는 성능 저하*를 막기 위해 추가적으로 중복된 관계를 맺는 방법이다.

---

* 조인이 많으면 CPU 연산 부하가 커짐에 따라 조회성능이 저하된다.

예제

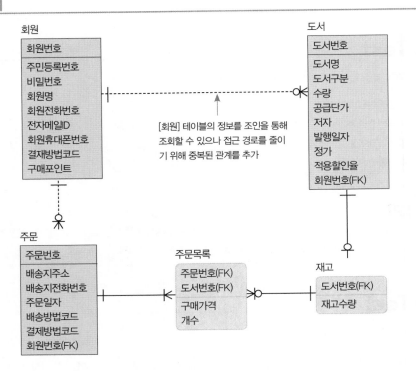

≫Test

10. 다음 중 관계 반정규화에 대한 설명으로 옳은 것은?

① 다수의 조인을 통한 성능 저하를 예방하기 위해 중복된 관계를 추가하는 것이다.

② 자주 사용하는 칼럼을 중복 생성하는 것이다.

③ 특정 속성들에 대해서만 접근이 빈번할 때 해당 속성들을 별도의 테이블로 분리하는 것이다.

④ 중복된 관계를 하나로 통합하는 것이다.

해설
관계 반정규화는 관계를 추가하는 것이다. 다수의 조인을 통해서 조회가 가능하지만 성능 하락을 막기 위해 직접적인 관계를 중복 추가하는 것을 말한다.

2.3 모델이 표현하는 트랜잭션의 이해

데이터베이스에 데이터를 삽입, 수정, 삭제할 때, 이것이 원자적(Atomic)으로 하나의 단위로 실행되어야 전체적으로 데이터의 정합성이 깨지지 않는다. 여기서 원자적이라는 말은 더 이상 쪼개질 수 없는 단위라는 의미이다. 좀 더 쉽게 설명하자면 'All or Nothing'이라고 표현할 수 있는데 작업이 완전하게 다 처리되든가 아니면 전혀 처리되지 않아야 한다는 것으로 중간에 미완결된 상태로 중단되어서는 안 된다는 의미이다. 데이터베이스는 저장되는 데이터의 정합성이 무엇보다 중요하므로 데이터를 읽고 쓸 때, 트랜잭션 단위로 처리되어야 한다.

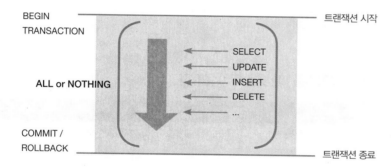

트랜잭션의 이해

🔊 Tip 트랜잭션 관련 SQL 명령

트랜잭션과 관련된 SQL 명령을 TCL(Transaction Control Language)이라고 한다. COMMIT, ROLLBACK, SAVEPOINT가 있다.

- COMMIT: 작업을 정상적으로 처리 완료하여 DB에 반영한다.
- ROLLBACK: 작업을 취소하고 이전 상태로 되돌린다.
- SAVEPOINT: ROLLBACK시 부분 작업 취소를 위한 저장점을 지정한다.

2.3.1 트랜잭션의 개념

데이터베이스에 데이터를 읽고 쓸 때, 한 번에 수행되어야 하는 논리적인 작업 단위를 트랜잭션이라고 한다. 데이터베이스는 트랜잭션 단위로 데이터의 조작이 발생하고 하나의 일관된 상태에서 다른 일관된 상태로 변환된다고 할 수 있다.

❶ 트랜잭션의 특성

특성	설명
원자성(Atomicity)	하나의 트랜잭션으로 묶인 연산들은 'All or Nothing'의 개념으로 모두 실행되든지 아니면 전혀 실행되지 않아야 한다.
일관성(Consistency)	트랜잭션의 결과는 데이터베이스의 정합성을 깨지 않는다는 것으로서 트랜잭션 이전에 데이터베이스에 오류가 없다면 트랜잭션 이후에도 오류가 없다.
고립성(Isolation)	트랜잭션은 독립적으로 수행되며 다른 트랜잭션이 실행 중간에 간섭하거나 영향을 미치지 않는다.
영속성(Durability)*	트랜잭션의 결과는 데이터베이스에 영구적으로 저장되어 유지된다.

---

* 영속성을 지속성이라고도 한다.

❷ 트랜잭션의 격리수준*이 낮을 때의 문제점

문제점	설명
Dirty Read	트랜잭션에 의해 수정되었으나 아직 커밋이 되지 않은 상태에서, 다른 트랜잭션이 해당 데이터를 읽게 되면 발생하는 데이터의 불일치 현상
Non-Repeatable Read	한 트랜잭션 내에서 같은 쿼리를 두 번 실행할 때, 그 사이에 다른 트랜잭션이 값을 수정하거나 삭제하면서 첫 번째와 두 번째 쿼리의 실행결과가 달라지는 현상
Phantom Read	한 트랜잭션 내에서 같은 쿼리를 두 번 실행할 때, 그 사이에 다른 트랜잭션이 값을 삽입하면서 두 번째 쿼리에서 이전에 없던 레코드가 나타나는 현상

---

* 여러 개의 트랜잭션을 동시에 처리할 때, 완전하게 락(Lock)을 걸고 실행하면 쓰기작업 중에는 전혀 해당 데이터를 조회하는 것이 불가능하므로 조회성능이 매우 낮아질 수 있는 문제가 있다. 따라서 쓰기작업 중에 읽기작업을 어느 정도로 허용할지를 정할 수가 있는데 이를 트랜잭션의 격리수준이라고 한다.

≫Test

11. 다음 중 트랜잭션의 특성이 아닌 것은?

① 원자성(Atomicity)

② 의존성(Dependency)

③ 고립성(Isolation)

④ 영속성(Durability)

해설

트랜잭션의 네 가지 특성은 원자성(Atomicity), 일관성(Consistency), 고립성(Isolation), 영속성(Durability)으로 일반적으로 ACID 특성이라고 부른다.

2Day

10Day

2.4 Null 속성의 이해

데이터베이스에서 Null*이라는 것은 속성값을 말할 때 값이 아직 입력되지 않은 상태에 대한 특별한 표현이다. 정의된 속성의 기본값으로 0이나 공백 등 특별한 어떤 값이 정의되지 않은 경우라면 모든 속성은 최초에 Null 값을 가진다.

---

* 따옴표 없이 표기할 때 Null과 NULL은 같은 의미이다.

2.4.1 Null의 개념

속성에 대해 속성값을 말할 때 Null은 아직 입력된 값이 없는 상태로서 아무런 값도 가지고 있지 않은 상태를 의미하는 특별한 표현이다. 보통 Null 값을 가지고 있다고 말하는 경우, 정확하게 말하자면 Null이라는 값을 가지고 있다는 것보다는 '아무런 값도 없다'는 의미로 이해해야 한다.

일반적으로 문자열 타입의 속성에 대해 Null 값과 "Null"이라는 문자열값은 명백히 다르다는 점을 이해해야 하며, Null은 공백과도 다르다는 점을 잊지 않도록 하자. 또한 Number 타입 속성의 경우에 값이 0인 것과 Null인 경우를 구분해야 한다는 점도 중요하다.

SQLD_08

Null과의 연산

🎯 Tip Null과의 연산

- 단일행 연산: Null 값과의 연산 수행결과는 Null이 된다. Null은 미정의된 값이므로 결과를 계산할 수 없기 때문이다. 예) 100 + Null = Null
- 다중행 연산: Null 값인 행을 제외하고 연산을 수행한다. Null은 미정의된 값으로 연산결과에 영향이 미치지 않도록 전체 연산 대상에서 제외한다. 예) 10, 20, Null, 30의 평균 = (10 + 20 + 30) / 3 = 20

»Test

12. 다음 중 Null에 대한 설명으로 옳지 않은 것은?

① 값이 없는 상태를 말한다.

② 미정의된 값을 의미한다.

③ 문자열형의 경우 공백과 Null은 다른 값이다.

④ 숫자형의 경우 Null은 0을 의미한다.

해설

Null은 값이 없는 상태 또는 정의되지 않은 상태를 뜻한다. Null은 0과 다르고 공백과도 다르며 "Null"이라는 문자열값과도 다른 값이다.

2.5 본질식별자 vs 인조식별자

SQLD_09

본질식별자 VS 인조식별자

본질식별자와 인조식별자의 정의를 다시 살펴보면 다음과 같다.

- 본질식별자: 업무에 존재하는 원래의 식별자로 원조식별자라고도 한다.
- 인조식별자: 업무에 존재하지 않으나 원래의 식별자가 너무 복잡하게 구성되어 있어 인위적으로 만든 식별자로 대리식별자라고도 한다.

아래와 같이 모델링한 경우 [주문목록]의 주식별자는 기본적으로 본질식별자로 구성되어 있다.

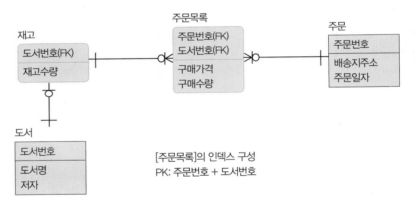

[주문목록]의 식별자가 복합식별자로 구성되어 복잡하므로 이를 아래와 같이 주문목록번호라는 인조식별자를 사용하여 단순화할 수도 있다.

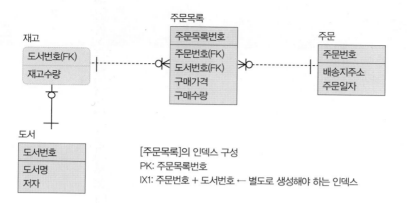

재고
| 도서번호(FK) |
| 재고수량 |

주문목록
| 주문목록번호 |
| 주문번호(FK) |
| 도서번호(FK) |
| 구매가격 |
| 구매수량 |

주문
| 주문번호 |
| 배송지주소 |
| 주문일자 |

도서
| 도서번호 |
| 도서명 |
| 저자 |

[주문목록]의 인덱스 구성
PK: 주문목록번호
IX1: 주문번호 + 도서번호 ← 별도로 생성해야 하는 인덱스

본질식별자로 주식별자를 구성하는 경우에 비하여 일련번호 형태의 인조식별자를 만들어 주식별자로 추가하는 경우, 추가적인 연산 없이 시퀀스나 키 제약조건 등을 통해 주식별자를 생성할 수 있으므로 개발의 편의성이 향상될 수 있는 장점이 있다. 반면에 데이터의 중복이 발생할 수 있고 별도의 인덱스 생성 등이 필요*하다는 단점이 있다.

---

* 부모 테이블과 지식 테이블이 관계를 맺고 있는 것은 서로 업무적 연관성이 높다는 것을 의미한다. 이런 경우 두 테이블 간에 잦은 조인이 발생할 가능성이 높다. 이렇게 조인이 자주 발생할 때 조회성능을 높이기 위해 FK(Foreign Key)에 대한 제약조건의 생성 여부와 관계없이 자식 테이블에 해당 키에 대해서 인덱스를 생성해주어야 한다.

단지 개발의 편의성만을 추구하여 인조식별자의 사용을 쉽게 판단해서는 안 되며 본질식별자의 구성이 너무 복잡해지는 경우에 장단점을 고려하여 신중하게 사용하는 것이 바람직하다.

»Test

13. 다음 중 인조식별자를 사용할 때의 단점이 아닌 것은?

① 중복 데이터가 발생하여 데이터의 품질이 떨어질 수 있다.
② 조인의 성능 향상을 위해 별도의 인덱스 생성이 필요하다.
③ 주식별자를 생성하는데 추가적인 연산이 필요하다.
④ 원래의 식별자가 일반 속성으로 들어감에 따라 키 제약조건을 적용할 수 없어 데이터의 중복을 피할 수 없다.

해설
인조식별자를 사용하는 경우 주식별자를 생성하는데 추가적인 연산 없이 시퀀스 객체를 사용할 수 있어 개발의 편의성이 높아지는 장점이 있다. 인조식별자를 생성하는 경우 부모 엔터티로부터 온 FK들이 일반 속성으로 들어가므로 PK 제약조건을 적용할 수 없어 데이터가 중복 입력되더라도 DBMS에서 원천적으로 막을 수 없다.

01. **기출** 다음 중 릴레이션을 정규화하는 목적으로 가장 거리가 먼 것은?

① 정보의 갱신 시 일관성이 깨지지 않도록 한다.

② 정보의 보안을 목적으로 한다.

③ 정보의 손실을 막는다.

④ 정보의 중복을 막는다.

해설

정규화란 데이터베이스 이상현상(Anomaly)을 방지하기 위해 데이터의 중복을 최소화하면서 테이블을 보다 잘 조직된 상태로 분해하는 과정이다. 데이터베이스 이상현상에는 삽입 이상(의도치 않은 정보의 삽입), 갱신 이상(정보의 불일치, 일관성 깨짐), 삭제 이상(의도치 않은 정보의 손실)이 있다. 정보의 보안은 정규화와 관련이 없다.

02. 다음 데이터 모델을 정규화한 결과로 가장 올바른 것은?

수강과목

수강번호
과목코드1
과목명1
과목코드2
과목명2
과목코드3
과목명3
총점
등급

①

수강

수강번호
과목코드(FK)
총점
등급

과목

과목코드
과목명

②

수강

수강번호
총점
등급

과목

수강번호(FK)
과목번호
과목코드
과목명

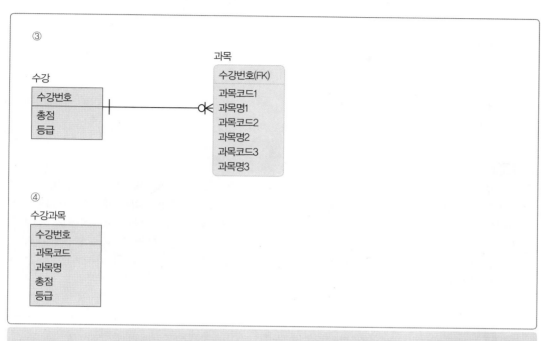

③

수강
수강번호
총점
등급

과목
수강번호(FK)
과목코드1
과목명1
과목코드2
과목명2
과목코드3
과목명3

④

수강과목
수강번호
과목코드
과목명
총점
등급

해설

보기에서 주어진 [수강과목] 테이블에는 과목코드와 과목명이 반복되고 있다. 이는 유사한 속성의 반복에 해당하며 1차 정규화 대상이다. (수강번호에 대해 과목정보(과목코드, 과목명)가 1 : N의 관계를 가짐) 반복되고 있는 과목코드와 과목명을 별도의 테이블로 분리한다. 과목코드와 과목명을 분리했더라도 ①의 경우에는 [수강] 테이블이 과목정보를 1개만 가지므로 원래의 데이터 모델에서 과목정보를 3개 가지고 있던 것과 맞지 않아 답이 아니다.

03. 다음 중 반정규화가 필요한 이유로 보기 어려운 것은?

① 여러 관계를 거쳐 다수의 조인으로 인한 성능저하가 예상될 때 반정규화가 필요하다.

② 칼럼을 계산하여 읽을 때 성능저하가 예상된다면 반정규화를 수행해야 한다.

③ 특정 테이블 조회 시 대량의 디스크 I/O가 발생하는 경우 반정규화를 통한 성능 최적화가 필요하다.

④ 데이터 모델이 데이터의 무결성을 보장하기 어려운 경우 반정규화를 수행해야 한다.

해설

①, ②, ③번은 모두 반정규화가 필요한 상황에 대한 설명이다. ④번의 경우 반정규화가 아니라 정규화가 필요한 상황이다.

04. [기출] 다음의 정규화 단계에서 주식별자와 관련성이 가장 낮은 것은?

① 제1정규화

② 제2정규화

③ 제3정규화

④ BCNF

[해설]

제1정규화의 경우 모든 속성이 원자성(Atomicity)을 확보하여 주식별자에 대해 1:1 관계를 가지도록 하는 것이고, 제2정규화는 일반 속성 중 주식별자의 일부에 대해 함수종속성을 갖는 부분 함수종속성을 제거하는 것이므로 모두 주식별자와 관련성이 있다. 제3정규화는 일반 속성 사이에 함수종속성이 존재하는 이행 함수종속성을 제거하는 것이므로 주식별자와 관련성이 없다. BCNF(Boyce−codd Normal Form)는 보이스−코드 정규화라고 하며 후보키가 아닌 속성이 결정자인 함수종속성이 존재하는 경우에 수행하는 정규화이며 일반적으로 일반 속성 중 하나가 일부 주식별자의 결정자가 되는 경우에 해당하므로 주식별자와 관련성이 있다.

05. [기출] 아래의 ERD에서 제3정규형을 만족하도록 [학과등록] 엔터티를 분리한다면 몇 개의 엔터티가 되는가?

[조건]

가) 평가코드, 평가내역은 {학번, 코스코드}에 종속

나) 코스명, 기간은 코스코드에 종속

다) 평가코드, 평가내역은 속성 간 종속적 관계

[참고]

제1정규형 : 모든 속성은 반드시 하나의 값, 속성값의 중복 제거

제2정규형 : 식별자에 종속되지 않는 속성의 중복 제거

제3정규형 : 제2정규형을 만족하며 식별자 외 일반 칼럼 간의 종속 존재 제거

① 1개   ② 2개

③ 3개   ④ 4개

나) 조건이 부분 함수종속성을 나타내므로 먼저 2차 정규화를 수행한다.

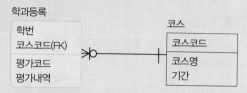

가), 다) 조건이 이행 함수종속성을 나타내므로 3차 정규화를 수행한다.

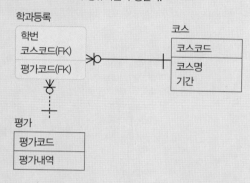

따라서 [학과등록], [코스], [평가] 엔터티로 분리된다.

06. 보기의 [일자별매각물건] 엔터티에 대한 설명으로 가장 옳은 것은?

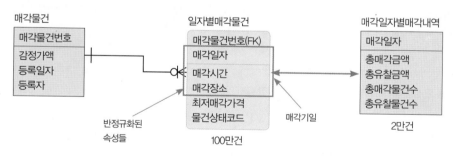

① 1차 정규화가 필요한 엔터티이며 [매각기일]과 [일자별매각물건]으로 1 : 1 관계가 될 수 있다.
② 1차 정규화가 필요한 엔터티이며 [매각기일]과 [일자별매각물건]으로 1 : M 관계가 될 수 있다.
③ 2차 정규화가 필요한 엔터티이며 [매각기일]과 [일자별매각물건]으로 1 : 1 관계가 될 수 있다.
④ 2차 정규화가 필요한 엔터티이며 [매각기일]과 [일자별매각물건]으로 1 : M 관계가 될 수 있다.

[해설]

반정규화된 속성들로 표시된 매각일자, 매각시간, 매각장소는 독립된 엔터티로 분리가 가능하다. 먼저 [일자별매각물건]의 함수종속성(FD)을 살펴보면 다음과 같다.

{매각물건번호, 매각일자} → {최저매각가격, 물건상태코드}
{매각일자} → {매각시간, 매각장소}

[일자별매각물건] 엔터티는 매각시간, 매각장소가 주식별자의 일부인 매각일자에만 종속되는 부분 함수종속성이 존재하므로 2차 정규화 대상이다. 따라서 매각일자를 PK로 하는 [매각기일] 엔터티를 분리한다. 이때 [매각기일] 엔터티의 주식별자인 매각일자가 [일자별매각물건]의 주식별자의 일부에서 독립한 것이므로 [매각기일]과 [일자별매각물건]은 1:M 관계를 갖는다.

정규화 수행결과는 다음과 같다.

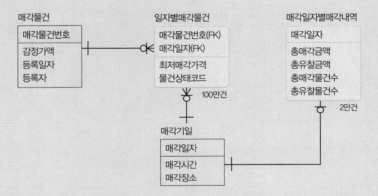

기존에는 매각장소별 매각내역을 조회하고자 할 때, 100만건의 [일자별매각물건]을 모두 읽어야 했다면, 정규화 이후에는 [매각기일]만 읽어서 매각장소별 매각일자를 확인하고 2만 건의 [매각일자별매각내역]과 조인해서 매각내역을 조회할 수 있으므로 디스크 I/O를 현저하게 줄일 수 있어 조회성능이 향상된다. (정규화를 통한 성능 향상)

---

07. 다음 중 성능 데이터 모델링에 대한 설명으로 가장 옳지 않은 것은?

① 데이터 모델은 성능 튜닝 과정에서 변경이 될 수 있다.

② 성능저하 문제가 발생할 경우 데이터 모델보다는 문제발생 시점의 SQL을 중심으로 집중하여 튜닝을 한다.

③ 데이터의 증가가 빠르면 빠를수록 성능저하에 따른 성능개선비용이 증가한다.

④ 분석/설계 단계에서부터 성능을 고려한 데이터 모델링을 수행하게 되면 성능저하에 따른 재작업(Rework) 비용을 최소화할 수 있는 이점이 있다.

해설

성능 데이터 모델링이란 분석/설계 과정에서부터 데이터베이스의 성능을 충분히 고려하여 데이터 모델링을 수행한다는 개념이다. SQL을 최적화하는 것은 사실상 가장 마지막 단계에서의 성능 최적화 방법이고, 근본적으로는 데이터 모델 자체가 시스템의 특성을 잘 반영하여 설계되어 있어야 한다. 어떤 트랜잭션이 매우 빈번하게 일어나면서 시스템의 핵심적인 기능과 관련되어 있다면 이 트랜잭션의 처리와 관련된 데이터 모델의 설계가 결국 시스템 성능에 큰 영향을 미치게 된다. 따라서 설계나 개발 단계에서부터 충분한 테스트 과정을 거쳐 데이터 모델의 구조를 변경하면서 성능을 최적화하는 과정이 꼭 필요하다. 성능 개선 작업은 늦어지면 늦어질수록 작업에 들어가는 시간과 비용이 증가하므로 가급적 초기 단계에 이루어져야 한다. 촉박한 일정으로 미진한 설계가 이루어지게 되면 시스템 구축 후에 결국은 많은 재작업(Rework) 비용이 발생하므로 충분한 시간을 확보하여 설계를 진행하는 것이 무엇보다 중요하다.

---

08. 아래와 같은 [실적] 엔터티가 있다고 했을 때 이를 빈번하게 참조하는 SQL의 성능에 대한 설명으로 가장 적절한 것은?
(단, PK 인덱스가 존재하며 칼럼 순서대로 인덱스가 생성되어 있고, 이 SQL이 트랜잭션의 대부분을 차지한다고 가정한다)

실적

일자
명세번호
지사코드
금액
건수

```
SELECT 건수, 금액
FROM 실적
WHERE 일자 BETWEEN '20110101' AND '20110102'
AND 지사코드 = '1001'
```

① 명세번호를 [실적] 테이블의 맨 처음 칼럼으로 옮기면 PK 인덱스의 이용 효율성이 향상된다.

② 지사코드에 대해 입력값이 EQUAL 조건으로 사용되므로 지사코드를 [실적] 테이블의 맨 처음 위치로 옮겨서 일자 칼럼의 앞에 두면 인덱스 이용 효율성이 높아진다.

③ 일자가 SQL 문장의 WHERE절에 첫 번째 조건으로 나왔으므로 칼럼 순서에서도 첫 번째에 위치하는 것이 효율성이 높다.

④ 일자, 지사코드, 명세번호로 칼럼 순서를 바꾸어야 일자 범위에 대한 내용을 먼저 식별하고, 그 다음으로 지사코드를 찾기에 용이할 수 있으므로 이때 인덱스의 효율성이 가장 높다.

해설

보기의 [실적] 테이블은 PK가 복합식별자로 구성되어 있다. PK에 대해서는 자동으로 인덱스가 생성되므로 여러 속성이 하나의 인덱스로 구성된다. 이렇게 여러 속성이 하나의 인덱스로 구성되었을 때 EQUAL 조건이 걸린 속성이 범위 조건이 걸린 속성보다 앞쪽에 위치해야 인덱스 이용 효율성이 높아진다.

09. 다음과 같이 논리적으로 하나인 테이블을 물리적으로 여러 개의 테이블로 분리하는 반정규화 기법을 무엇이라고 하는가?

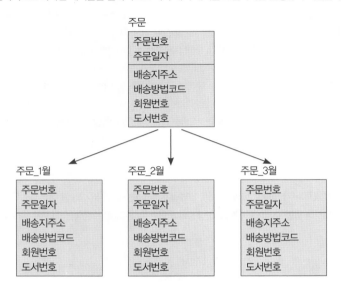

① 로우체이닝
② 파티셔닝
③ 클러스터링
④ 샤딩

해설

- 로우체이닝(Row Chaining): 한 테이블에 너무 많은 칼럼이 존재할 경우 한 행의 크기가 너무 커서 디스크의 데이터 블록 하나에 저장되지 못하고 두 개 이상의 블록에 걸쳐서 저장이 되는 것을 로우체이닝(Row Chaining)이라고 한다. 로우체이닝이 발생하면 수직분할을 통해 성능을 최적화해야 한다.
- 파티셔닝(Partitioning): 하나의 테이블에 저장된 데이터가 너무 많아서 전체를 검색하는데 성능이 심각하게 저하되는 경우 논리적으로는 하나인 테이블을 동일한 스키마를 가진 여러 테이블로 나눠 저장하여 조회성능을 향상시키는 반정규화 기법이다.
- 클러스터링(Clustering): 여러 개의 데이터베이스 서버를 하나로 묶어서 사용하는 기법을 말한다. 이때 여러 개의 서버는 하나의 저장소(Storage)를 공유하며 작업을 나눠 처리하는 방법에 따라 Active-Active, Active-Standby 방식으로 나뉜다.
- 샤딩(Sharding): 수평 분할의 일종으로 동일한 스키마를 가진 여러 대의 데이터베이스에 데이터를 분산 저장하는 방법이다. 파티셔닝은 나눠진 테이블을 동일한 데이터베이스에 저장하는데 비하여 샤딩은 나눠진 테이블을 네트워크에 분산 저장한다는 것이 다르다.

10. **기출** 다음은 ABC증권회사의 회원정보를 모델링한 것이다. 회원정보는 슈퍼타입이고 개인회원과 법인회원 정보는 서브타입이다. 애플리케이션에서 회원정보를 조회할 때 항상 개인회원과 법인회원을 동시에 조회한다고 가정하면 슈퍼타입과 서브타입을 변환하는 방법으로 가장 적절한 것은?

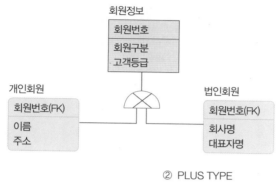

① ONE TO ONE

② PLUS TYPE

③ SINGLE TYPE

④ 정답 없음

해설

슈퍼타입과 서브타입의 변환 시 애플리케이션이 테이블을 어떻게 사용하는지를 가장 우선적으로 고려해야 한다. 문제에서 개인회원과 법인회원을 항상 동시에 조회한다고 가정했으므로 두 가지 서브타입을 슈퍼타입에 통합하여 하나의 테이블로 만드는 SINGLE TYPE이 가장 적절한 방법이다.

슈퍼타입-서브타입 변환 방법

방법	설명	변환 결과
One to One Type (1 : 1 타입)	슈퍼타입, 서브타입 테이블들을 각각 개별 테이블로 구성	
Plus Type (슈퍼타입 + 서브타입)	각각의 서브타입에 슈퍼타입을 합하여 슈퍼타입 + 서브타입 테이블로 구성	
Single Type (All in One 타입)	전체를 하나의 테이블로 통합	

11. 다음과 같은 [회원] 테이블에서 희망도서명 칼럼과 희망도서저자 칼럼만 빈번하게 접근하는 경우에 이를 추출하여 디스크 I/O를 경감시킬 수 있는 반정규화 기법은?

회원

회원번호
회원명
회원구분코드
대출증번호
회원주소
희망도서명
희망도서저자

① 수평분할
② 수직분할
③ 테이블 병합
④ 중복 테이블 추가

해설

테이블의 일부 칼럼에 대해서 빈번한 접근이 이루어질 경우에 이를 별도의 테이블로 분리하여 1 : 1 관계를 만들면 전체적인 디스크 I/O를 줄일 수 있다. 또는 한 테이블의 칼럼 수가 너무 많아 로우체이닝이 발생하는 경우 칼럼의 일부를 분리하는 것이 필요하다. 이러한 반정규화 방법을 수직분할이라고 한다. 수직분할은 칼럼(Column)의 분리, 수평분할은 행(Row)의 분리라고 이해하자.

12 . 아래와 같이 [주문목록]에 대한 이력 정보를 [주문목록이력] 테이블에 보관하고 있다. 주문목록 데이터에 대해 주문수량을 조회할 때마다 [주문목록이력] 테이블로부터 최신의 주문수량을 검색해 와야 하므로 조회성능이 매우 떨어질 우려가 있다. 이를 해결하기 위한 방법으로 가장 적절한 것은?

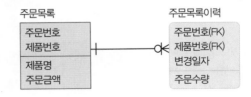

① 주문수량에 대해서 추가로 인덱스를 생성한다.
② 최신 주문수량을 나타내는 이력 테이블을 추가한다.
③ [주문목록이력] 테이블에 최신 여부를 나타내는 기능성 칼럼을 추가한다.
④ [주문목록]과 [주문목록이력] 간의 조인이 일어나지 않도록 테이블을 하나로 병합한다.

해설

이력 테이블은 대부분 대량의 데이터를 담고 있다. 따라서 조회 조건에 따른 특정 데이터를 조회하는 경우 인덱스를 추가하거나 수평분할 등을 통해서 성능 최적화를 하더라도 충분하지 않은 경우가 있다. 이런 경우 조회 조건에 해당하는 값을 저장하는 기능성 칼럼을 추가하면 조회성능을 크게 향상시킬 수 있다. 이러한 반정규화 기법을 이력 테이블 칼럼 추가 기법이라고 한다. 문제에서 [주문목록이력] 테이블에 최신 여부를 저장하는 기능성 칼럼을 추가하면 테이블의 전체 데이터를 변경일자로 정렬하지 않고도 최신 데이터를 가져올 수 있다. 단지 조인을 방지하기 위해 두 테이블을 병합할 경우 전체 데이터 크기가 너무 커지며 이렇게 커진 데이터를 변경일자로 정렬을 해야 한다는 점은 똑같으므로 해결 방법으로 적절하지 않다.

13. 아래의 데이터 모델에 표현된 FK(Foreign Key)에 대한 설명으로 가장 적절한 것을 2개 고르시오.

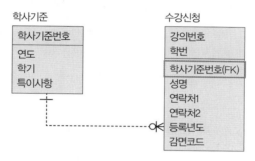

① 학사기준번호는 부모 테이블에 이미 인덱스가 존재하지만 [수강신청]과의 조인에 의한 성능저하를 예방하려면 상속받아 생긴 [수강신청]의 학사기준번호에도 별도의 인덱스 생성이 필요하다.

② 학사기준번호는 부모 테이블에 이미 인덱스가 존재하므로 상속받아 생긴 [수강신청]의 학사기준번호에 대한 별도의 인덱스 생성은 필요가 없다.

③ 데이터 모델에서는 관계를 연결했으나 데이터베이스에는 FK 제약조건 생성을 생략한 경우에도 데이터의 조인관계가 필요하므로 학사기준번호에 대한 인덱스 생성은 필요하다.

④ 데이터 모델에서는 관계를 연결했으나 데이터베이스에는 FK 제약조건 생성을 생략한 경우에 학사기준번호에 대한 인덱스 생성은 필요가 없다.

해설

[학사기준] 테이블과 [수강신청] 테이블이 비식별자 관계로 연결되어 있어 학사기준번호 칼럼이 [수강신청] 테이블의 일반 속성에 FK로 들어가 있다. 만약 두 테이블로부터 데이터를 조회할 경우에 학사기준번호를 기준키로 하여 조인이 일어날 수가 있는데, 이때 조인의 성능향상을 위해서는 [수강신청] 테이블 쪽에 학사기준번호에 대한 인덱스를 별도로 생성해야 한다. ([학사기준] 테이블에는 학사기준번호가 PK이므로 자동으로 인덱스가 생성된다.) 데이터 모델에서는 관계를 연결했지만 실제 데이터베이스에는 FK 제약조건 생성을 생략하는 경우도 있을 수 있는데 이런 경우에도 두 테이블로부터 데이터를 조회할 경우 조인이 일어나는 것은 마찬가지이므로 인덱스 생성은 필요하다.

14. **기출** 다음 보기 중 트랜잭션의 특징에 대한 설명 중 올바른 것은?

① 원자성: 트랜잭션 내의 모든 문장이 모두(ALL) 반영되거나, 혹은 일부가 반영되어야 한다.

② 영속성: 트랜잭션의 수행으로 데이터베이스의 무결성은 보장될 수 없다.

③ 일관성: 여러 개의 트랜잭션들이 동시에 수행될 때, 한 개의 트랜잭션의 복사본을 유지한다.

④ 지속성: 커밋(Commit)이 완료되면 영구적으로 저장을 보장해야 한다.

해설

데이터베이스에 데이터를 읽고 쓸 때, 한 번에 수행되어야 하는 논리적인 작업 단위를 트랜잭션이라고 한다. 트랜잭션은 다음과 같은 특성을 가진다.

- 원자성: 하나의 트랜잭션으로 묶인 연산들은 모두 실행되거나 아니면 전혀 실행되지 않아야 한다.
- 일관성: 트랜잭션 이전에 오류가 없다면 트랜잭션 이후에도 오류가 없다.
- 고립성: 트랜잭션의 실행 중간에 다른 트랜잭션이 간섭하거나 영향을 미치지 않는다.
- 영속성(지속성): 트랜잭션의 결과는 영구적으로 저장되어 유지된다.

15. **기출** 다음은 데이터베이스 모델링 시에 성능을 고려한 모델링 활동이다. 성능을 고려한 데이터베이스 모델링 단계에서 가장 처음으로 수행해야 할 것과 가장 마지막으로 수행해야 할 것은?

가. 데이터베이스 모델링 시에 정규화를 수행한다.
나. 테이블에서 보관하는 데이터 용량과 트랜잭션의 유형에 따라서 반정규화를 한다.
다. 트랜잭션의 유형을 분석한다.
라. 데이터베이스 전체 용량을 산정해야 한다.
마. 성능 관점에서 데이터 모델을 검증하고 확인한다.
바. 기본키와 외래키를 조정하거나, 슈퍼타입과 서브타입을 조정한다.

① 가, 나
② 다, 마
③ 다, 라
④ 가, 마

해설

성능 데이터 모델링의 순서는 다음과 같다.

가 → 라 → 다 → 나 → 바 → 마

16. 아래의 [주문], [주문목록], [제품]에 대한 데이터 모델과 이를 대상으로 하여 데이터를 조회하는 보기의 SQL문을 고려했을 때 조회성능을 올리기 위한 반정규화 방법으로 가장 적절한 것은?

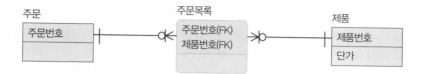

```
SELECT A.주문번호, SUM(C.단가)
FROM 주문 A, 주문목록 B, 제품 C
WHERE A.주문번호 = '2024-03-01'
AND A.주문번호 = B.주문번호
AND B.제품번호 = C.제품번호
GROUP BY A.주문번호
```

① [주문] 엔터티에 단가를 합한 계산된 칼럼을 추가하도록 한다.

② [주문목록] 엔터티에 단가를 합한 계산된 칼럼을 추가하도록 한다.

③ [제품] 엔터티에 단가를 합한 계산된 칼럼을 추가하도록 한다.

④ [주문목록] 엔터티에 최근값 여부에 대한 칼럼을 추가하도록 한다.

해설

SQL문에서 주문번호에 대해서 GROUP BY를 수행한 다음 그룹별로 제품 단가의 합을 구하고 있다. 이는 곧 주문별 주문금액이 된다. SQL문을 보면 이러한 결과를 얻기 위해서 [주문], [주문목록], [제품] 테이블을 조인하고 있다. 조회성능을 높이기 위해서는 [주문] 테이블에 주문번호별로 제품 단가를 합한 주문금액 칼럼을 추가하면 된다. 이렇게 하면 [주문], [주문목록], [제품] 테이블 간의 조인 없이도 원하는 결과를 얻을 수 있으므로 조회성능이 향상된다. [주문목록]에 주문번호별로 제품 단가의 합계를 저장하면 제품번호별로 같은 값을 반복 저장하게 되므로 적절하지 않고 [제품] 테이블에 주문별 단가의 합을 저장하는 것은 하나의 제품이 여러 주문에 포함될 수 있으므로 하나의 주문번호만 특정할 수 없어 불가능하다.

17. 다음 중 NULL에 대한 설명 중에 옳지 않은 것은?

① NULL은 미정의된 값 또는 알려지지 않은 미지의 값을 의미한다.

② NULL을 대상으로 사칙연산을 수행하면 그 결과도 NULL이다.

③ Oracle에서 NULL은 0이나 공백과 마찬가지로 처리된다.

④ WHERE절에서 NULL과의 동등비교에 =(등호)를 사용할 수 없다.

> **해설**
> 데이터베이스에서 NULL은 정해지지 않은 값을 의미하는 특별한 표현이다. 미정의된 값 또는 알려지지 않은 미지의 값이라고도 볼 수 있다. NULL은 값이 정해지지 않았으므로 이에 대해서 사칙연산을 수행할 경우 그 결과도 마찬가지로 NULL이된다. 집계함수의 경우에는 NULL을 아예 없는 것으로 보고 집계대상에서 제외한다. 그렇게 하지 않으면 SUM, AVG 등의집계함수 결과가 왜곡되기 때문이다. 가장 오해하기 쉬운 부분이 NULL을 0 또는 공백으로 이해하는 것이다. 0이나 공백은명확한 하나의 값이기 때문에 NULL과는 다른 값으로 이해해야 한다. WHERE절에서의 조건식에서 NULL과의 동등비교나 부정비교의 경우 =(등호)나 ≠(부등호)를 사용하지 않고 IS 또는 IS NOT을 사용한다는 점에 특히 주의해야 한다.

18. 다음 데이터 모델에서 회원과 도서 간의 관계 대한 설명으로 가장 부적절한 것은?

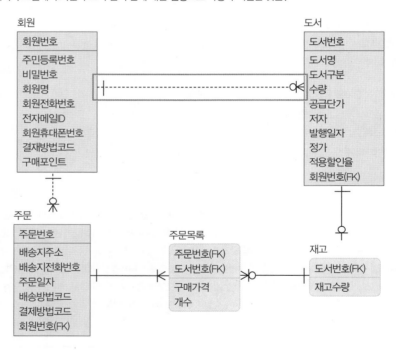

① 회원명과 도서명을 함께 조회할 경우의 성능향상을 위해 추가된 관계이다.

② 해당 관계를 추가하면서 데이터의 무결성을 깨뜨릴 위험성이 증가하였다.

③ 해당 관계가 없더라도 [회원] 테이블과 [도서] 테이블의 칼럼을 함께 조회하는 것은 가능하다.

④ 이렇게 추가된 관계를 관계의 반정규화라고 한다.

[회원] 테이블과 [도서] 테이블의 정보를 함께 조회할 때의 조회성능 향상을 위해 관계를 중복 추가한 관계의 반정규화가 적용되어 있다. 해당 관계를 추가하지 않더라도 [회원] 테이블과 [도서] 테이블의 정보를 함께 조회하는 것은 가능하나 최소 4번의 조인이 필요하므로 조회성능은 좋지 않다. 다른 반정규화와 달리 관계의 중복 추가에 의한 관계의 반정규화는 데이터의 무결성을 깨뜨릴 위험성 없이 조회성능을 향상시킬 수 있는 방법이다.

19. **기출** 다음은 분산 데이터베이스에 대한 설명이다. 올바르지 않은 것은?

① 분산 데이터베이스는 네트워크를 경유하여 여러 개의 데이터베이스로 분리되어 있다.
② 분산 데이터베이스는 시스템 가용성이 떨어진다.
③ 분산 데이터베이스는 여러 개의 데이터베이스를 병렬적으로 실행하여 성능을 향상시킨다.
④ 사용자는 분산 데이터베이스를 인식하지 못하고 데이터베이스를 사용한다.

분산 데이터베이스는 데이터를 여러 지역에 분산하여 저장하면서도 사용자가 보기에는 마치 하나의 단일 데이터베이스처럼 보인다. 복제와 클러스터링, 파티셔닝 등 다양한 기법을 사용하여 부분적인 장애가 발생하더라도 전체 시스템에는 문제가 없도록 하므로 신뢰성과 가용성이 높다. 넓은 범위에서 여러 지역에 분산되어 있으므로 사용자가 접속하는 장소에서 가장 가까운 지점에 접속할 수 있어 빠른 응답 속도와 통신 비용 절감 효과를 기대할 수 있다. 단, 구현 난이도가 높아 소프트웨어 개발 비용이 증가하고 설계와 관리가 복잡하며 전체적인 통제가 어렵다는 단점도 존재한다.

20. 본질식별자를 대체하여 일련번호 형태의 인조식별자를 만들어 주식별자로 추가하는 경우 얻을 수 있는 이점은?

① 키 제약조건에 따라 DBMS 차원에서 데이터의 중복 입력을 방지할 수 있다.
② 본질식별자 대신 인조식별자를 만들어 사용할 때 추가적인 인덱스 생성이 필요하다.
③ 추가적인 연산 없이 시퀀스를 통해 주식별자를 생성할 수 있어 개발의 편의성이 향상된다.
④ 식별자 관계가 비식별자 관계로 변경되어 엔터티 간의 의존성이 감소한다.

본질식별자가 복합식별자로 너무 복잡하게 구성되어 있는 경우 이를 대체하는 일련번호 형태의 인조식별자를 만들어 사용하는 경우의 장점과 단점을 명확하게 이해해야 한다. 장점은 추가적인 연산 없이 시퀀스나 키 제약조건을 사용하여 주식별자를 생성할 수 있어 개발의 편의성이 향상된다는 것이고 단점은 데이터의 중복 입력을 원천적으로 방지할 수 없다는 것과 조인의 성능향상을 위해 추가적인 인덱스 생성이 필요하다는 것이다.

보기의 ①번은 인조식별자가 아닌 본질식별자를 주식별자로 사용할 때의 장점이다. ②은 인조식별자를 주식별자로 할 때의 단점에 해당한다. ④번은 식별자 관계가 비식별자 관계로 바뀌는 것은 맞지만 의존성이 감소한다고 보기는 어렵다.

2 과목

SQL 기본 및 활용

Chapter 3

SQL 기본

3.1.1 데이터베이스

데이터란 간단히 말해서 컴퓨터로 어떤 일을 처리할 때 그 처리 대상이 되는 것을 말한다. 워드프로세서라고 한다면 문서 텍스트가 이에 해당할 것이고, 메신저를 생각한다면 주고 받는 문자 메시지를 생각할 수 있을 것이다. 이러한 것들은 현실세계로부터 측정되거나 수집된 사실이나 어떤 값이라고 볼 수 있는데, 일반적으로 숫자 형태의 수치 데이터뿐만 아니라 이미지나 소리, 문자열 등도 데이터의 범주에 들어간다.

3Day

문서 데이터   SNS 데이터   통계 데이터

데이터는 그 자체로는 마치 보석으로 가공되기 전의 원석과 같아서 아무런 가치를 가지지 않는다. 데이터를 어떤 목적에 따라 가공하여(이를 처리, 즉 프로세싱이라고 한다.) 유용한 정보*로 변환하게 되면 그제서야 가치를 가지게 된다. 결국 우리의 목적은 데이터를 가공하여 유용한 정보를 얻고자 하는 것이며 이를 효율적으로 할 수 있는 방법을 연구하여 그 결과물로 만들어진 것이 데이터베이스이다.

11Day

---

* 데이터(Data)란 수집한 사실 또는 값을 의미하고, 이를 가공하여 유용하게 활용할 수 있게 만든 것을 정보 (Information)라고 한다.

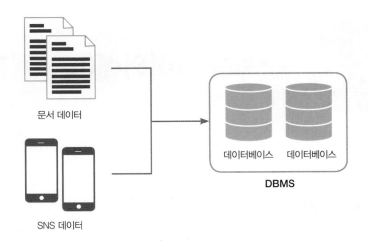

문서 데이터

SNS 데이터

데이터베이스

데이터베이스

DBMS

데이터베이스는 데이터를 일정한 체계에 따라 통합하여 디스크나 메모리에 저장한 것으로 응용 프로그램에 종속적이지 않도록 일종의 미들웨어 형태로 만든 것을 말한다. 데이터베이스는 파일 형태로 데이터를 저장하여 처리하는 것에 비하여 자료의 독립성, 중복 저장의 최소화, 통합 처리, 자체적 관리 기능 등의 이점이 있다. 애초에 데이터베이스의 필요성이 대두된 이유는 파일을 통한 데이터 처리 과정에서 중복된 데이터의 저장에 따른 일관성 문제가 심각한 시스템 오류의 원인이 되었기 때문이다. 아주 단순한 애플리케이션이 아닌 이상 현대의 거의 모든 애플리케이션은 데이터베이스를 사용하여 데이터를 저장하고 처리한다.

데이터베이스를 구축하고 관리할 수 있는 기능을 제공하는 시스템 소프트웨어*를 특히 데이터베이스 관리 시스템(DBMS, Database Management System)이라고 부른다.

---

* 엄밀한 의미에서 DBMS는 OS 위에 애플리케이션과 같이 설치하여 운영하는 것으로 시스템 소프트웨어와 응용 소프트웨어의 중간인 일종의 미들웨어이다.

≫Test

01. 다음 중 데이터베이스에 대한 설명으로 <u>옳지 않은</u> 것은?

① 데이터베이스란 데이터를 일정한 체계에 따라 통합하여 디스크나 메모리에 저장한 것이다.

② 데이터베이스는 자료의 독립성, 중복 저장의 최소화, 통합 처리, 자체적 관리 기능을 가진다.

③ 모든 애플리케이션은 데이터베이스를 사용하여 데이터를 저장하고 처리한다.

④ 데이터베이스를 구축하고 관리하는 소프트웨어를 DBMS라고 부른다.

3.1.2 관계형 데이터베이스

SQLD_10

관계형 데이터베이스

1970년 E.F. Codd 박사가 발표한 정규화 이론에 따라 데이터의 일관성 문제를 근본적으로 해결한 데이터베이스 시스템이 만들어졌는데 이를 관계형 데이터베이스라고 한다. 보통은 RDB(Relational Database)라고 부르는데 R이 관계 즉, 릴레이션을 의미한다.

관계형 데이터베이스는 2차원 구조의 행(Row)과 열(Column)로 구성된 테이블(Table) 형태로 데이터 모델을 다루며 수학적 이론을 바탕으로 하고 있어 연산 자체를 수학적으로 최적화할 수 있다는 장점이 있다. 아울러 SQL(Structured Query Language)이라는 공통의 질의언어를 정의하여 데이터로부터 원하는 정보를 보다 쉽게 조회, 가공, 추출하는 것이 가능하다.

Oracle, PostgreSQL, MariaDB, MySQL, SQL Server 등 현재 우리 주변에서 많이 사용하고 있는 데이터베이스 시스템은 모두 관계형 데이터베이스를 근간으로 하고 있다.*

---

* 최근에는 대부분의 DBMS가 관계형 데이터베이스에 객체지향 개념을 통합한 객체관계형 데이터베이스 (Object-Relational Database)로 확장되었다.

》Test

02. 다음 중 관계형 데이터베이스에 대한 설명으로 옳지 않은 것은?

① E.F. Codd 박사의 정규화 이론에 따라 구현되었다.

② 데이터의 일관성(Consistency) 문제를 해결할 수 없다.

③ 2차원 구조의 행(Row)과 열(Column)로 구성된 테이블 형태로 데이터 모델을 다룬다.

④ SQL이라는 공통의 질의언어를 사용한다.

해설

관계형 데이터베이스는 ACID(Atomicity, Consistency, Isolation, Durability) 특성을 가진 데이터베이스로서 데이터의 일관성 문제를 근본적으로 해결한 것이다.

3.1.3 TABLE

관계형 데이터베이스에서 데이터 모델을 2차원 구조의 행(Row)과 열(Column)로 표현 한다고 하였다. 이렇게 2차원 매트릭스 형태로 표현한 것을 테이블(Table)이라고 한다. 엔터티(Entity)는 논리적 모델링에서 사용하는 용어이고 물리적 모델링에서는 이를 테이 블이라고 부른다. 관계형 데이터베이스에서는 이를 릴레이션(Relation)이라고 부르기도 한다. 결론적으로 엔터티, 테이블, 릴레이션은 같은 것을 모델링 단계 또는 관점에 따라 다르게 부르는 것이다.

테이블은 엑셀(Excel)로 작성된 데이터를 떠올리면 쉽게 이해할 수 있을 것이다. 각 행을 여러 열로 나누어 각 열을 칼럼이라고 하고, 맨 윗행에 칼럼명을 기입한 엑셀 표와 같은 형식으로 테이블을 작성할 수 있다. 행(Row)은 해당 테이블의 스키마를 가지는 하나의 인스턴스라고 할 수 있는데 레코드(Record) 또는 튜플(Tuple)이라고 한다. 열(Column) 은 필드(Field)라고도 하며 앞에서 배운 속성(Attribute)에 해당한다.

칼럼 헤더 / 스키마   열(Column) / 필드(속성)   행(Row) / 레코드(튜플)

	123 EMPNO ▼	ABC ENAME ▼	ABC JOB ▼	123 SAL ▼	123 DEPTNO ▼
1	7,369	SMITH	CLERK	800	20
2	7,499	ALLEN	SALESMAN	1,600	30
3	7,521	WARD	SALESMAN	1,250	30
4	7,566	JONES	MANAGER	2,975	20
5	7,654	MARTIN	SALESMAN	1,250	30
6	7,698	BLAKE	MANAGER	2,850	30
7	7,782	CLARK	MANAGER	2,450	10

≫Test

03. 다음 중 관계형 데이터베이스의 테이블 구성요소가 아닌 것은?

① 필드
② 레코드
③ 스키마
④ 릴레이션

해설
릴레이션은 테이블과 같은 개념으로 논리적 데이터베이스 모델링에서 말하는 엔터티(Entity)와 같은 것이 다. 따라서 테이블의 구성요소라고 할 수는 없다. 스키마는 테이블을 구성하는 각 칼럼의 이름, 데이터 타 입과 범위 등을 정의한 것으로 칼럼 헤더에 해당한다.

3.1.4 SQL

SQL은 Structured Query Language의 약자로, 구조화된 질의언어라고 해석할 수 있다. 앞에서 관계형 데이터베이스는 정규화 이론에 입각하여 구현된 데이터베이스라고 하였는데, 이렇게 수학적 이론을 바탕으로 체계적으로 저장된 데이터로부터 우리가 원하는 결과를 추출하고 싶다면 데이터베이스 시스템에 정해진 문법의 명령문을 주고 그에 따른 정확한 결과를 얻을 수 있어야 할 것이다. SQL은 바로 이러한 명령문을 제공하는 언어로서 데이터베이스의 구조를 정의하고, 데이터를 조작하며, 데이터를 제어할 수 있는 절차적+비절차적 언어*이다.

> * 절차적 언어는 데이터를 처리하는 과정을 How의 관점에서 프로그래밍할 수 있는 언어로서 C나 Java와 같은 언어를 말한다. SQL은 How의 관점보다는 What의 관점에서 절차를 명기하지 않고 원하는 결과만을 서술하는 언어로서 비절차적 언어라고 할 수 있다. 단, SQL도 프로시저, 함수, 트리거 등을 작성하는 문법은 절차적 언어로서의 특징을 포함하고 있으며 이를 PL/SQL, T-SQL 등으로 부른다.

SQL은 명령문의 성격에 따라 다음과 같이 구분한다.

❶ DDL(Data Definition Language, 데이터 정의 언어)

데이터의 구조, 즉 스키마를 정의하는 명령어이다. ERD(Entity-Relationship Diagram)로 그려진 데이터 모델은 DDL과 상호 변환이 가능하다.

예) CREATE, ALTER, DROP, RENAME, TRUNCATE

> **⚠ 주의 DDL 명령어의 롤백 가능 여부**
>
> DDL 명령어의 경우 Oracle에서는 커밋(COMMIT)이 자동으로 수행되며 트랜잭션이 완료되어 롤백(ROLLBACK)이 불가능하나 SQL Server에서는 자동커밋(AUTOCOMMIT) 모드를 끄거나 명시적 트랜잭션을 선언한 경우 커밋이 자동으로 수행되지 않아 롤백이 가능하다.

Tip COMMIT, ROLLBACK, SAVEPOINT

- COMMIT: 커밋 명령어를 만나면 앞의 변경 사항을 데이터베이스에 영구적으로 반영하고 트랜잭션을 완료한다.
- ROLLBACK: 트랜잭션에 포함되는 전체 변경 사항(이전의 커밋 명령 이후의 변경사항), 또는 지정된 저장점 이후의 변경 사항을 취소하고 원래대로 되돌린다.
- SAVEPOINT: 롤백을 하기 위한 저장점을 지정한다. 롤백으로 저장점을 지정하면 트랜잭션에 포함되는 전체 변경사항이 취소되는 것이 아니라 저장점 이후에 해당하는 변경사항만 취소된다.

❷ DML(Data Manipulation Language, 데이터 조작* 언어)

테이블에 데이터를 조회, 입력, 수정, 삭제하는 명령어이다. 커밋(COMMIT) 전에 롤백(ROLLBACK)이 가능하다.

예) SELECT, INSERT, UPDATE, DELETE, MERGE

---

* 데이터 관리 언어라고도 한다.

> **Tip** DROP, TRUNCATE, DELETE의 차이 [중요]
>
> - DROP은 스키마까지 완전히 삭제하는데 반하여 TRUNCATE는 데이터만 삭제하고 스키마는 남겨 테이블을 초기화한다. 둘 다 디스크 저장공간을 릴리즈(Release)하여 재사용 가능하게 하며 로그를 남기지 않는다.
> - DELETE는 'DELETE FROM ⟨테이블⟩' 명령에 의해서 테이블의 데이터를 모두 삭제하지만 저장공간을 릴리즈하지는 않는다. DELETE는 DDL이 아니므로 롤백이 가능하고 로그를 남긴다.
> - 동일 데이터를 삭제할 때 TRUNCATE는 로그를 남기지 않는 등 작업취소(UNDO)를 위한 데이터를 생성하지 않으므로 DELETE보다 처리속도가 빠르다.

❸ DCL(Data Control Language, 데이터 제어 언어)

사용자 접근 권한과 같이 보안과 제어를 다루는 명령어이다.

예) GRANT, REVOKE

❹ TCL(Transaction Control Language, 트랜잭션 제어 언어)

트랜잭션에 대한 제어를 다루는 명령어이다. DCL의 일부로 보기도 한다.

예) COMMIT, ROLLBACK, SAVEPOINT

> ⚠ **주의** SAVEPOINT, ROLLBACK의 문법
>
> [Oracle 문법]
> ```
> SAVEPOINT <이름>;
> ROLLBACK TO <이름>;
> ```
>
> Oracle에서는 특별히 트랜잭션의 시작을 지정하지 않는다. DML 코드가 시작되면 자동으로 트랜잭션이 시작된다.

⚠ **주의** SAVEPOINT, ROLLBACK의 문법

[SQL Server 문법]

```
SAVE TRANSACTION <이름>;
ROLLBACK TRANSACTION <이름>;
```

SQL Server는 BEGIN TRANSACTION으로 트랜잭션의 시작을 명시적으로 지정할 수 있다.

≫Test

04. 다음 중 SQL에 대한 설명으로 옳은 것은?

① SQL을 통해 데이터베이스의 구조를 정의하고, 데이터를 조작하며, 데이터를 제어할 수 있다.

② What의 관점에서 절차를 명기하지 않고 원하는 결과만을 서술하는 언어로서 비절차적 언어이며 절차적 언어의 특징은 없다.

③ DDL은 데이터베이스의 트랜잭션을 제어하는 명령어이다.

④ DML 명령어로는 CREATE, ALTER, DROP, TRUNCATE 등이 있다.

해설

SQL은 What의 관점에서 결과만을 서술하는 비절차적 언어의 특징이 있으나 프로시저, 함수, 트리거 등을 작성하는 문법(PL/SQL, T-SQL 등)은 절차적 언어의 특징도 있다. DDL은 스키마를 정의하는 명령어이다. DML 명령어로는 INSERT, SELECT, DELETE 등이 있다.

≫Test

05. 다음은 어떤 명령어에 대한 설명인가?

테이블의 데이터를 모두 삭제하며 스키마는 삭제하지 않고 남겨둔다. 저장공간을 릴리즈하지 않으며 롤백(ROLLBACK)이 가능하다.

① DELETE

② TRUNCATE

③ DROP

④ REVOKE

해설

저장공간을 릴리즈하지 않고 롤백이 가능한 것은 DML 명령어인 DELETE이다.

3.2 SELECT문

SQLD_11

SELECT문

3.2.1 SELECT

데이터를 조회하는 명령어. WHERE절을 통해 특정 조건의 열만 조회할 수 있다. 테이블에 대한 별명(Alias)을 부여할 수도 있다.

SELECT 칼럼1 [[, 칼럼2] …] FROM 테이블1 [[, 테이블2] …];

- 테이블1, 테이블2로부터 칼럼1, 칼럼2 등을 조회한다. 칼럼명이 유일할 때에는 칼럼명만 표기해도 되나 서로 다른 테이블에 있는 같은 이름의 칼럼을 표기할 때는 칼럼명 앞에 테이블명과 점(.)을 붙여야 한다. 예) MEMBER.ID, CLIENT.ID

예제

	123 회원번호	ABC 회원명	ABC 전화번호	ABC 주소
1	10,110	박소은	010-3636-8765	서울시 마포구
2	10,111	송광호	010-2398-3674	경기도 김포시
3	10,112	노승진	010-8793-2534	제주도 제주시

회원 테이블

	123 예약번호	ABC 예약자
1	783,776	박소은
2	746,333	송광호
3	113,243	노승진

예약 테이블

SELECT 회원번호, 회원명 FROM 회원;

- 회원 테이블의 회원번호, 회원명 칼럼을 조회

	123 회원번호	ABC 회원명
1	10,110	박소은
2	10,111	송광호
3	10,112	노승진

실행결과

```
SELECT * FROM 회원;
```
- 회원 테이블의 모든 칼럼 조회

123 회원번호	ABC 회원명	ABC 전화번호	ABC 주소
1	10,110 박소은	010-3636-8765	서울시 마포구
2	10,111 송광호	010-2398-3674	경기도 김포시
3	10,112 노승진	010-8793-2534	제주도 제주시

실행결과

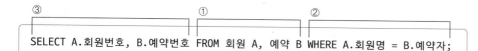

```
SELECT A.회원번호, B.예약번호 FROM 회원 A, 예약 B WHERE A.회원명 = B.예약자;
```
- 회원 테이블에 대해 A, 예약 테이블에 대해 B라는 별명(Alias)을 부여
- 회원 테이블의 회원명과 예약 테이블의 예약자가 같은 행에 대해 회원번호와 예약번호를 출력*

[해설]
① 회원 테이블을 A, 예약 테이블을 B라고 별명을 부여하고
② A 테이블의 회원명과 B 테이블의 예약자가 동일한 행을 추려서
③ A 테이블의 회원번호와 B테이블의 예약번호를 출력한다.

123 회원번호	123 예약번호
1	10,110	783,776
2	10,111	746,333
3	10,112	113,243

실행결과

---

* WHERE절이 없다면 회원 테이블과 예약 테이블의 각각의 행에 대한 모든 조합을 출력한다(CROSS JOIN).

```
SELECT 회원번호 AS ID, 회원명 FROM 회원;
```
- 회원번호 칼럼에 대해 ID라는 별명(Alias)을 부여하여 조회. AS는 생략 가능

[해설]
① 회원 테이블에서
② 회원번호에 ID라는 별명을 부여해서
③ ID와 회원명을 출력한다.

	123 ID ▼	ABC 회원명 ▼
1	10,110	박소은
2	10,111	송광호
3	10,112	노승진

실행결과

NOTE

이렇게 기억하세요.
(물에 빠진 사람을 건졌더니)
'욕하면서 왜 구했소'라고 한다.
F W G H S O

Tip SELECT문을 이루는 절들의 실행순서 중요

SELECT문의 전체 구성은 아래와 같으며 각 절의 실행순서는 매겨진 번호와 같다.

[SELECT문 구성]

⟨절⟩   ⟨실행순서⟩

SELECT   ··· ⑤ 지정된 칼럼을 조회하며,

FROM   ··· ① 테이블로부터,

WHERE   ··· ② 조건에 맞는 행을 필터링하고,

GROUP BY   ··· ③ 그룹핑을 한 뒤,

HAVING   ··· ④ 조건에 맞는 그룹만 필터링하고, (이때, 그룹별 집계함수 사용 가능)

ORDER BY   ··· ⑥ 정렬을 수행한다.

》Test

06. 회원과 예약 테이블 구성이 다음과 같을 때 다음 SELECT문들 중에서 오류가 발생하는 것은?

회원			예약	
회원번호	**회원명**		**예약번호**	**예약자**

① SELECT * FROM 회원;

② SELECT 회원번호, 회원명 FROM 회원;

③ SELECT A.회원번호, B.예약자 FROM 회원 A, 예약 B;

④ SELECT 회원번호, 예약자 FROM 회원;

해설
④에서 FROM절에 없는 예약 테이블의 예약자 속성을 조회하고 있으므로 오류가 발생한다.

07. 다음 SELECT문을 이루는 절 중에서 가장 나중에 실행되는 것은 무엇인가?

① FROM
② WHERE
③ ORDER BY
④ GROUP BY

해설
SELECT문에서 가장 나중에 실행되는 절은 ORDER BY절이다. 조회 대상인 속성을 추출한 다음 최종적으로 정렬을 수행한다.

3.2.2 산술연산자

산술연산자는 더하기, 곱하기 등 산술연산을 수행한다. 칼럼에 대해 산술연산자를 사용하면 동일한 행에서 칼럼 대 칼럼의 연산을 수행한다(단일행 연산). Null과의 산술연산 결과는 Null이며 0으로 나누면 오류가 발생한다.

연산자	설명	연산 우선순위
( )	먼저 계산할 식을 묶는다.	1
*	곱셈을 수행한다.	2
/	나눗셈을 수행한다.	
%	mod 연산(나머지 연산)을 수행한다.	
+	덧셈을 수행한다.	3
−	뺄셈을 수행한다.	

⚠ 주의 나머지 연산자
Oracle에서는 나머지 연산재(%) 대신 MOD 함수를 사용한다.

예제

	123 번호	ABC 이름	123 수학	123 영어
1	1,001	서민준	95	90
2	1,002	이지우	85	95
3	1,003	김은서	90	85

성적 테이블

```
                    ①                    ②
SELECT 수학, 영어, 수학+영어 AS 총점, (수학+영어) / 2 AS 평균 FROM 성적;
③
```

- 성적 테이블에서 수학과 영어의 합을 구하여 총점이라는 칼럼명(Alias)을 부여하고 수학과 영어의 평균을 구해서 평균이라는 칼럼명(Alias)을 부여하여 조회

[해설]

① 수학과 영어의 합을 구해서 총점이라는 칼럼명(Alias) 부여

② 수학과 영어의 평균을 구해서 평균이라는 칼럼명(Alias) 부여

③ 수학, 영어, 총점, 평균 조회

	123 수학 ▼	123 영어 ▼	12₃ 총점 ▼	12₃ 평균 ▼
1	95	90	185	92.5
2	85	95	180	90
3	90	85	175	87.5

실행결과

≫Test

08. 다음 중 SQL문의 실행결과가 잘못 짝지어진 것은?

① SELECT 85 + NULL FROM DUAL; → NULL

② SELECT NULL − 35 FROM DUAL; → NULL

③ SELECT 55 / 0 FROM DUAL; → NULL

④ SELECT NULL * NULL FROM DUAL; → NULL

해설
숫자형값을 0으로 나누면 오류가 발생한다. 그 외 NULL을 대상으로 한 산술연산 결과는 NULL이다.

 **Tip** DUAL 테이블

DUAL은 Oracle에서 사용할 수 있는 임시의 가상테이블이다.

3.2.3 합성연산자

||는 합성연산자*로 문자열을 연결(Concatenation)할 때 사용한다. 문자열값 또는 문자열형의 칼럼에 대해 사용 가능하다. 문자열형의 칼럼에 대해서 합성연산자를 사용하면 칼럼 대 칼럼의 연산을 수행한다(단일행 연산).

---

* 합성연산자를 연결연산자라고 하기도 한다.

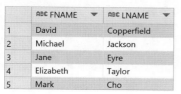

	ABC FNAME ▼	ABC LNAME ▼
1	David	Copperfield
2	Michael	Jackson
3	Jane	Eyre
4	Elizabeth	Taylor
5	Mark	Cho

MEMBER 테이블

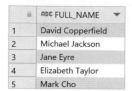

```
SELECT FNAME || ' ' || LNAME AS FULL_NAME FROM MEMBER;
```

- MEMBER 테이블에서 FNAME 칼럼과 LNAME 칼럼의 값을 공백을 가운데 두고 합성하여 FULL_NAME 칼럼으로 조회

[해설]
① FNAME과 LNAME 사이에 공백을 넣어서 합성

3Day

	ABC FULL_NAME ▼
1	David Copperfield
2	Michael Jackson
3	Jane Eyre
4	Elizabeth Taylor
5	Mark Cho

실행결과

≫Test

09. 다음 중 실행결과가 다른 것은?

① SELECT 'GOOD' || ' ' || 'MORNING' AS HELLO FROM DUAL;

② SELECT 'GOOD ' || 'MORNING' AS HELLO FROM DUAL;

③ SELECT 'GOOD MORNING' AS HELLO FROM DUAL;

④ SELECT 'GOOD' || 'MORNING' AS HELLO FROM DUAL;

11Day

해설

①~③의 결과는 GOOD MORNING인데 ④번의 결과는 GOODMORNING이다.

3.3 함수

SQL에서 함수란 입력된 값에 대해서 어떤 연산을 수행한 후 그 결과를 반환하는 일련의 코드 덩어리라고 할 수 있다. 수학적 함수의 정의*는 이와는 약간 다르지만 입력되는 값에 출력되는 값의 대응 관계를 일련의 독립적 연산으로 정의한다고 본다면 결국 같은 의미이다. SQL에는 DBMS별로 이미 만들어져 제공되는 내장함수(Built-in Function)와 사용자가 직접 SQL문을 작성해서 함수의 코드를 정의하는 사용자 정의 함수(User Defined Function)가 있다. 여기서는 DBMS에서 제공하는 내장된 함수들을 살펴볼 것이다. 내장함수에는 단일행 함수(Single-Row Function)와 다중행 함수(Multi-Row Function)가 있다.

---

* 함수의 수학적 정의는 두 개의 집합 간의 논리적 대응 관계라고 할 수 있으며 사상 또는 매핑(Mapping)이라고 한다. 집합 X에서 집합 Y로의 함수 $f : X \rightarrow Y$

Tip 단일행 함수 vs 다중행 함수 중요

- 단일행 함수: 하나의 행에 대해서 연산을 수행한 후에 결과를 반환하는 함수. 각 행에 대해서 개별적으로 연산이 이루어진다. 입력되는 인자는 여러 개일 수 있으나 연산 결과는 단일값을 반환한다. 1:M의 조인에서도 M쪽의 각각의 행에 대해서 단일행 함수를 사용할 수 있다.

- 다중행 함수: 여러 행에 대해서 연산을 수행하여 결과를 반환하는 함수로서 집계함수(COUNT, SUM, AVG 등), 그룹함수(ROLLUP, CUBE 등), 윈도우함수(RANK, ROW_NUMBER 등) 등이 여기에 해당한다. 여러 입력 인자에 대해 단일값을 반환한다는 점은 단일행 함수와 같다.

3.3.1 문자함수

문자열을 대상으로 한 연산을 수행하는 함수이다.

❶ LOWER

입력된 문자열을 모두 소문자로 변환하여 반환한다.

```
LOWER(arg)
```
- arg: 문자열값 또는 문자열형의 칼럼

예제

	123 MEMBER_ID ▼	ABC NAME ▼	ABC EMAIL ▼	ABC PHONE ▼
1	1,001	David	david@gmail.com	010-8776-4672
2	1,002	Michael	michael@gmail.com	010-4455-2318
3	1,003	Jane	jane@gmail.com	010-8876-1609
4	1,004	Elizabeth	eliza@gmail.com	010-3581-3376
5	1,005	Mark	mark@gmail.com	010-2345-4321
6	1,006	Ethan	ethan@gmail.com	010-7788-6809
7	1,007	Tom	tom@gmail.com	010-5532-6565

MEMBER 테이블

```
SELECT LOWER(NAME) AS NAME FROM MEMBER;
```

🔒	ABC NAME ▼
1	david
2	michael
3	jane
4	elizabeth
5	mark
6	ethan
7	tom

실행결과

❷ UPPER

입력된 문자열을 모두 대문자로 변환하여 반환한다.

```
UPPER(arg)
```
- arg: 문자열값 또는 문자열형의 칼럼

```
SELECT UPPER(NAME) AS NAME FROM MEMBER;
```

실행결과

❸ CHR

입력되는 ASCII 코드값에 대응하는 문자를 반환한다.

```
CHR(arg)

- arg: ASCII 코드값
```

> ⚠ 주의 CHR
>
> SQL Server에서는 CHR 대신 CHAR을 사용한다.

```
SELECT CHR(97) FROM DUAL;
```

실행결과

SQLD_12

TRIM - LEADING,
TRAILING, BOTH

❹ TRIM

문자열의 양 끝단에서 공백 또는 지정된 문자열을 제거하고 반환한다.

```
TRIM([[arg1] [arg2] FROM] arg3)

- arg1: LEADING / TRAILING / BOTH, 생략될 경우 기본값은 BOTH이다.
- arg2: 제거할 특정 문자 또는 문자열. arg2가 생략되면 공백을 제거한다.
- arg3: 문자열값 또는 문자열형의 칼럼
```

①

```
SELECT TRIM('  GOOD  ') FROM DUAL;
```

[해설]

① 문장의 앞, 뒤에서 공백 제거

🔒	ᴬᴮᶜ TRIM('GOOD') ▼
1	GOOD

실행결과

①

```
SELECT TRIM(LEADING '가' FROM '가나다라') FROM DUAL;
```

[해설]

① '가나다라'의 앞에서 '가' 제거

🔒	ᴬᴮᶜ TRIM(LEADING'가'FROM'가나다라') ▼
1	나다라

실행결과

①

```
SELECT TRIM(TRAILING '라' FROM '가나다라') FROM DUAL;
```

[해설]

① '가나다라'의 뒤에서 '라' 제거

🔒	ᴬᴮᶜ TRIM(TRAILING'라'FROM'가나다라') ▼
1	가나다

실행결과

①

```
SELECT TRIM(BOTH '가' FROM '가나다라가') FROM DUAL;
```

[해설]

① '가나다라가'의 앞, 뒤에서 '가' 제거

🔒	ᴬᴮᶜ TRIM(BOTH'가'FROM'가나다라가') ▼
1	나다라

실행결과

3Day

11Day

❺ LTRIM

문자열의 왼쪽 끝에서 공백 또는 지정된 문자열을 제거하고 반환한다.

LTRIM(arg1 [, arg2])

- arg1: 문자열값 또는 문자열형의 칼럼
- arg2: 제거할 특정 문자 또는 문자열, arg2가 생략되면 공백을 제거한다.

> ⚠ **주의** LTRIM
>
> SQL Server에서는 arg2 인자가 없으며 공백 제거만 가능하다.

예제

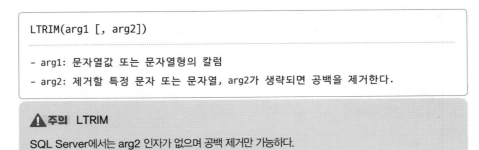

SELECT LTRIM(' GOOD') FROM DUAL;

[해설]
① ' GOOD'의 앞에서 공백 제거

	ABC LTRIM('GOOD') ▼
1	GOOD

실행결과

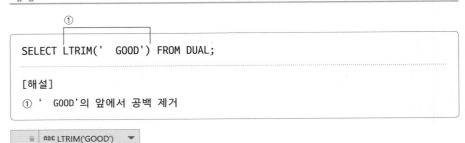

SELECT LTRIM('가나다라', '가') FROM DUAL;

[해설]
① '가나다라'의 앞에서 '가' 제거

	ABC LTRIM('가나다라','가') ▼
1	나다라

실행결과

❻ RTRIM

문자열의 오른쪽 끝에서 공백 또는 지정된 문자열을 제거하고 반환한다.

```
RTRIM(arg1 [, arg2])
```

- arg1: 문자열값 또는 문자열형의 칼럼
- arg2: 제거할 특정 문자 또는 문자열. arg2가 생략되면 공백을 제거한다.

> ⚠️ **주의** RTRIM
>
> SQL Server에서는 arg2 인자가 없으며 공백 제거만 가능하다.

예제

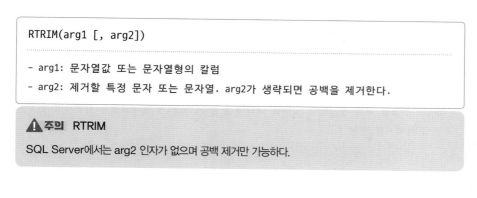

```
SELECT RTRIM('GOOD  ') FROM DUAL;
```

[해설]
① 'GOOD '의 뒤에서 공백 제거

	ABC RTRIM('GOOD') ▼
1	GOOD

실행결과

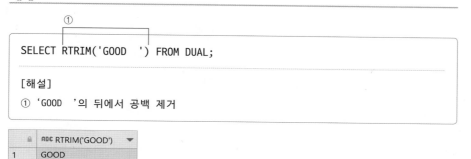

```
SELECT RTRIM('가나다라', '라') FROM DUAL;
```

[해설]
① '가나다라'의 뒤에서 '라' 제거

	ABC RTRIM('가나다라','라') ▼
1	가나다

실행결과

❼ SUBSTR

입력된 문자열의 부분 문자열을 추출하여 반환한다.

```
SUBSTR(arg1, arg2 [, arg3])
```

- arg1: 문자열값 또는 문자열형의 칼럼
- arg2: 부분 문자열을 추출할 시작점을 나타내는 정수
- arg3: 추출할 부분 문자열의 길이를 나타내는 정수, arg3가 생략되면 시작점부터 문자열의 끝까지를 반환

예제

```
SELECT SUBSTR('Good Morning', 1, 4) FROM DUAL;
```

[해설]
① 'Good Morning'의 첫 번째 문자부터 4개의 문자 추출

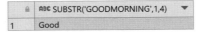

🔒 ᴬᴮᶜ SUBSTR('GOODMORNING',1,4) ▼
1	Good

실행결과

❽ LENGTH

입력된 문자열의 길이를 반환한다.

```
LENGTH(arg)
```

- arg: 문자열값 또는 문자열형의 칼럼

> ⚠️ **주의** LENGTH
> SQL Server에서는 LENGTH 대신 LEN을 사용한다.

NOTE
'GOOD Morning'에서 중간의 공백도 문자열로 인식합니다.

예제

```
SELECT LENGTH('Good Morning') FROM DUAL;
```

🔒 ¹²³ LENGTH('GOODMORNING') ▼
1	12

실행결과

❾ REPLACE

입력된 문자열에서 특정 문자열을 찾아 다른 문자열로 대체하여 반환한다.

REPLACE(arg1, arg2 [, arg3])

- arg1: 문자열값 또는 문자열형의 칼럼
- arg2: 변경할 대상 문자열
- arg3: 변경된 후의 문자열. arg3가 생략되면 대상 문자열을 삭제하는 결과를 가져온다.

예제

①

SELECT REPLACE('Good Morning', 'Morning', 'Afternoon') FROM DUAL;

[해설]

① 'Good Morning'에서 'Morning'을 'Afternoon'으로 교체

🔒	ABC REPLACE('GOODMORNING','MORNING','AFTERNOON') ▼
1	Good Afternoon

실행결과

①

SELECT REPLACE('Good Morning', 'Good ') FROM DUAL;

[해설]

① 'Good Morning'에서 'Good '을 삭제

🔒	ABC REPLACE('GOODMORNING','GOOD') ▼
1	Morning

실행결과

≫Test

10. 다음 SQL문들 중 실행결과가 다른 하나를 고르시오.

① SELECT TRIM(TRAILING '_' FROM '_ERROR_CODE_') AS RESULT FROM DUAL;

② SELECT LTRIM('?_ERROR_CODE', '?') AS RESULT FROM DUAL;

③ SELECT RTRIM(SUBSTR('??_ERROR_CODE??', 3), '??') AS RESULT FROM DUAL;

④ SELECT REPLACE('??ERROR_CODE??', '??', '_') AS RESULT FROM DUAL;

3.3.2 숫자함수

❶ ABS

절댓값을 반환한다.

```
ABS(arg1)

- arg1: 숫자형값 또는 숫자형 칼럼
```

예제

```
SELECT ABS(-2.3) FROM DUAL;

- -2.3의 절댓값인 2.3을 반환
```

❷ MOD

첫 번째 인자를 두 번째 인자로 나눈 나머지를 계산하여 반환한다.

```
MOD(arg1, arg2)

- arg1: 숫자형값 또는 숫자형 칼럼
- arg2: 숫자형값 또는 숫자형 칼럼
```

⚠ **주의** MOD

SQL Server에서는 MOD 함수가 없고 대신 %(나머지 연산자)를 사용한다.

예제

```
SELECT MOD(9, 2) FROM DUAL;
```

- 9를 2로 나눈 나머지 1을 반환

❸ ROUND

수를 반올림하여 그 결과를 반환한다.

```
ROUND(arg1 [, arg2])
```

- arg1: 대상이 되는 숫자형값, 또는 숫자형 칼럼
- arg2: 소수점 아래 자릿수를 나타내는 정수. 이 자릿수 아래에서 반올림하여 이 자릿수까지의 수를 만든다. 생략할 경우 기본값은 0이다.

예제

```
SELECT ROUND(2.67, 1) FROM DUAL;
```

- 2.67을 소수점 아래 첫 번째까지의 수를 만들기 위해 그 아래 자리에서 반올림하므로 2.7을 반환

```
SELECT ROUND(2.67) FROM DUAL;
```

- 2.67을 정수로 만들기 위해 소수점 첫째에서 반올림하므로 3을 반환

❹ TRUNC

수를 반올림하지 않고 특정 자릿수에서 버림한 후 그 결과를 반환한다.

```
TRUNC(arg1 [, arg2])
```

- arg1: 대상이 되는 숫자형값, 또는 숫자형 칼럼
- arg2: 소수점 아래 자릿수를 나타내는 정수. 이 자릿수까지만 남기고 그 아래를 버림한다. 생략할 경우 기본값은 0이다.

```
SELECT TRUNC(2.37, 1) FROM DUAL;
```
- 2.37을 소수점 아래 첫 번째까지만 남기고 그 이하를 버림하므로 2.3을 반환

```
SELECT TRUNC(2.37) FROM DUAL;
```
- 2.37을 정수까지만 남기고 그 이하를 버림하므로 2를 반환

❺ SIGN

입력된 값이 양수이면 1, 음수이면 −1, 0이면 0을 반환한다.

```
SIGN(arg1)
```
- arg1: 숫자형값 또는 숫자형 상수

```
SELECT SIGN(2.3) FROM DUAL;
```
- 2.3이 양수이므로 1을 반환

❻ CEIL

입력된 값보다 크거나 같은 최소의 정수를 반환한다.

```
CEIL(arg1)
```
- arg1: 숫자형값 또는 숫자형 칼럼

> ⚠ 주의 CEIL
>
> SQL Server에서는 CEIL 대신 CEILING을 사용한다.

예제

```
SELECT CEIL(2.3) FROM DUAL;
```

- 2.3 이상의 최소 정수인 3을 반환

❼ FLOOR

입력된 값보다 작거나 같은 최대의 정수를 반환한다.

```
FLOOR(arg1)
```

- arg1: 숫자형값 또는 숫자형 칼럼

예제

```
SELECT FLOOR(2.3) FROM DUAL;
```

- 2.3 이하의 최대 정수인 2를 반환

❽ 기타

그 밖에도 EXP, LOG, LN, POWER, SIN, COS, TAN 등 다양한 수학 함수들이 있다. 모두 숫자형 데이터 타입을 인자로 받아서 해당 연산을 수행한다.

≫Test

11. 다음 SQL문들의 실행결과가 잘못 짝지어진 것은?

① SELECT ROUND(1.78, 1) AS RESULT FROM DUAL; → 1.7
② SELECT FLOOR(3.74) AS RESULT FROM DUAL; → 3;
③ SELECT SIGN(-2) + CEIL(1.1) AS RESULT FROM DUAL; → 1;
④ SELECT TRUNC(7.78, 1) AS RESULT FROM DUAL; → 7.7;

3.3.3 날짜함수

❶ SYSDATE

오늘의 날짜를 날짜형으로 반환한다.

```
SYSDATE
```

예제

```
SELECT SYSDATE AS TODAY FROM DUAL;
```

실행결과

> **⚠ 주의** SYSDATE
>
> SQL Server에서는 SYSDATE 대신 GETDATE( )를 사용한다. 이때 SYSDATE와 달리 GETDATE 뒤에 반드시 괄호를 붙여야 한다.

❷ EXTRACT

날짜로부터 년, 월, 일을 추출해서 반환한다.

```
EXTRACT(arg1 FROM arg2)
········································································
- arg1: YEAR / MONTH / DAY / HOUR / MINUTE / SECOND
- arg2: 날짜형값 또는 날짜형 칼럼
```

> **⚠️ 주의 EXTRACT**
>
> SQL Server에서는 EXTRACT 대신 DATEPART(arg1, arg2) 함수를 사용한다. 이때 arg1에 입력 가능한 인자의 종류가 더 많다. (DAYOFYEAR, WEEK, WEEKDAY, MILLISECOND 등)

예제

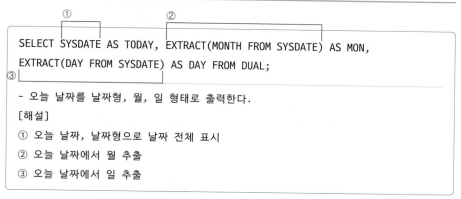

```
SELECT SYSDATE AS TODAY, EXTRACT(MONTH FROM SYSDATE) AS MON,
EXTRACT(DAY FROM SYSDATE) AS DAY FROM DUAL;
```

- 오늘 날짜를 날짜형, 월, 일 형태로 출력한다.

[해설]

① 오늘 날짜, 날짜형으로 날짜 전체 표시

② 오늘 날짜에서 월 추출

③ 오늘 날짜에서 일 추출

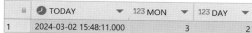

🔒	🕐 TODAY ▼	123 MON ▼	123 DAY ▼
1	2024-03-02 15:48:11.000	3	2

실행결과

》Test

12. 다음 SQL문의 실행결과로 옳은 것은? (오늘 날짜는 2024년 2월 19일이라고 가정한다.)

```
SELECT EXTRACT(YEAR FROM SYSDATE) AS YEAR FROM DUAL;
```

① 2024

② 2

③ 19

④ 2024-02-19

> **해설**
>
> 오늘 날짜에서 연도를 추출하는 코드이다. 따라서 결과는 2024

3.3.4 변환함수

테이블의 칼럼은 숫자형, 문자열형, 날짜형 등 각각의 데이터 타입을 가진다. 칼럼을 대상으로 함수나, 연산자로 연산을 수행할 때, 특별하게 요구되는 타입이 정해져 있다. 이 타입이 맞지 않을 때 타입의 변환, 즉 형변환이 필요하다.

형변환은 암시적 형변환과 명시적 형변환이 있는데, TO_NUMBER, TO_CHAR, TO_DATE와 같이 함수를 사용해서 SQL의 작성자가 형변환을 명시하는 것을 명시적 형변환이라고 하며, 이런 것 없이 데이터베이스가 연산을 수행하면서 내부적으로 임의로 형변환을 수행하는 것을 암시적 형변환이라고 한다.

암시적 형변환은 그 결과를 명확하게 예측할 수 없을 때가 많고, 특히 성능 저하를 가져오거나 에러가 발생할 때도 있으므로 주의해야 하며 가급적 명시적 형변환을 사용하는 것이 좋다.

> **Tip** 암시적 형변환 시 성능 저하를 일으킬 수 있는 경우 ★
>
> | | ABC EMPNO ▼ | ABC ENAME ▼ | ABC JOB ▼ |
> |---|---|---|---|
> | 1 | 7369 | SMITH | CLERK |
> | 2 | 7499 | ALLEN | SALESMAN |
> | 3 | 7521 | WARD | SALESMAN |
> | 4 | 7566 | JONES | MANAGER |
> | 5 | 7654 | MARTIN | SALESMAN |
>
> EMP 테이블
>
>
>
> ```
> SELECT EMPNO, ENAME, JOB FROM EMP WHERE EMPNO = 7499;
> ```
>
> - WHERE절에서 EMPNO가 7499와 같은지를 비교하고 있다. 비교 연산자는 비교 대상이 서로 같은 데이터 타입을 가져야 하므로, EMPNO의 데이터 타입이 숫자형으로 암시적 형변환이 이루어진다. 이 때 EMPNO의 원래 인덱스를 사용할 수 없게 되어 전체 테이블 스캔(Full Table Scan)이 발생하므로 성능저하가 발생한다.

❶ TO_NUMBER

데이터 타입을 숫자형으로 변환한다.

```
TO_NUMBER(arg1)
```
- arg1: 문자열값 또는 문자열형의 칼럼

```
SELECT TO_NUMBER('1001') AS MEMBER_ID FROM DUAL;
```

123 MEMBER_ID ▼
1   1,001

실행결과

❷ TO_CHAR

데이터 타입을 문자열형으로 변환한다.

```
TO_CHAR(arg1 [, arg2])
```
- arg1: 숫자형/날짜형의 값 또는 칼럼
- arg2: arg1이 날짜형일 경우, 날짜 포맷을 나타내는 문자열

예제

```
SELECT TO_CHAR(1001) AS MEMBER_ID FROM DUAL;
```

ABC MEMBER_ID ▼
1   1001

실행결과

```
         ①
SELECT TO_CHAR(SYSDATE, 'YYYYMMDD') AS TODAY FROM DUAL;
```
[해설]
① 오늘 날짜를 년월일(202040301) 형태의 문자열로 변환

ABC TODAY ▼
1   20240302

실행결과

❸ TO_DATE

데이터 타입을 날짜형으로 변환한다.

TO_DATE(arg1, arg2)

··

- arg1: 문자열값 또는 문자열형의 칼럼
- arg2: arg1의 날짜 포맷을 나타내는 문자열

예제

---

①

SELECT TO_DATE('20240130', 'YYYYMMDD') AS TODAY FROM DUAL;

··

[해설]

① '20240130' 문자열값을 년월일(YYYYMMDD) 형태로 해석하여 날짜형으로 변환

🔒	⏱ TODAY ▼
1	2024-01-30 00:00:00.000

실행결과

≫ Test

13. 다음 SQL문의 실행결과로 옳은 것은?

```
SELECT TO_CHAR(EXTRACT(DAY FROM TO_DATE('2024-01-03', 'YYYY-MM-DD')))
FROM DUAL;
```

① '2024'

② '01'

③ '03'

④ '3'

해설

'2024-01-03' 문자열형을 날짜형으로 변환한 후, 여기서 날짜값을 추출(추출한 날짜값은 숫자형임)하여 문자열형으로 변환한다. 날짜값을 추출할 때 숫자형으로 추출되면서 03이 아닌 3이 된다.

»Test

3Day

14. 다음 중 형변환에 대한 설명으로 옳지 <u>않은</u> 것은?

① 형변환에는 명시적 형변환과 암시적 형변환이 있다.
② 문자열형 칼럼이 암시적 형변환에 의해 숫자형으로 변경되면 기존의 인덱스를 사용할 수 없어 성능저하가 일어난다.
③ SQL 작성자가 TO_NUMBER, TO_CHAR, TO_DATE와 같은 함수를 사용해서 의도적으로 형변환을 하는 것을 명시적 형변환이라고 한다.
④ 시스템이 적절하게 형변환을 수행해주는 암시적 형변환이 보다 편리하고 안전하다.

해설

암시적 형변환은 그 결과를 명확하게 예측할 수가 없을 때가 많고, 성능 저하를 일으키거나 오류가 발생하는 경우도 있으므로 주의해야 한다.

3.3.5 NULL 관련 함수

❶ NVL

첫 번째 인자가 Null이 아니면 첫 번째 인자를 그대로 반환하고 Null이면 두 번째 인자를 반환한다. 첫 번째와 두 번째 인자의 데이터 타입은 같아야 한다.

```
NVL(arg1, arg2)
```
- arg1: 칼럼 또는 표현식.
- arg2: 칼럼 또는 표현식. 단, arg1과 같은 데이터 타입을 가져야 한다.

⚠ 주의 NVL

SQL Server에서는 NVL 대신 ISNULL을 사용한다.

SQLD_13
NULL

11Day

123 EMPNO ▼	ABC ENAME ▼	ABC JOB ▼	123 SAL ▼	123 COMM ▼
1	7,369 SMITH	CLERK	800	[NULL]
2	7,499 ALLEN	SALESMAN	1,600	300
3	7,521 WARD	SALESMAN	1,250	500
4	7,566 JONES	MANAGER	2,975	[NULL]
5	7,654 MARTIN	SALESMAN	1,250	1,400
6	7,698 BLAKE	MANAGER	2,850	[NULL]
7	7,782 CLARK	MANAGER	2,450	[NULL]

EMP 테이블

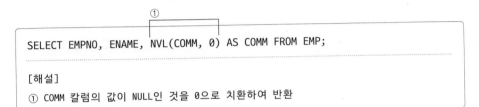

```
                             ①
SELECT EMPNO, ENAME, NVL(COMM, 0) AS COMM FROM EMP;

[해설]
① COMM 칼럼의 값이 NULL인 것을 0으로 치환하여 반환
```

123 EMPNO ▼	ABC ENAME ▼	123 COMM ▼
1	7,369 SMITH	0
2	7,499 ALLEN	300
3	7,521 WARD	500
4	7,566 JONES	0
5	7,654 MARTIN	1,400
6	7,698 BLAKE	0
7	7,782 CLARK	0

실행결과

❷ NULLIF

입력된 두 인자가 같으면 Null을 반환하고 다르면 첫 번째 인자를 반환한다.

```
NULLIF(arg1, arg2)

- arg1: 칼럼 또는 표현식.
- arg2: 칼럼 또는 표현식. 단, arg1과 같은 데이터 타입을 가져야 한다.
```

123 EMPNO ▼	ABC ENAME ▼	123 MGR ▼
1	7,369 SMITH	7,902
2	7,499 ALLEN	7,698
3	7,521 WARD	7,698
4	7,566 JONES	7,839
5	7,654 MARTIN	7,698
6	7,698 BLAKE	7,839
7	7,782 CLARK	7,839

EMP 테이블

①

```
SELECT EMPNO, ENAME, MGR, NULLIF(MGR, 7698) AS NM FROM EMP;
```

[해설]

① MGR 칼럼의 값이 7698인 것을 NULL로 치환하여 반환

123 EMPNO ▼	ABC ENAME ▼	123 MGR ▼	123 NM ▼
1	7,369 SMITH	7,902	7,902
2	7,499 ALLEN	7,698	[NULL]
3	7,521 WARD	7,698	[NULL]
4	7,566 JONES	7,839	7,839
5	7,654 MARTIN	7,698	[NULL]
6	7,698 BLAKE	7,839	7,839
7	7,782 CLARK	7,839	7,839

실행결과

❸ COALESCE

입력된 인자를 순서대로 평가하여 Null이 아닌 첫 번째 인자를 반환한다.

```
COALESCE(arg1 [[, arg2] … ])
```

- arg1: 칼럼 또는 표현식.
- arg2: 칼럼 또는 표현식. 단, arg1과 같은 데이터 타입을 가져야 한다.

	123 EMPNO	123 HOURLY_WAGE	123 SALARY	123 COMMISSION
1	1,001	10	[NULL]	[NULL]
2	1,002	20	[NULL]	[NULL]
3	1,003	30	[NULL]	[NULL]
4	1,004	[NULL]	10,000	[NULL]
5	1,005	[NULL]	20,000	[NULL]
6	1,006	[NULL]	30,000	[NULL]
7	1,007	[NULL]	[NULL]	1,500
8	1,008	[NULL]	[NULL]	2,500
9	1,009	[NULL]	[NULL]	2,000

WAGES 테이블

```
                          ①
SELECT EMPNO, COALESCE(HOURLY_WAGE, SALARY, COMMISSION)
AS TOTAL_SALARY FROM WAGES;
```

[해설]
① HOURLY_WAGE, SALARY, COMMISSION 칼럼 순으로 읽어서 NULL이 아닌 첫 번째 값을 반환

	123 EMPNO	123 TOTAL_SALARY
1	1,001	10
2	1,002	20
3	1,003	30
4	1,004	10,000
5	1,005	20,000
6	1,006	30,000
7	1,007	1,500
8	1,008	2,500
9	1,009	2,000

실행결과

》Test

15. 다음은 EMP 테이블에서 MGR의 값이 NULL이면 −1을 표시하고, 그렇지 않으면 원래의 값을 표시하고자 하는 SQL문이다. (㉠   ) 안에 들어갈 알맞은 함수명은?

```
SELECT (  ㉠  )(MGR, -1) AS RESULT FROM EMP;
```

① NVL
② NULLIF
③ COALESCE
④ IFNULL

3.3.6 CASE

CASE문은 칼럼이 특정 값을 가지면 이를 대체하는 새 값을 반환하는 연산을 정의한다. 실질적으로 함수와 같은 기능을 하나 함수가 아닌 구문으로서 단순한 대응 관계를 사용자가 직접 정의할 수 있도록 해준다.

CASE문은 아래와 같이 두 가지 형식이 모두 가능하다.

```
[형식-1]                         [형식-2]
CASE                             CASE 칼럼1
WHEN 칼럼1 = 값1 THEN 값A         WHEN 값1 THEN 값A
WHEN 칼럼1 = 값2 THEN 값B         WHEN 값2 THEN 값B
...                              ...
[ELSE 값N]                       [ELSE 값N]
END                              END
```

⚠ 주의 CASE

Oracle에서는 DECODE라는 같은 기능을 하는 함수가 있다.
DECODE(칼럼1, 값1, 값A[[, 값2, 값B] … [, 값N]])

예제

	ABC MOVIE_CODE ▼
1	01
2	02
3	03
4	04
5	05

MOVIE 테이블

[형식-1]

```
SELECT MOVIE_CODE,
CASE
WHEN MOVIE_CODE = '01' THEN 'Comedy'
WHEN MOVIE_CODE = '02' THEN 'SF'          ①
WHEN MOVIE_CODE = '03' THEN 'Action'
ELSE 'etc'
END AS MOVIE_GENRE
FROM MOVIE;
```

[해설]

① MOVIE_CODE 값이 '01'이면 'Comedy', '02'이면 'SF', '03'이면 'Action', 그외에는 'etc'로 반환

	ABC MOVIE_CODE ▼	ABC MOVIE_GENRE ▼
1	01	Comedy
2	02	SF
3	03	Action
4	04	etc
5	05	etc

실행결과

[형식-2]

```
SELECT MOVIE_CODE,
CASE MOVIE_CODE
WHEN '01' THEN 'Comedy'
WHEN '02' THEN 'SF'                *
WHEN '03' THEN 'Action'
ELSE 'etc'
END AS MOVIE_GENRE
FROM MOVIE;
```

	ABC MOVIE_CODE ▼	ABC MOVIE_GENRE ▼
1	01	Comedy
2	02	SF
3	03	Action
4	04	etc
5	05	etc

실행결과

* 형식-1과 형식-2는 같은 결과를 보여준다.

»Test

16. (가), (나)의 두 SQL문은 똑같은 실행결과를 보여준다. (　　　　)안에 들어갈 알맞은 표현을 고르시오.

```
(가)
SELECT DEPTNO,
CASE DEPTNO WHEN 10 THEN 'NEW YORK'
ELSE 'ETC'
END AS CITY
FROM EMP;

(나)
SELECT DEPTNO,
CASE (                    )
ELSE 'ETC'
END AS CITY
FROM EMP;
```

① WHEN 10, 'NEW YORK'

② (10, 'NEW YORK')

③ WHEN 10 THEN 'NEW YORK'

④ WHEN DEPTNO = 10 THEN 'NEW YORK'

3Day

해설

CASE문의 두 가지 형식은 "CASE WHEN 칼럼 = 값", "CASE 칼럼 WHEN 값"이다.

11Day

SQLD_14

WHERE절

특정 조건을 만족하는 행만을 대상으로 연산을 수행한다. SELECT뿐만 아니라 UPDATE, DELETE에도 사용할 수 있으나 INSERT에는 사용할 수 없다.

FROM절을 먼저 수행하므로 FROM절에서 정의한 테이블에 대한 별명(Alias)은 사용할 수 있으나 SELECT절에서 정의한 칼럼에 대한 별명은 사용할 수 없다.*

---

* SELECT절보다 WHERE절이 먼저 실행되기 때문에 SELECT절에서 정의한 칼럼에 대한 별명은 사용할 수 없다.

```
SELECT 칼럼1 [[, 칼럼2] … ] FROM 테이블1 [[, 테이블2] … ] WHERE 조건식;
```

예제

	123 EMPNO	ABC ENAME	ABC JOB	123 MGR	HIREDATE	123 SAL	123 COMM	123 DEPTNO
1	7,369	SMITH	CLERK	7,902	1980-12-17 00:00:00.000	800	[NULL]	20
2	7,499	ALLEN	SALESMAN	7,698	1981-02-20 00:00:00.000	1,600	300	30
3	7,521	WARD	SALESMAN	7,698	1981-02-22 00:00:00.000	1,250	500	20
4	7,566	JONES	MANAGER	7,839	1981-04-02 00:00:00.000	2,975	[NULL]	20
5	7,654	MARTIN	SALESMAN	7,698	1981-09-28 00:00:00.000	1,250	1,400	30
6	7,698	BLAKE	MANAGER	7,839	1981-05-01 00:00:00.000	2,850	[NULL]	30
7	7,782	CLARK	MANAGER	7,839	1981-06-09 00:00:00.000	2,450	[NULL]	10
8	7,839	KING	PRESIDENT	[NULL]	1981-11-17 00:00:00.000	5,000	[NULL]	10
9	7,844	TURNER	SALESMAN	7,698	1981-09-08 00:00:00.000	1,500	0	30
10	7,900	JAMES	CLERK	7,698	1981-12-03 00:00:00.000	950	[NULL]	30
11	7,902	FORD	ANALYST	7,566	1981-12-03 00:00:00.000	3,000	[NULL]	20
12	7,934	MILLER	CLERK	7,782	1982-01-23 00:00:00.000	1,300	[NULL]	10

EMP 테이블

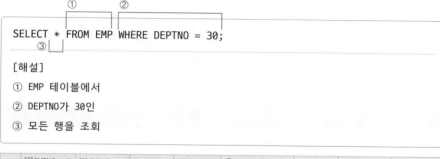

```
      ①       ②
SELECT * FROM EMP WHERE DEPTNO = 30;
    ③
```

[해설]

① EMP 테이블에서

② DEPTNO가 30인

③ 모든 행을 조회

	123 EMPNO	ᴬᴮᶜ ENAME	ᴬᴮᶜ JOB	123 MGR	🕐 HIREDATE	123 SAL	123 COMM	123 DEPTNO
1	7,499	ALLEN	SALESMAN	7,698	1981-02-20 00:00:00.000	1,600	300	30
2	7,521	WARD	SALESMAN	7,698	1981-02-22 00:00:00.000	1,250	500	30
3	7,654	MARTIN	SALESMAN	7,698	1981-09-28 00:00:00.000	1,250	1,400	30
4	7,698	BLAKE	MANAGER	7,839	1981-05-01 00:00:00.000	2,850	[NULL]	30
5	7,844	TURNER	SALESMAN	7,698	1981-09-08 00:00:00.000	1,500	0	30
6	7,900	JAMES	CLERK	7,698	1981-12-03 00:00:00.000	950	[NULL]	30

실행결과

```
UPDATE EMP SET JOB = 'SALESMAN' WHERE DEPTNO = 30;
```

- DEPTNO가 30인 행에 대해서 JOB 칼럼의 값을 'SALESMAN'으로 변경한다.

```
DELETE FROM EMP WHERE COMM IS NULL;
```

- COMM 칼럼의 값이 Null인 행을 삭제한다.

> ⚠ **주의** WHERE절에서 NULL과의 동등/부정 비교 ★
>
> WHERE절에서의 NULL과의 동등/부정 비교는 IS NULL, IS NOT NULL만 사용 가능하다. (칼럼 = NULL, 칼럼 != NULL 등 비교연산자를 이용한 조건식은 제대로 동작하지 않는다.)

3.4.1 비교연산자

비교연산자는 기본적으로 두 값이 같은지를 비교하거나 크기를 비교하여 보다 작은지, 더 큰지를 판단하여 참, 거짓을 반환한다. 이때 비교 대상이 단일행이 아닌 다중행인 경우 복합적인 비교를 수행하는 별도의 연산자(IN, EXISTS, ALL, ANY)를 사용할 수 있다.

❶ 단일행 비교연산자

비교 대상이 단일행인 경우로 두 값이 같은지를 비교하거나, 첫 번째 값이 두 번째 값보다 작은지, 아니면 큰지를 비교하는 연산자이다. Null 값에 대해서는 비교연산자가 동작하지 않으므로 IS NULL을 사용해야 한다.

연산자	설명
=	첫 번째 값과 두 번째 값이 같으면 참을 반환
<	첫 번째 값이 두 번째 값보다 작으면 참을 반환
<=	첫 번째 값이 두 번째 값보다 작거나 같으면 참을 반환
>	첫 번째 값이 두 번째 값보다 크면 참을 반환
>=	첫 번째 값이 두 번째 값보다 크거나 같으면 참을 반환
IS NULL	NULL이면 참을 반환

≫Test

17. 다음 SQL문 중에서 TITLE 칼럼의 값이 'Untitled'인 경우를 조회하는 것은?

① SELECT * FROM TABLE1 WHERE TITLE = 'Untitled';

② SELECT * FROM TABLE1 WHERE TITLE == 'Untitled';

③ SELECT * FROM TABLE1 WHERE TITLE IS 'Untitled';

④ SELECT * FROM TABLE1 WHERE TITLE <> 'Untitled';

해설
WHERE절에서의 동등 비교연산자는 = 이다. NULL과 비교할 때만 IS를 사용한다.

❷ 다중행 비교연산자

비교 대상이 다중행인 경우에는 복합적인 비교를 수행하는 별도의 연산자를 사용할 수가 있다. 다중행 비교연산자는 4장에서 학습하게 될 서브쿼리*를 사용할 때 더 유용하게 사용된다. 서브쿼리의 결과가 다중행인 경우에 단일행 비교연산자는 사용할 수 없으며 반드시 다중행 비교연산자를 사용해야 한다.

---

* 서브쿼리란 별도의 SELECT문을 괄호로 감싸서 쿼리 중간에 집어넣은 것이다. 4장에서 자세히 다룬다.

연산자	설명
IN	리스트* 중 동일한 값이 하나라도 있으면 참을 반환 예) WHERE C1 IN (10, 20, 30) → WHERE C1=10 OR C1=20 OR C1=30
EXISTS	서브쿼리의 결과가 한 건이라도 있으면 참을 반환. (EXISTS는 서브쿼리를 대상으로만 사용 가능) 예) WHERE EXISTS (SELECT * FROM TBL) → TBL 테이블에 데이터가 한 건이라도 존재 하는가
ALL	리스트 각각의 원소와 비교하여 모두 참이면 참을 반환한다. 단일행 비교연산자와 결합하여 사용 한다. 예) WHERE C1 〈 ALL(10, 20, 30) → WHERE C1〈10 AND C1〈20 AND C1〈30
ANY	리스트 각각의 원소와 비교한 결과가 하나라도 참이면 참을 반환한다. 단일행 비교연산자와 결합 하여 사용한다. 예) WHERE C1 〈 ANY(10, 20, 30) → WHERE C1〈10 OR C1〈20 OR C1〈30

---

* 리스트란 (10, 20, 30)과 같은 형태의 값이나 다중행 칼럼을 의미한다.

≫Test

18. 다음 SQL문 중에서 실행결과가 다른 것은?

① SELECT * FROM TBL WHERE AREA IN ('서울', '경기');

② SELECT * FROM TBL WHERE AREA = ANY('서울', '경기');

③ SELECT * FROM TBL WHERE AREA = '서울' AND AREA = '경기';

④ SELECT * FROM TBL WHERE NOT AREA != ALL('서울', '경기');

해설
①, ②, ④번 모두 AREA가 '서울' 또는 '경기'인 행을 출력한다. 조건식 부분만 보면 WHERE AREA =
'서울' OR AREA = '경기'와 같다.

3.4.2 부정 비교연산자

❶ 단일행 부정 비교연산자

두 값이 서로 다른지를 비교할 때 사용한다. 비교연산자와 마찬가지로 Null 값에 대해서
는 IS NOT NULL을 사용해야 한다.

연산자	설명
!=	
^=	두 값이 서로 다르면 참을 반환
<>	
IS NOT NULL	NULL이 아니면 참을 반환

≫Test

19. 다음 중 AREA_CODE가 10이 아닌 행을 조회하는 SQL문으로 옳지 않은 것은?

① SELECT * FROM CITY WHERE AREA_CODE IS NOT 10;

② SELECT * FROM CITY WHERE AREA_CODE != 10;

③ SELECT * FROM CITY WHERE AREA_CODE ^= 10;

④ SELECT * FROM CITY WHERE AREA_CODE <> 10;

해설

WHERE절에서의 부정 비교연산자는 !=, ^=, <>이다. IS NOT은 NULL과 비교할 때만 사용한다.

❷ 다중행 부정 비교연산자

다중행 비교연산자 IN과 EXISTS 앞에 NOT을 붙이면 반대의 의미가 된다. ALL과 ANY의 경우 바로 앞에는 NOT을 붙일 수 없고 전체 조건식 앞에 NOT을 붙여 부정을 나타낼 수 있다.

연산자	설명
NOT IN	리스트 중 동일한 값이 하나도 없으면 참을 반환 예) WHERE C1 NOT IN (10, 20, 30) → WHERE C1!=10 AND C1!=20 AND C1!=30
NOT EXISTS	서브쿼리의 결과가 한 건도 없으면 참을 반환 예) WHERE NOT EXISTS (SELECT * FROM TBL) → TBL 테이블에 데이터가 한 건도 없는가

**Tip** IN, NOT IN

IN은 OR로 연결되고 NOT IN은 AND로 연결되는 것에 주의한다.

C1 IN (10, 20, 30) → C1=10 OR C1=20 OR C1=30

C1 NOT IN (10, 20, 30) → C1!=10 AND C1!=20 AND C1!=30

»Test

20. 다음 중 JOB이 MANAGER나 CLERK이 아닌 행을 조회하는 SQL문으로 옳은 것은?

① SELECT * FROM EMP WHERE JOB NOT BETWEEN ('MANAGER', 'CLERK');
② SELECT * FROM EMP WHERE JOB != ('MANAGER', 'CLERK');
③ SELECT * FROM EMP WHERE JOB IS NOT ('MANAGER', 'CLERK');
④ SELECT * FROM EMP WHERE JOB NOT IN ('MANAGER', 'CLERK');

해설
리스트 중 일치하지 않는 경우를 판단하는 조건식은 NOT IN (값1, 값2, …)이다.

3.4.3 SQL 연산자

연산자	설명
BETWEEN A AND B	A보다 크거나 같고 B보다 작거나 같으면 참을 반환
LIKE	패턴문자열로 문자 검색 시 사용 (패턴문자 %는 0개 이상의 문자, _는 임의의 문자 1개를 의미한다.) 예) LIKE '%M%' → 중간에 'M'이 있는 문자열, LIKE '_M' → 'M'으로 끝나는 길이가 2개인 문자열

»Test

21. 다음 중 SAL 칼럼의 값이 2000보다 크거나 같고 3000보다 작거나 같은 행을 조회하는 것으로 옳은 것을 2개 고르시오.

① SELECT * FROM EMP WHERE SAL IN (2000, 3000);
② SELECT * FROM EMP WHERE SAL >= 2000 AND SAL <= 3000;
③ SELECT * FROM EMP WHERE SAL BETWEEN 2000 AND 3000;
④ SELECT * FROM EMP WHERE SAL LIKE 2000 TO 3000;

해설
범위를 비교하고자 할 때는 BETWEEN을 사용하거나 비교연산자와 논리연산자를 함께 사용하면 된다.
①의 IN (2000, 3000)은 2000 또는 3000인 경우만 해당된다.

3.4.4 부정 SQL 연산자

연산자	설명
NOT BETWEEN A AND B	A보다 작거나 B보다 크면 참을 반환
NOT LIKE	패턴과 매칭되는 것이 하나도 없으면 참을 반환

≫Test

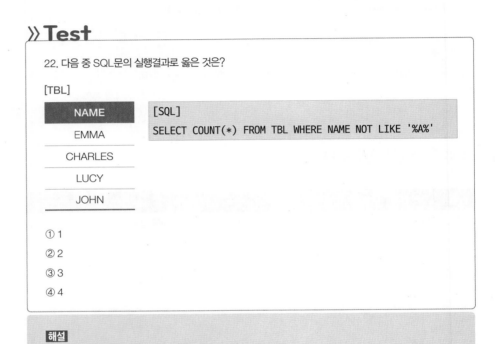

22. 다음 중 SQL문의 실행결과로 옳은 것은?

[TBL]

NAME
EMMA
CHARLES
LUCY
JOHN

[SQL]
```
SELECT COUNT(*) FROM TBL WHERE NAME NOT LIKE '%A%'
```

① 1

② 2

③ 3

④ 4

해설
이름 철자 중에서 A가 없는 것은 'LUCY', 'JOHN'으로 2개이다.

3.4.5 논리연산자

연산자	설명
AND	AND로 연결된 모든 조건이 참이면 참을 반환
OR	OR로 연결된 조건 중에 하나가 참이면 참을 반환
NOT	뒤에 오는 식의 참/거짓의 반대를 반환

23. 다음 SQL문의 실행결과로 옳은 것은?

[EVAULATION]

NAME	EVALUATE	LVL
SMITH	GOOD	*
ALLEN	VERY GOOD	**
WARD	POOR	***

```
SELECT * FROM EVALUATION WHERE EVALUATE LIKE '%GOOD' AND LVL LIKE '*_';
```

①

NAME	EVALUATE	LVL
ALLEN	VERY GOOD	**

②

NAME	EVALUATE	LVL
SMITH	GOOD	*

③

NAME	EVALUATE	LVL
WARD	POOR	***

④

NAME	EVALUATE	LVL
SMITH	GOOD	*
ALLEN	VERY GOOD	**

3Day

11Day

해설

LIKE문은 문자열의 패턴을 비교한다. 패턴문자 %는 0개 이상의 문자를 의미하며 _는 임의의 문자 1개를 의미한다. 따라서 보기의 SQL문은 EVALUATE 칼럼의 값이 GOOD로 끝나는 문자열이며 LVL 칼럼의 값이 *로 시작하는 두 개의 문자열인 행을 조회한다.

3.5 GROUP BY, HAVING절

SQLD_15

GROUP BY절

3.5.1 GROUP BY

GROUP BY절을 사용해서 데이터를 그룹핑할 수 있다. 나이를 나타내는 AGE라는 칼럼이 있다고 했을 때, GROUP BY AGE라고 하면 나이별로 데이터를 그룹핑한다. 통계적 데이터 처리를 수행할 때 GROUP BY절은 매우 빈번하게 사용되는 중요한 구문이다.

GROUP BY 연산은 매우 부하가 높은 연산이므로 필터링 조건을 부여하고자 한다면 가급적 GROUP BY 이전에 WHERE절을 사용해서 먼저 조건 필터링을 수행하는 것이 좋다. 뒤에 설명할 HAVING절을 통해서도 조건 필터링을 할 수 있지만 이 때에는 GROUP BY 연산 이후에 조건 필터링을 수행하므로 조회성능이 나빠진다는 점에 주의해야 한다.

예제

	123 DEPTNO	123 SAL
1	20	800
2	30	1,600
3	30	1,250
4	20	2,975
5	30	1,250
6	30	2,850
7	10	2,450
8	10	5,000
9	30	1,500
10	30	950
11	20	3,000
12	10	1,300

EMP 테이블

```
        ③                    ①        ②
SELECT DEPTNO, SUM(SAL) AS SALS FROM EMP GROUP BY DEPTNO;
```

[해설]

① EMP 테이블에서

② DEPTNO로 그룹핑한 후,

③ DEPTNO별 SAL의 합계를 조회

	123 DEPTNO ▼	123 SALS ▼
1	20	6,775
2	30	9,400
3	10	8,750

실행결과

≫Test

24. EMP 테이블에 대해 다음과 같은 실행결과를 보여주는 SQL문으로 옳은 것은?

[EMP]

JOB	SAL
CLERK	800
SALESMAN	1,600
SALESMAN	1,250
MANAGER	2,975

[실행결과]

JOB
CLERK
SALESMAN
MANAGER

① SELECT * FROM EMP GROUP BY JOB;

② SELECT JOB FROM EMP GROUP BY JOB;

③ SELECT JOB FROM EMP HAVING JOB;

④ SELECT *FROM EMP HAVING JOB;

해설

JOB으로 GROUP BY 연산을 수행한 결과를 보여주고 있다. GROUP BY절을 사용할 경우 SELECT 절에 직접 사용할 수 있는 칼럼은 연산의 결과에 따라 제한된다. 이 예제의 경우 *를 사용할 수 없는데 JOB으로 GROUP BY한 결과 JOB 이외의 다른 칼럼인 SAL의 값이 해당 JOB에 대해서 하나가 아니므로 출력이 불가능하다.(1 : 1 관계를 갖는 칼럼만 출력 가능)

3.5.2 집계함수

GROUP BY절을 통해 데이터를 그룹핑한 다음에는 해당 그룹에 대해서 집계함수를 사용해서 개수, 합, 평균 등의 통계값을 계산할 수 있다.* 집계함수는 다음과 같은 것들이 있다.

---

* 집계함수는 그룹을 대상으로 연산을 수행하는 다중행 함수이다. GROUP BY절 없이 집계함수를 사용하면 전체 행을 하나의 그룹으로 보고 연산을 수행한다.

함수	설명
COUNT	입력된 칼럼에서 값이 Null인 행을 제외한 행의 개수를 반환한다.
SUM	입력된 칼럼의 합을 반환한다.
AVG	입력된 칼럼의 평균을 반환한다.
MIN	입력된 칼럼의 최솟값을 반환한다.
MAX	입력된 칼럼의 최댓값을 반환한다.

 Tip DISTINCT 중요

> 칼럼명 앞에 DISTINCT를 붙이면 칼럼값의 중복을 제거한다. 따라서 집계함수의 인자로 입력되는 칼럼명에 DISTINCT를 사용하면 해당 그룹에서 첫 번째 행에 대해서만 연산을 수행한다.

≫Test

25. 다음 중 오류가 발생하는 SQL문을 두 개 고르시오.

① SELECT 고객번호, AVG(COUNT(*)) FROM 주문 GROUP BY 고객번호;

② SELECT 고객번호, COUNT(*) FROM 주문 GROUP BY 고객번호;

③ SELECT 고객번호, AVG(*) FROM 주문 GROUP BY 고객번호;

④ SELECT 고객번호, SUM(주문금액) FROM 주문 GROUP BY 고객번호;

해설

SELECT절 수행 전에 GROUP BY절이 수행되어 고객번호로 그룹핑이 먼저 된다. COUNT(*)는 고객번호별로 묶인 행들의 개수를 구하므로 고객번호별로 값이 대응되며 ②번은 오류 없이 실행된다. SUM(주문금액)은 고객번호별로 묶인 행들에 대해 주문금액의 합계를 구해 고객번호별로 값이 대응되므로 ④번도 오류가 없다. ①번의 경우 AVG(COUNT(*))는 값이 결국 1건이 되므로 고객번호별로 대응되지 않기 때문에 오류가 발생한다(중첩된 집계함수의 경우 결과는 1건이 된다). ③번의 경우 AVG 함수의 인자로 *를 사용할 수 없으므로 오류가 발생한다.

정답 25. ①, ③

3.5.3 HAVING

HAVING절은 필터링할 조건을 명시하는 구문인데 WHERE절*과 달리 집계함수를 사용할 수 있다는 점이 다르다. 따라서 HAVING절은 GROUP BY절을 사용할 때**, GROUP BY 연산이 끝난 결과에 대해서 필터링을 수행한다. 즉, GROUP BY절과 HAVING절을 같이 사용하면 GROUP BY절에 의해서 그룹핑이 된 이후에 HAVING절의 조건을 만족하는 그룹만 추출된다.

---

* WHERE절에는 집계함수를 사용할 수 없다.

** HAVING절은 일반적으로 GROUP BY절과 함께 사용되지만 GROUP BY절 없이도 사용할 수 있다. 이 때의 HAVING절은 전체 행을 하나의 그룹으로 보고 조건식을 수행하며, 사용된 조건식에 따라 SELECT 에서 조회하고자 하는 칼럼의 표현식이 적합하지 않으면 오류가 발생한다.

예제

	123 ID
1	100
2	100
3	200
4	200
5	200
6	999
7	999

TBL 테이블

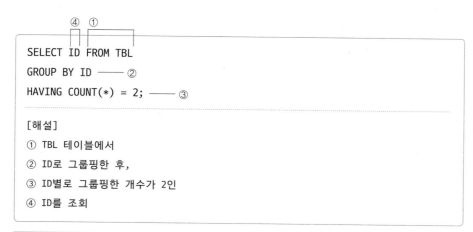

```
         ④   ①
SELECT ID FROM TBL
GROUP BY ID ——— ②
HAVING COUNT(*) = 2; ——— ③
```

[해설]
① TBL 테이블에서
② ID로 그룹핑한 후,
③ ID별로 그룹핑한 개수가 2인
④ ID를 조회

	123 ID
1	100
2	999

실행결과

»Test

26. 다음 EMP 테이블에 대해 JOB별 SAL값의 평균이 1000보다 큰 그룹을 조회하고자 하는 SQL문으로 옳은 것은?

[EMP]

JOB	SAL
CLERK	800
SALESMAN	1,600
SALESMAN	1,250
MANAGER	2,975
CLERK	950

① SELECT JOB, AVG(SAL) AS AVG FROM EMP GROUP BY JOB WHERE AVG(SAL) > 1000;
② SELECT JOB, AVG(SAL) AS AVG FROM EMP GROUP BY JOB WHERE AVG > 1000;
③ SELECT JOB, AVG(SAL) AS AVG FROM EMP GROUP BY JOB HAVING AVG(SAL) > 1000;
④ SELECT JOB, AVG(SAL) AS AVG FROM EMP GROUP BY JOB HAVING AVG > 1000;

해설

JOB별로 평균을 계산하여 필터링하려면 GROUP BY와 HAVING절을 사용해야 한다. 이때 GROUP BY와 HAVING절은 SELECT절보다 먼저 수행되므로 SELECT절에서 정의한 별명(Alias)을 사용할 수 없다.

3.6 ORDER BY절

3.6.1 ORDER BY

SELECT문으로 칼럼을 조회할 때 ORDER BY절을 사용해서 정렬을 수행할 수 있다. 관계형 데이터베이스가 가지는 튜플의 무순서성*에 따라 테이블에 삽입된 데이터는 특별한 순서가 없이 디스크에 저장된다. 따라서 조회할 때도 특별히 ORDER BY절을 명시하지 않으면 임의의 순서로 출력이 된다. ORDER BY절에 따라 정렬을 수행한 후 결과를 출력하므로 순서가 중요하지 않을 때는 이를 생략하여 조회성능을 높일 수 있다.

ORDER BY절은 SELECT문에서 가장 나중에 실행되는 절이다.

---

* 릴레이션의 특성으로 튜플의 유일성과 무순서성이 있다. 릴레이션에 포함된 튜플은 중복 없이 유일하게 식별될 수 있어야 한다는 것이 튜플의 유일성이고, 집합 내 원소들은 순서가 없다는 수학적 이론에 따라 릴레이션에 삽입되는 튜플은 특별한 순서가 없다는 것이 튜플의 무순서성이다.

> **Tip** ORDER BY절의 특징
>
> - ORDER BY절은 SELECT절보다 나중에 수행되므로 칼럼에 대한 별명(Alias)이나 칼럼의 순서를 나타내는 정수를 사용할 수 있다.
> - ORDER BY절은 GROUP BY절보다 논리적 실행 순서가 나중이므로 집계함수를 사용할 수 있다.

> **Tip** Null 값에 대한 정렬
>
> ORDER BY절에 의해 정렬을 수행할 때 해당 칼럼에 Null 값이 있을 경우, DBMS에 따라 Null 값을 취급하는 기본 방식이 다르다. (Oracle은 Null 값을 최댓값으로, SQL Server는 최솟값으로 처리) Oracle의 경우 NULLS FIRST 또는 NULLS LAST 옵션을 추가해서 처리 방법을 지정할 수도 있다.

```
ORDER BY 칼럼 [ASC / DESC]
```

- ASC: 오름차순, DESC: 내림차순
- ASC / DESC 옵션을 생략할 경우 ASC가 기본값으로 적용된다.

예제-1

	123 번호 ▼	ABC 이름 ▼	ABC 주소 ▼
1	10	김철수	서울시 마포구
2	61	이영희	경기도 성남시
3	99	고봉근	경상북도 영주시
4	11	이해승	제주도 서귀포시
5	7	오지한	강원도 속초시

학생 테이블

```
SELECT 번호, 이름, 주소 ──── ②
FROM 학생 ──── ①
ORDER BY 번호; ──── ③
```

[해설]
① 학생 테이블에서
② 번호, 이름, 주소를 조회하며
③ 번호 순으로 정렬

	123 번호 ▼	ABC 이름 ▼	ABC 주소 ▼
1	7	오지한	강원도 속초시
2	10	김철수	서울시 마포구
3	11	이해승	제주도 서귀포시
4	61	이영희	경기도 성남시
5	99	고봉근	경상북도 영주시

실행결과

예제-2

	123 번호 ▼	ABC 이름 ▼	123 수학 ▼	123 영어 ▼
1	1,004	이영희	90	80
2	1,001	오지한	95	90
3	1,002	김철수	85	95
4	1,003	이해승	90	85

성적 테이블

```
SELECT 이름, 수학, 영어, 수학+영어 AS 총점 ── ②

FROM 성적 ── ①

ORDER BY 총점 DESC; ── ③
```

[해설]

① 성적 테이블에서

② 이름, 수학, 영어, 총점(수학+영어)을 조회하며

③ 총점 순으로 내림차순으로 정렬

	ᴬᴮᶜ 이름 ▼	123 수학 ▼	123 영어 ▼	123 총점 ▼
1	오지한	95	90	185
2	김철수	85	95	180
3	이해승	90	85	175
4	이영희	90	80	170

실행결과

≫Test

27. 아래의 성적 테이블에 대해서 먼저 총점 기준으로 내림차순 정렬을 수행하고, 동점의 경우 수학 점수를 기준으로 오름차순 정렬을 수행하는 SQL문으로 옳은 것은?

[성적]

이름	수학	영어
서민준	95	90
이지우	85	90
김은서	90	85

① SELECT * FROM 성적 ORDER BY 수학+영어 ASC, 수학 DESC;

② SELECT * FROM 성적 ORDER BY 수학+영어, DESC, 수학, ASC;

③ SELECT 이름, 수학, 영어, 수학+영어 AS 총점 FROM 성적 ORDER BY 총점 DESC, 수학;

④ SELECT 이름, 수학, 영어, 수학+영어 AS 총점 FROM 성적 ORDER BY 총점, DESC, 수학, ASC;

해설

ASC/DESC 옵션은 각 칼럼 뒤에 콤마 없이 덧붙이며 ASC의 경우 생략이 가능하다. ORDER BY절에는 여러 칼럼을 지정할 수 있으며 앞의 칼럼에 대해서 먼저 정렬을 수행하고, 동점에 대해서 그 다음 칼럼을 기준으로 정렬을 수행한다.

3.7 조인

SQLD_16

조인(JOIN)

3.7.1 조인의 개념

조인(JOIN)이란 두 개의 테이블을 하나로 병합하는 것을 말한다. 앞에서 정규화를 통해서 테이블을 분리하고 나면, 데이터는 중복을 최소화하면서 여러 개의 테이블에 나뉘어 저장된다고 하였다. 데이터를 조회할 때 각 테이블에 있는 칼럼만을 조회한다면 문제가 없겠지만 우리는 서로 다른 테이블에 나뉘어 저장된 데이터를 하나의 기준으로 한 번에 조회하고 싶을 때가 훨씬 많다. 이런 경우 데이터베이스는 나뉘어져 있는 데이터를 하나의 테이블로 재구성해야 하는데 이런 테이블 병합 연산을 조인이라고 한다.

조인은 주로 두 테이블 간 PK와 FK의 연관성에 의해서 성립하나 이런 연관성이 없더라도 논리적인 값들의 연관만으로도 조인이 성립할 수 있다.

조인은 $O(N^2)$*의 시간복잡도를 가지므로 많은 CPU 연산이 필요하다. 따라서 조회성능을 높이기 위해서는 조인이 덜 일어나도록 해야 하고, 이때 수행하는 것이 반정규화이다.

---

* 건수가 2배가 되면 연산량은 그 제곱인 4배가 됨을 의미

》Test

28. 다음 중 조인에 대한 설명으로 옳지 않은 것은?

① 두 개의 테이블을 기준 키를 사용해서 병합하는 것이다.
② 조인을 수행하는 두 개의 테이블은 스키마가 같아야 한다.
③ 두 테이블 간 PK 또는 FK의 연관성에 의해서 성립한다.
④ 조인 연산은 $O(N^2)$의 시간복잡도를 가진다.

해설
조인의 대상인 두 테이블은 스키마가 같지 않아도 기준이 되는 키를 공유하고 있으면 연산 수행이 가능하다.

3.7.2 EQUI JOIN

EQUI JOIN이란 Equal(=), 즉 등식을 조건으로 사용할 때 발생하는 조인이다. 즉, 칼럼 값이 정확하게 일치할 때에 성립하는 것으로 WHERE절*의 조건이 등식인 경우에 발생한다.

---

* ANSI/ISO SQL 표준 조인의 경우 WHERE절이 아니라 ON절을 사용한다.

3.7.3 Non EQUI JOIN

Non EQUI JOIN은 WHERE절의 조건이 등식이 아니라 부등식(BETWEEN, 〉, 〉=, 〈, 〈=)을 사용해서 범위를 나타낸 조건일 때 발생하는 조인이다. 칼럼값이 일치하는 경우에 대한 조인 외에는 모두 Non EQUI JOIN이라고 할 수 있다. 대부분의 DBMS가 Non EQUI JOIN을 수행할 수 있지만 설계상의 이유로 실행이 불가능할 때도 있으므로 주의해야 한다.

》Test

29. 다음 중 조인에 대한 설명으로 옳지 <u>않은</u> 것은?

① EQUI JOIN은 조인에 관여하는 테이블 간의 칼럼 값들이 정확하게 일치하는 경우에 사용되는 방법이다.

② EQUI JOIN은 '=' 연산자에 의해서만 수행되며, 그 이외의 비교 연산자를 사용하는 경우에는 모두 Non EQUI JOIN이다.

③ 대부분 Non EQUI JOIN을 수행할 수 있지만, 때로는 설계상의 이유로 수행이 불가능한 경우도 있다.

④ 조인의 기준이 되는 칼럼 간에 논리적으로 같은 값이 존재하지 않아도 EQUI JOIN을 사용할 수 있다.

해설

조인의 기준이 되는 칼럼 간에 논리적으로 같은 값이 존재하지 않으면 '=' 연산자를 사용할 수 없고 결국 부등식을 사용한 범위 조건을 사용해야 하므로 EQUI JOIN이 아니다.

3.7.4 3개 이상 TABLE JOIN

조인은 보통 2개의 테이블에 대해서 수행할 때가 많지만 조회 조건이 복잡할 때, 또는 조회하고자 하는 데이터가 3개 이상의 테이블에 나누어져 있을 때에는 3개 이상의 테이블에 대한 조인이 필요하다. 이때 두 개의 테이블에 대해서 1번의 조인이 일어나므로 N개의 테이블에 대해서는 N-1 만큼의 조인이 발생한다.

3개 이상의 테이블에 대한 조인의 연산량은 기하급수적으로 증가하므로 조회성능이 매우 하락할 수 있다는 점에 주의해야 한다. 이런 경우 반정규화를 통해서 조인이 필요한 테이블의 개수를 줄여 성능을 최적화하는 것이 필요하다.

》Test

30. 4개의 테이블로부터 필요한 칼럼을 조회하려고 할 때, 최소 몇 개의 조인 조건이 필요한가?

① 1개

② 2개

③ 3개

④ 4개

해설
N개의 테이블에 대해 조인을 수행한다면 최소 N-1개의 조인 조건이 필요하다.

3.7.5 OUTER JOIN

앞에서 설명한 조인(EQUI JOIN, Non EQUI JOIN)은 조인 조건에 맞는 행들만 병합된다. 이를 INNER JOIN이라고 하는데 집합 연산으로 보자면 일종의 교집합의 개념이라고 할 수 있다.

조인 조건에 맞지 않는 행까지 좀 더 포괄적으로 병합하는 방법도 있는데 이를 OUTER JOIN이라고 한다. OUTER JOIN은 집합 연산으로 보자면 일종의 합집합의 개념으로 LEFT OUTER JOIN, RIGHT OUTER JOIN, FULL OUTER JOIN으로 나뉜다.

뒤에서 설명할 표준 조인에서 좀 더 명시적으로 OUTER JOIN을 지원하며 표준 조인 문법이 아닌 OUTER JOIN 문법은 DBMS에 따라 다르다.

4Day

11Day

Tip Oracle에서의 OUTER JOIN

WHERE절에서 JOIN 칼럼 옆에 (+)를 붙이면 OUTER JOIN이 된다.

```
SELECT A.DNAME, B.ENAME
FROM DEPT A, EMP B
WHERE A.DEPTNO = B.DEPTNO(+);
```

(+)기호가 붙지 않은 쪽 테이블이 기준 테이블이 된다. 따라서 이 구문은 A LEFT OUTER JOIN B와 같다.

》Test

31. 다음 중 조인 조건에 맞지 않는 행까지 출력하는 조인에 해당하는 것이 아닌 것은?

① LEFT OUTER JOIN

② RIGHT OUTER JOIN

③ FULL OUTER JOIN

④ INNER JOIN

해설

조인 조건에 맞지 않는 행까지 출력하는 것은 OUTER JOIN이며 LEFT OUTER JOIN, RIGHT OUTER JOIN, FULL OUTER JOIN으로 나뉜다. INNER JOIN은 조인 조건에 맞는 행만 출력한다.

3.8 표준 조인

사람이 쓰는 언어의 경우 같은 언어를 사용하더라도 지역에 따라 약간씩 다른 사투리가 있는 것처럼 SQL도 실행되는 DBMS*의 종류에 따라 문법이 약간씩 다르다.

관계형 데이터베이스로서의 기본 원리는 동일하게 적용되더라도 DBMS를 만드는 과정에서 소프트웨어 내부 설계와 구현 방법이 제작사별로 다 다르기 때문에 SQL의 문법도 그 특성에 따라 약간씩 달라질 수밖에 없다. 이렇게 DBMS가 서로 다른 SQL 문법을 가지게 되면 이를 사용하는 애플리케이션이나 사용자의 입장에서는 DBMS 별로 그에 맞는 SQL문을 작성해야 하므로 사용과 관리가 어려워진다는 문제가 있다. 따라서 이러한 어려움을 줄이기 위해서 표준 문법을 만들게 되었고 이를 ANSI SQL**이라고 부른다. 표준 조인이란 ANSI SQL의 문법에 따른 조인 쿼리라고 보면 된다.

표준 조인에서는 기준 조건으로 WHERE절이 아니라 ON절을 사용하며 FROM절에 조인의 종류(INNER JOIN, LEFT OUTER JOIN, RIGHT OUTER JOIN, FULL OUTER JOIN, NATURAL JOIN, CROSS JOIN)를 명시한다.

---

* 많이 사용되는 DBMS에는 Oracle, PostgreSQL, MySQL, SQL Server 등이 있다.

** ANSI(미국 국가표준 협회, American National Standards Institute)는 SQL외에도 많은 컴퓨터 관련 표준을 관장하는 미국 내 기관이다. 보다 국제적인 표준화 기구로는 ISO(국제 표준화 기구, International Organization for Standardization)가 있는데 대부분 같은 표준안을 두 기관이 공유하거나 협력하여 처리하기 때문에 요즘은 ANSI/ISO 표준으로 통칭할 때가 많다.

```
FROM 테이블1 조인 테이블2
ON 조건식1
```
- 테이블1: 조인의 대상이 되는 첫 번째 테이블, 왼쪽 테이블에 해당
- 테이블2: 조인의 대상이 되는 두 번째 테이블, 오른쪽 테이블에 해당
- 조인: 조인의 종류(INNER JOIN, LEFT OUTER JOIN, RIGHT OUTER JOIN, FULL OUTER JOIN, NATURAL JOIN, CROSS JOIN)를 지정한다.
- 조건식1: 조인을 수행할 기준 키를 사용해서 조인 조건을 명시한다.

3.8.1 INNER JOIN

두 개의 테이블을 조인할 때, 조인의 기준으로 지정된 키에 따라 어느 한쪽의 테이블에는 그에 맞는 칼럼값이 없을 때가 있다. 이때 해당 칼럼값은 원래 없던 값이므로 Null이 될 수밖에 없다. (해당 칼럼의 기본값을 지정하여 Null이 아니라 정해진 기본값을 넣을 수도 있다.)

이런 경우를 허용해서 두 개의 테이블을 합집합의 개념으로 병합할지 아니면, 이런 경우를 허용하지 않도록 하여 교집합의 개념으로 병합할지를 지정할 수 있는데 이것이 Outer Join과 Inner Join이다.

Inner Join이란 교집합의 개념으로 기준이 되는 키에 따른 칼럼값이 존재하는 것만 병합해서 결과를 만든다.

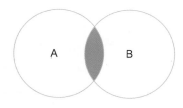

예제

	ABC ACTOR_NO ▼	ABC NAME ▼	ABC GENDER ▼	123 GUARANTEE ▼
1	1235	장동건	남	150,000,000
2	2067	이영애	여	120,000,000
3	3398	송강호	남	170,000,000

ACTOR 테이블

	ABC ACTOR_NO ▼	ABC MOVIE_NO ▼	123 GUARANTEE ▼
1	1235	1001	150,000,000
2	3398	1002	120,000,000
3	5434	1002	98,000,000

APPR 테이블

```
SELECT A1.ACTOR_NO ACT_NO1, A2.ACTOR_NO ACT_NO2, A2.MOVIE_NO, A1.NAME, A1.GENDER
FROM ACTOR A1 INNER JOIN APPR A2 ON A1.ACTOR_NO = A2.ACTOR_NO;
        ①                                              ②
```

[해설]

① ACTOR 테이블과 APPR 테이블을 INNER JOIN 하며,

② ACTOR의 ACTOR_NO와 APPR의 ACTOR_NO를 기준키로 비교하여 같은 값을 갖는 행만 출력한다.

	ABC ACT_NO1 ▼	ABC ACT_NO2 ▼	ABC MOVIE_NO ▼	ABC NAME ▼	ABC GENDER ▼
1	1235	1235	1001	장동건	남
2	3398	3398	1002	송강호	남

실행결과

≫Test

32. 다음 SQL문을 표준 조인으로 바르게 나타낸 것은?

```
SELECT A.NAME, B.JOB FROM TBL1 A, TBL2 B WHERE A.NAME = B.NAME;
```

① SELECT A.NAME, B.JOB FROM TBL1 A INNER JOIN TBL2 B ON A.NAME = B.NAME;

② SELECT A.NAME, B.JOB FROM TBL1 A INNER JOIN TBL2 B WHERE A.NAME = B.NAME;

③ SELECT A.NAME, B.JOB FROM TBL1 A, TBL2 B WHERE A.NAME = B.NAME(+);

④ SELECT A.NAME, B.JOB FROM TBL1 A, TBL2 B INNER JOIN A.NAME = B.NAME(+);

해설
INNER JOIN의 표준 조인 문법은 "FROM 테이블1 INNER JOIN 테이블2 ON 조건식"이다. WHERE 절의 칼럼명에 (+)를 붙이는 것은 Oracle 문법으로 OUTER JOIN이 된다.

3.8.2 OUTER JOIN

Outer Join은 합집합의 개념으로 기준이 되는 키에 따른 칼럼값이 존재하지 않더라도 모든 튜플을 병합하는 것을 말한다. 조인의 대상이 되는 두 개의 테이블을 각각 왼쪽 테이블, 오른쪽 테이블이라고 할 때, 어떤 테이블의 행들을 모두 포함시킬 것인지에 따라 Left

Outer Join과 Right Outer Join, Full Outer Join으로 나눌 수 있다.

❶ Left Outer Join

왼쪽 테이블의 모든 행을 포함시키면서 Join을 수행한다.

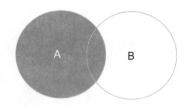

예제

	ᴀʙᴄ ACTOR_NO	ᴀʙᴄ NAME	ᴀʙᴄ GENDER	123 GUARANTEE
1	1235	장동건	남	150,000,000
2	2067	이영애	여	120,000,000
3	3398	송강호	남	170,000,000

ACTOR 테이블

	ᴀʙᴄ ACTOR_NO	ᴀʙᴄ MOVIE_NO	123 GUARANTEE
1	1235	1001	150,000,000
2	3398	1002	120,000,000
3	5434	1002	98,000,000

APPR 테이블

```
SELECT
    A1.ACTOR_NO ACT_NO1,
    A2.ACTOR_NO ACT_NO2,
    A2.MOVIE_NO,
    A1.NAME,
    A1.GENDER
FROM ACTOR A1 LEFT OUTER JOIN APPR A2 ON A1.ACTOR_NO = A2.ACTOR_NO;
    ①                                    ②
[해설]
① ACTOR 테이블과 APPR 테이블을 LEFT OUTER JOIN 하며,
② ACTOR의 ACTOR_NO와 APPR의 ACTOR_NO를 기준키로 비교하여 같은 값을 갖는 행을 포
함한 ACTOR의 모든 행을 출력한다.
```

	ABC ACT_NO1	ABC ACT_NO2	ABC MOVIE_NO	ABC NAME	ABC GENDER
1	1235	1235	1001	장동건	남
2	2067	[NULL]	[NULL]	이영애	여
3	3398	3398	1002	송강호	남

실행결과

❷ Right Outer Join

오른쪽 테이블의 모든 행을 포함시키면서 조인을 수행한다.

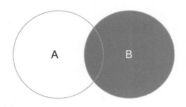

예제

	ABC ACTOR_NO	ABC NAME	ABC GENDER	123 GUARANTEE
1	1235	장동건	남	150,000,000
2	2067	이영애	여	120,000,000
3	3398	송강호	남	170,000,000

ACTOR 테이블

	ABC ACTOR_NO	ABC MOVIE_NO	123 GUARANTEE
1	1235	1001	150,000,000
2	3398	1002	120,000,000
3	5434	1002	98,000,000

APPR 테이블

```
SELECT
  A1.ACTOR_NO ACT_NO1,
  A2.ACTOR_NO ACT_NO2,
  A2.MOVIE_NO,
  A1.NAME,
  A1.GENDER
FROM ACTOR A1 RIGHT OUTER JOIN APPR A2 ON A1.ACTOR_NO = A2.ACTOR_NO;
        ①                                                          ②
```

[해설]

① ACTOR 테이블과 APPR 테이블을 RIGHT OUTER JOIN 하며,

② ACTOR의 ACTOR_NO와 APPR의 ACTOR_NO를 기준키로 비교하여 같은 값을 갖는 행을 포함한 APPR의 모든 행을 출력한다.

	ABC ACT_NO1 ▼	ABC ACT_NO2 ▼	ABC MOVIE_NO ▼	ABC NAME ▼	ABC GENDER ▼
1	1235	1235	1001	장동건	남
2	3398	3398	1002	송강호	남
3	[NULL]	5434	1002	[NULL]	[NULL]

실행결과

❸ Full Outer Join

왼쪽 테이블의 모든 행과, 오른쪽 테이블의 모든 행을 포함하는 조인을 수행한다.

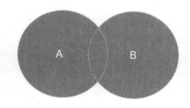

예제

	ABC ACTOR_NO ▼	ABC NAME ▼	ABC GENDER ▼	123 GUARANTEE ▼
1	1235	장동건	남	150,000,000
2	2067	이영애	여	120,000,000
3	3398	송강호	남	170,000,000

ACTOR 테이블

	ABC ACTOR_NO ▼	ABC MOVIE_NO ▼	123 GUARANTEE ▼
1	1235	1001	150,000,000
2	3398	1002	120,000,000
3	5434	1002	98,000,000

APPR 테이블

```
SELECT
  A1.ACTOR_NO ACT_NO1,
  A2.ACTOR_NO ACT_NO2,
  A2.MOVIE_NO,
  A1.NAME,
  A1.GENDER
FROM ACTOR A1 FULL OUTER JOIN APPR A2 ON A1.ACTOR_NO = A2.ACTOR_NO;
      ①                                              ②
[해설]
① ACTOR 테이블과 APPR 테이블을 FULL OUTER JOIN 하며,
② ACTOR의 ACTOR_NO와 APPR의 ACTOR_NO를 기준키로 비교하여 같은 값을 갖는 행을 포
함한 ACTOR와 APPR의 모든 행을 출력한다.
```

ᴬᴮᶜ ACT_NO1 ▼	ᴬᴮᶜ ACT_NO2 ▼	ᴬᴮᶜ MOVIE_NO ▼	ᴬᴮᶜ NAME ▼	ᴬᴮᶜ GENDER ▼
1235	1235	1001	장동건	남
3398	3398	1002	송강호	남
[NULL]	5434	1002	[NULL]	[NULL]
2067	[NULL]	[NULL]	이영애	여

실행결과

》Test

33. TBL1, TBL2 테이블에 대해 다음 SQL문을 실행시켰을 때, (㉠)에 들어갈 표현과 실행결과를 바르게 짝지은 것은?

[TBL1]

NAME	CLUB
김유찬	탁구부
이예나	농구부
정시우	축구부
박준영	야구부

[TBL2]

NAME	CLASS	CLUB
이예나	A	농구부
박준영	B	야구부
정유진	C	탁구부

```
SELECT COUNT(*) FROM TBL1( ㉠ )  JOIN TBL2 ON TBL1.NAME = TBL2.NAME;
```

① LEFT OUTER, 3

② RIGHT OUTER, 4

③ INNER, 3

④ FULL OUTER, 5

해설

TBL1과 TBL2에 대해 NAME을 기준 키로 OUTER JOIN을 수행한 결과는 다음과 같다.

① LEFT OUTER JOIN

NAME	CLASS	NAME	CLASS	CLUB
이예나	농구부	이예나	A	농구부
박준영	야구부	박준영	B	야구부
김유찬	탁구부	NULL	NULL	NULL
정시우	축구부	NULL	NULL	NULL

② RIGHT OUTER JOIN

NAME	CLASS	NAME	CLASS	CLUB
이예나	농구부	이예나	A	농구부
박준영	야구부	박준영	B	야구부
NULL	NULL	정유진	C	탁구부

③ INNER JOIN

NAME	CLASS	NAME	CLASS	CLUB
이예나	농구부	이예나	A	농구부
박준영	야구부	박준영	B	야구부

④ FULL OUTER JOIN

NAME	CLASS	NAME	CLASS	CLUB
김유찬	탁구부	NULL	NULL	NULL
이예나	농구부	이예나	A	농구부
정시우	축구부	NULL	NULL	NULL
박준영	야구부	박준영	B	야구부
NULL	NULL	정유진	C	탁구부

4Day

3.8.3 NATURAL JOIN

조인의 대상이 되는 두 테이블에서 같은 이름의 칼럼에 대해서는 동일한 칼럼값을 가지는 행만 병합되는 조인이다.

11Day

예제

	ABC ACTOR_NO ▼	ABC NAME ▼	ABC GENDER ▼	123 GUARANTEE ▼
1	1235	장동건	남	150,000,000
2	2067	이영애	여	120,000,000
3	3398	송강호	남	170,000,000

ACTOR 테이블

	ABC ACTOR_NO	ABC MOVIE_NO	123 GUARANTEE
1	1235	1001	150,000,000
2	3398	1002	120,000,000
3	5434	1002	98,000,000

APPR 테이블

```
SELECT * FROM ACTOR NATURAL JOIN APPR;
```

- ACTOR 테이블과 APPR 테이블에서 칼럼명이 동일한 ACTOR_NO와 GUARANTEE 칼럼의 값이 동일한 행을 조인

[해설]

① 먼저 ACTOR_NO의 값이 동일한 행은 1235, 3398이다.

② 여기에 GUARANTEE까지 같은 값을 가진 행은 1235 뿐이다.

	ABC ACTOR_NO	123 GUARANTEE	ABC NAME	ABC GENDER	ABC MOVIE_NO
1	1235	150,000,000	장동건	남	1001

실행결과

> ⚠️ 주의 NATURAL JOIN
>
> SQL Server에서는 NATURAL JOIN을 지원하지 않는다.
> NATURAL JOIN은 조인 조건을 내포하고 있으므로 ON절을 사용할 수 없으며 SELECT절의 칼럼명에도 테이블 별칭을 함께 표시할 수 없다.

Tip

Oracle에서는 USING절을 사용해서 원하는 칼럼에 대해서만 조인 조건이 되도록 할 수 있다.

```
SELECT * FROM ACTOR JOIN APPR USING (ACTOR_NO);
```

	ABC ACTOR_NO	ABC NAME	ABC GENDER	123 GUARANTEE	ABC MOVIE_NO	123 GUARANTEE
1	1235	장동건	남	150,000,000	1001	150,000,000
2	3398	송강호	남	170,000,000	1002	120,000,000

실행결과

34. TBL1, TBL2 테이블에 대한 다음 SQL문의 결과로 옳은 것은?

[TBL1]

NAME	CLUB
김유찬	탁구부
이예나	농구부
정시우	축구부
박준영	야구부

[TBL2]

NAME	CLASS	CLUB
이예나	A	농구부
박준영	B	야구부
정유진	C	탁구부

```
SELECT COUNT(*) FROM TBL1 NATURAL JOIN TBL2;
```

① 1

② 2

③ 3

④ 오류가 발생한다.

해설

NATURAL JOIN은 두 테이블에서 같은 이름의 칼럼에 대해 같은 값을 가진 행만 병합하는 조인이다.
TBL1과 TBL2의 NATURAL JOIN 결과는 다음과 같다.

NAME	CLUB	CLASS
이예나	농구부	A
박준영	야구부	B

COUNT(*)은 행의 개수를 반환하므로 2를 반환한다.

3.8.4 CROSS JOIN

왼쪽 테이블의 각 행에 대한 오른쪽 테이블 모든 행의 대응을 조합하여 결과를 출력하는 조인이다. 왼쪽 테이블의 한 행과, 오른쪽 테이블의 한 행을 조합하는 모든 경우의 수를 구한다고 생각하면 된다. 이런 연산을 카테시안 곱(Cartesian Product)라고 하며 이 곱의 원리에 따라 왼쪽 테이블이 M행이고 오른쪽 테이블이 N행이면 CROSS JOIN의 결과는 M×N행이 된다.

CROSS JOIN은 조인의 조건이 별도로 지정되지 않는다.

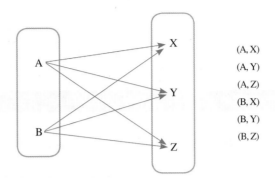

123 STU_NO	ABC NAME
1	1,001	홍길동
2	1,002	임꺽정
3	1,003	전우치

STUDENT 테이블

123 CLUB_NO	ABC NAME
1	2,100	탁구부
2	2,101	야구부

CLUB 테이블

아래의 두 예제는 같은 결과를 보여준다.

```
SELECT S1.NAME, C1.NAME
FROM STUDENT S1, CLUB C1;
```

- 표준 조인이 아닌 경우 WHERE절 없이 FROM절에 테이블들을 나열하면 CROSS JOIN이 된다.

ABC NAME	ABC NAME
1	홍길동	탁구부
2	임꺽정	탁구부
3	전우치	탁구부
4	홍길동	야구부
5	임꺽정	야구부
6	전우치	야구부

실행결과

```
SELECT S1.NAME, C1.NAME
FROM STUDENT S1 CROSS JOIN CLUB C1;
```

- 표준 조인 문법으로 STUDENT와 CLUB의 CROSS JOIN을 나타낸다.

	ABC NAME ▼	ABC NAME ▼
1	홍길동	탁구부
2	임꺽정	탁구부
3	전우치	탁구부
4	홍길동	야구부
5	임꺽정	야구부
6	전우치	야구부

실행결과

》Test

35. 다음 SQL문과 같은 결과를 보여주는 것은?

```
SELECT A.NAME, B.NAME FROM TBL1 A, TBL2 B;
```

① SELECT A.NAME, B.NAME FROM TBL1 A INNER JOIN TBL2 B;

② SELECT A.NAME, B.NAME FROM TBL1 A OUTER JOIN TBL2 B;

③ SELECT A.NAME, B.NAME FROM TBL1 A FULL OUTER JOIN TBL2 B;

④ SELECT A.NAME, B.NAME FROM TBL1 A CROSS JOIN TBL2 B;

해설
별도의 조인 조건 없이 FROM절에 두 개의 테이블을 열거하면 이는 CROSS JOIN에 해당한다.

복합 쿼리 예제 - 1

WHERE, GROUP BY, HAVING, ORDER BY가 모두 포함된 복합 쿼리를 하나 살펴보자. 여기서는 회원들의 주문금액 데이터를 분석해서 날짜로 필터링한 후 주문금액의 합계와 최고주문금액을 구하고자 한다.

먼저 사용될 테이블을 생성한다.

SQLD_17

복합 쿼리 예제 - 1

11Day

```
CREATE TABLE TBL (
        주문번호 VARCHAR(5) PRIMARY KEY,
        회원번호 VARCHAR(5) NOT NULL,
        주문일시 VARCHAR(8) NOT NULL,
        주문금액 NUMBER NOT NULL
);

INSERT INTO TBL VALUES('001', 'A001', '20240302', 1000);
INSERT INTO TBL VALUES('002', 'A001', '20240310', 3000);
INSERT INTO TBL VALUES('003', 'A002', '20240303', 2000);
INSERT INTO TBL VALUES('004', 'A002', '20240311', 2000);
INSERT INTO TBL VALUES('005', 'A002', '20240315', 2000);
INSERT INTO TBL VALUES('006', 'A003', '20240304', 1000);
INSERT INTO TBL VALUES('007', 'A003', '20240314', 4000);
INSERT INTO TBL VALUES('008', 'A003', '20240321', 1000);
INSERT INTO TBL VALUES('009', 'A003', '20240324', 1000);
INSERT INTO TBL VALUES('010', 'A004', '20240310', 2000);
```

[TBL]

주문번호	회원번호	주문일시	주문금액
001	A001	20240302	1000
002	A001	20240310	3000
003	A002	20240303	2000
004	A002	20240311	2000
005	A002	20240315	2000
006	A003	20240304	1000
007	A003	20240314	4000
008	A003	20240321	1000
009	A003	20240324	1000
010	A004	20240310	2000

살펴볼 쿼리 전문은 다음과 같다.

```
SELECT 회원번호, MAX(주문금액) AS 최고주문금액, SUM(주문금액) AS 주문금액합계
FROM TBL
WHERE 주문일시 BETWEEN '20240301' AND '20240315'
GROUP BY 회원번호
HAVING COUNT(*) >= 2
ORDER BY 주문금액합계 DESC;
```

[쿼리 해설]

GROUP BY가 먼저 실행되기 때문에 회원번호별 금액의
최댓값, 회원번호별 주문금액의 합계가 계산된다.

문자열을 대상으로 대소비교
를 하면 문자열의 앞 문자부터
ASCII 코드값으로 비교한다.

③ SELECT 회원번호, MAX(주문금액) AS 최고주문금액, SUM(주문금액) AS 주문금액합계

　　FROM TBL

① WHERE 주문일시 BETWEEN '20240301' AND '20240315'

가장 먼저 주문일시가 2024년 3월 1일
부터 3월 15일까지인 건만 추출한다.

② GROUP BY 회원번호
　　HAVING COUNT(*) >= 2

회원번호로 그룹핑한 후, 회원번호별
개수가 2 이상인 건만 추출한다.

④ ORDER BY 주문금액합계 DESC;

최종적으로 주문금액합계가 높은 순서대로 출력한다.

WHERE, GROUP BY, ORDER BY가 함께 있을 때는 실행 순서를 파악하는 게 무엇보다 중요하다. 특히 MAX나 SUM 등의 집계함수의 경우 GROUP BY가 먼저 실행되기 때문에 그룹별로 계산이 된다는 점을 꼭 기억하자.

① WHERE절

> WHERE 주문일시 BETWEEN '20240301' AND '20240315'
>
> - 가장 먼저 WHERE절에 의해서 조건 필터링이 수행된다. WHERE절이 GROUP BY절보다 먼저 실행되기 때문에 여기서 필터링된 결과만 GROUP BY 연산 대상이 되므로 쿼리의 실행 속도를 높이기 위해서는 WHERE절에서 1차적 필터링을 수행하는 게 좋다. 문자열에 대해서 BETWEEN이나 비교연산자를 사용하면 문자열의 앞의 문자부터 ASCII코드값 기준으로 비교가 되므로 굳이 DATE 타입이나 숫자 타입으로 변경해서 비교할 필요는 없다.

② GROUP BY절, HAVING절

> GROUP BY 회원번호
> HAVING COUNT(*) >= 2
>
> - 회원번호로 그룹핑을 수행하고, 회원번호별 개수가 2 이상인 건만 추출한다. HAVING절은 GROUP BY절 다음에 실행되며 GROUP BY된 결과에 대해서 집계함수를 실행한다.

4Day

11Day

③ SELECT절의 집계함수

> SELECT 회원번호, MAX(주문금액) AS 최고주문금액, SUM(주문금액) AS 주문금액합계
>
> ....
>
> - SELECT절에서의 MAX, SUM 등의 집계함수는 GROUP BY된 결과에 대해서 수행된다. 따라서 회원번호별 주문금액의 최댓값, 회원번호별 주문금액의 합계가 계산된다.

④ ORDER BY절

> ORDER BY 주문금액합계 DESC
>
> ....
>
> - ORDER BY절은 가장 나중에 실행된다. 따라서 SELECT절에서 정의한 칼럼의 별명이나 칼럼 순서 등을 사용할 수 있다. 주문금액에 대해 내림차순으로 정렬한다.

[최종실행결과]

회원번호	최고주문금액	주문금액합계
A002	2000	6000
A003	4000	5000
A001	3000	4000

복합 쿼리 예제 - 2

SQLD_18

복합 쿼리 예제 - 2

도서관 대출시스템에서 도서별로 처음 대출된 도서의 도서명, 출판사, 대출시작일자를 조회하는 쿼리를 살펴보자.

먼저 사용될 테이블을 생성한다.

```
CREATE TABLE 도서 (도서ID NUMBER, 도서명 NVARCHAR2(100));
ALTER TABLE 도서 ADD CONSTRAINT PK_도서 PRIMARY KEY(도서ID);

INSERT INTO 도서 VALUES(12001, 'SQL 개발자 정복');
INSERT INTO 도서 VALUES(12002, '웹 애플리케이션 개발');
INSERT INTO 도서 VALUES(12003, '기술사 길잡이');
```

[도서]

도서ID	도서명
12001	SQL 개발자 정복
12002	웹 애플리케이션 개발
12003	기술사 길잡이

```
CREATE TABLE 출판사 (출판사ID NUMBER, 출판사명 NVARCHAR2(100));
ALTER TABLE 출판사 ADD CONSTRAINT PK_출판사 PRIMARY KEY(출판사ID);

INSERT INTO 출판사 VALUES(1001, '아이리포');
INSERT INTO 출판사 VALUES(1002, '나래출판');
INSERT INTO 출판사 VALUES(1003, '하늘도서');
```

[출판사]

출판사ID	출판사명
1001	아이리포
1002	나래출판
1003	하늘도서

```
CREATE TABLE 대출 (
    대출번호 NUMBER,
    도서ID NUMBER,
    출판사ID NUMBER NOT NULL,
    대출시작일자 DATE,
    대출종료일자 DATE
);

ALTER TABLE 대출 ADD CONSTRAINT PK_대출 PRIMARY KEY(대출번호);
ALTER TABLE 대출 ADD CONSTRAINT FK_도서_대출_REL11 FOREIGN KEY(도서ID)
REFERENCES 도서(도서ID);
ALTER TABLE 대출 ADD CONSTRAINT FK_출판사_대출_REL21 FOREIGN KEY(출판사ID)
REFERENCES 출판사(출판사ID);

INSERT INTO 대출 VALUES(101, 12001, 1001, '2024-01-03', '2024-01-13');
INSERT INTO 대출 VALUES(102, 12001, 1001, '2024-02-11', '2024-02-21');
INSERT INTO 대출 VALUES(103, 12002, 1002, '2024-03-02', '2024-03-12');
INSERT INTO 대출 VALUES(104, 12002, 1002, '2024-02-15', '2024-02-25');
INSERT INTO 대출 VALUES(105, 12003, 1003, '2024-02-16', '2024-02-26');
INSERT INTO 대출 VALUES(106, 12003, 1003, '2024-01-29', '2024-02-08');
```

11Day

[대출]

대출번호	도서ID	출판사ID	대출시작일자	대출종료일자
101	12001	1001	2024-01-03	2024-01-13
102	12001	1001	2024-02-11	2024-02-21
103	12002	1002	2024-03-02	2024-03-12
104	12002	1002	2024-02-15	2024-02-25
105	12003	1003	2024-02-16	2024-02-26
106	12003	1003	2024-01-29	2024-02-08

도서, 대출, 출판사 테이블을 ERD로 표현하면 다음과 같다.

쿼리 전문은 다음과 같다.

```
SELECT B.도서명,
       C.출판사명,
       TO_CHAR(A.대출시작일자, 'YYYY-MM-DD') AS 대출시작일자,
       TO_CHAR(A.대출종료일자, 'YYYY-MM-DD') AS 대출종료일자
FROM 대출 A, 도서 B, 출판사 C,
    (SELECT 도서ID, MIN(대출시작일자) AS 대출시작일자
     FROM 대출
     GROUP BY 도서ID) D
WHERE A.대출시작일자 = D.대출시작일자
  AND B.도서ID = D.도서ID
  AND A.도서ID = B.도서ID
  AND A.출판사ID = C.출판사ID
ORDER BY B.도서명;
```

[쿼리 해설]

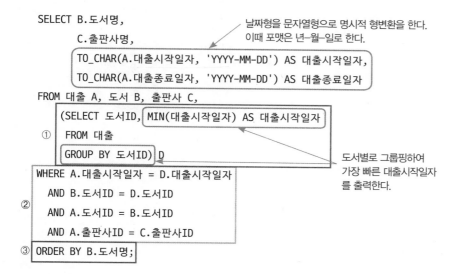

서브쿼리가 사용되고 있는데, 서브쿼리에 대해서는 4장의 설명을 참고한다. 일단, SELECT문의 결과가 하나의 테이블이 되므로 FROM절의 테이블 입력 위치에 괄호로 감싸서 넣을 수 있다고 생각하면 된다. 서브쿼리가 먼저 실행되고 외부의 메인쿼리가 실행된다.

① 도서별로 처음 대출된 정보 조회

```
SELECT 도서ID, MIN(대출시작일자) AS 대출시작일자
    FROM 대출
    GROUP BY 도서ID
```

- 도서ID로 GROUP BY하여 도서별로 그룹핑한다.
- 그룹핑된 결과에서 MIN(대출시작일자)로 가장 빠른 대출시작일자를 찾는다.

② 앞에서 찾은 정보에 맞는 도서, 출판사, 대출시작일자 찾기

```
WHERE A.대출시작일자 = D.대출시작일자
  AND B.도서ID = D.도서ID
  AND A.도서ID = B.도서ID
  AND A.출판사ID = C.출판사ID
```

- ①에서 찾은 도서 정보(D.대출시작일자, D.도서ID)에 맞는 출판사 정보를 찾기 위한 조건식이다.
- A, B, C의 CROSS JOIN 리스트 중에서 D.대출시작일자, D.도서ID에 맞는 행을 찾는다.

③ 최종적으로 도서명으로 정렬해서 출력한다.

```
ORDER BY B.도서명
```

	🔤 도서명 ▼	🔤 출판사명 ▼	🔤 대출시작일자 ▼	🔤 대출종료일자 ▼
1	SQL 개발자 정복	아이리포	2024-01-03	2024-01-13
2	기술사 길잡이	하늘도서	2024-01-29	2024-02-08
3	웹 애플리케이션 개발	나래출판	2024-02-15	2024-02-25

최종 실행결과

01. 기출 다음 테이블에 대한 SQL문을 실행할 때의 결과로 옳은 것은?

[TBL1]

COL1	COL2	COL3
R1	1	1
R2	1	1
R3	1	2
R4	2	2
R5	NULL	1

```
[SQL]
SELECT COL2, SUM(COL3) AS S
FROM TBL1
GROUP BY COL2
HAVING COUNT(*) >= 2;
```

①

COL2	S
1	4

②

COL2	S
1	4
2	2

③

COL2	S
1	4
2	2
NULL	1

④

COL2	S
1	3
2	1
NULL	1

해설

GROUP BY를 수행한 결과에 대해 HAVING절로 개수가 2이상인 것만 조회하므로 아래의 그림과 같이 된다.

SELECT COL2, SUM(COL3) AS S

FROM TBL1

GROUP BY COL2

HAVING COUNT(*) >= 2;

[TBL1]

COL2	COL3
1	1
1	1
1	2
2	2
NULL	1

COL2가 1인 그룹에 대해 COL3의 합은 1+1+2=4 이므로 SELECT COL2, SUM(COL3) AS S의 결과는 다음과 같다.

COL2	S
1	4

02. 다음 SQL문 중에서 오류가 발생하는 것은?

① SELECT DEPT, COUNT(*) AS CNT
   FROM TBL GROUP BY DEPT
   ORDER BY 3;

② SELECT DEPT, COUNT(*) AS CNT
   FROM TBL GROUP BY DEPT
   ORDER BY DEPT;

③ SELECT DEPT, COUNT(*) AS CNT
   FROM TBL GROUP BY DEPT
   ORDER BY CNT DESC;

④ SELECT DEPT, COUNT(*) AS CNT
   FROM TBL GROUP BY DEPT
   ORDER BY COUNT(*);

해설

ORDER BY절은 SELECT절 이후에 실행되며, 명시된 칼럼으로 정렬을 수행한다. 여기서는 DEPT, CNT(또는 COUNT(*)) 칼럼에 대해서 ORDER BY를 수행할 수 있으며 ①번과 같이 정숫값을 입력할 경우 SELECT절에서의 칼럼 순서를 지정하게 되며 보기의 SELECT절에는 3번째 칼럼이 없으므로 오류가 발생한다.

03. 다음 중 실행결과가 다른 것은?

① SELECT NULLIF(ROUND(2.3), FLOOR(2.7)) FROM DUAL;

② SELECT NULLIF(TRUNC(5.5), CEIL(4.7)) FROM DUAL;

③ SELECT NULLIF(MOD(5,2), SIGN(10)) FROM DUAL;

④ SELECT NULLIF(ABS(-1), ROUND(-2.1)) FROM DUAL;

해설

① ROUND(2.3) → 2, FLOOR(2.7) → 2

② TRUNC(5.5) → 5, CEIL(4.7) → 5

③ MOD(5,2) → 1, SIGN(10) → 1

④ ABS(-1) → 1, ROUND(-2.1) → -2

NULLIF는 두 인자가 같을 때 NULL을 반환하므로 ④번만 NULL이 아니다.

4Day

04. 데이터베이스를 정의하고 접근하기 위한 통신수단으로 데이터 언어(Data Language), 또는 SQL(Structured Query Language)이라는 것이 있으며 그 기능과 목적에 따라 DDL, DML, DCL, TCL로 구분된다. 이에 대한 설명으로 옳지 않은 것은?

① DML은 응용 프로그램이나 질의어를 통해 데이터베이스에 실질적으로 접근하기 위한 것으로 SELECT, INSERT, UPDATE, DELETE 등이 있다.

② 비절차적 언어로서의 DML은 사용자가 원하는 데이터가 무엇인지부터 그것을 어떻게 접근해야 하는지까지 서술하는 언어이다.

③ DDL은 스키마, 테이블, 뷰, 인덱스, 도메인 등을 생성, 변경, 삭제할 때 사용하며 CREATE, ALTER, DROP, RENAME 등이 있다.

④ DML 명령어들은 호스트 프로그램에 삽입되어 사용하는 경우 이를 데이터 부속어(Data Sub Language)라고 하기도 한다.

11Day

해설

비절차적 언어로서 DML은 사용자가 원하는 데이터가 무엇(What)인지에 대해서만 서술하며 그 결과를 얻는 과정과 방법(How)은 서술하지 않는다. 일반적으로 쿼리라고 부르는 SQL문은 대부분 비절차적 언어로서의 특징을 가지나 함수, 프로시저 등을 정의할 때는 데이터를 얻는 과정과 방법 등을 명세하며 절차적 언어로서의 특징을 가지는 PL/SQL(Oracle), T-SQL(SQL Server) 등을 사용한다. 응용 프로그램에서 데이터베이스에 접근할 때 응용 프로그램을 호스트 프로그램 또는 메인 프로그램이라고 하며 이렇게 메인 프로그램의 일부로 SQL문이 삽입되어 사용되는 경우 이를 데이터 부속어(Data Sub Language)라고 한다.

05. 다음 중 실행결과가 다른 것은?

① SELECT NULLIF(20, 20) FROM DUAL;

② SELECT COALESCE(NULL, NULL, 3) FROM DUAL;

③ SELECT CASE 3 WHEN 1 THEN 'Y' ELSE NULL END FROM DUAL;

④ SELECT DECODE(2, 1, 'Y', NULL) FROM DUAL;

해설

① NULLIF 함수는 입력된 두 인자가 같으면 NULL을 반환하므로 NULLIF(20, 20)의 결과는 NULL이다.

② COALESCE 함수는 입력된 인자들 중에서 NULL이 아닌 첫 번째 인자의 값을 반환하므로 COALESCE(NULL, NULL, 3)의 결과는 3이다.

③ CASE문은 입력되는 칼럼의 값에 대응되는 새 값을 반환하는 연산을 수행한다. 보기의 CASE문에서는 3이 입력되었고 1에 대해서는 'Y'를 반환하고 그 외에는 NULL을 반환하므로 결과는 NULL이다.

④ DECODE 함수는 CASE문과 동일한 연산을 수행한다. 첫 번째 인자에 대해서 대응되는 값과 반환할 새 값을 나열한다. 맨 마지막에는 해당되는 값이 없을 때의 반환값이다. 보기에서 첫 번째 인자가 2이고, 1에 대해서는 'Y'를 반환하고 그 외에는 NULL을 반환하므로 결과는 NULL이다.

06. **기출** 다음에서 설명하는 것은 어떤 인덱스 스캔 방식인가?

가) 인덱스를 역순으로 탐색한다.
나) 최댓값을 쉽게 찾을 수 있다.

① INDEX FULL SCAN

② INDEX RANGE SCAN DESCENDING

③ INDEX RANGE SCAN

④ INDEX UNIQUE SCAN

해설

역순으로 탐색하며 최댓값을 쉽게 찾는다고 했으므로 내림차순인 DESCENDING 방식이 정답이다.

① INDEX FULL SCAN : 전체 데이터를 탐색

② INDEX RANGE SCAN : 범위 조건으로 데이터 탐색

③ INDEX UNIQUE SCAN : 유일한 하나의 값 탐색

07. 다음 테이블에 대해 SQL문을 실행한 결과로 옳은 것은?

[TBL]

NAME
DAVID
MICHAEL
RACHEL

[SQL]
SELECT * FROM TBL WHERE NAME LIKE '_A%';

①

NAME
DAVID
MICHAEL
RACHEL

②

NAME
MICHAEL

③

NAME
DAVID
RACHEL

④

NAME
DAVID

해설

LIKE 연산자는 문자열을 패턴으로 비교하는 연산자이다. _는 한 글자를 의미하고 %는 0개 이상의 문자를 의미한다. 따라서 '_A%'는 처음 한 문자 뒤에 A가 있고 그 뒤에 다른 문자가 0개 이상 이어지는 문자열에 해당한다. 이 패턴에 맞는 것은 'DAVID'와 'RACHEL'이다.

3 **출제예상문제(20문항)**

08. 아래와 같이 테이블을 정렬하는 SQL문에서 빈 칸을 채우시오. [Oracle]

[TBL]

COL1	COL2
10	200
10	NULL
20	300
20	NULL
10	100
20	200

[실행결과]

COL1	COL2
20	NULL
20	200
20	300
10	NULL
10	100
10	200

```
[SQL]
SELECT COL1, COL2 FROM TBL
ORDER BY COL1 DESC, COL2 _____
```

① DESC NULLS FIRST
② NULLS FIRST
③ ASC
④ DESC

해설
ORDER BY로 정렬을 수행할 때 NULL값을 어떻게 처리할지 명시적으로 지정할 수가 있다. NULLS FIRST는 NULL값을 가장 먼저 표시하고, NULLS LAST는 가장 마지막에 표시한다.

09. 다음 중 연산자의 우선순위가 바르게 나열된 것은?

① 연결 연산자 → 비교 연산자 → NOT 연산자 → OR 연산자
② 비교 연산자 → 연결 연산자 → NOT 연산자 → OR 연산자
③ 연결 연산자 → 비교 연산자 → OR 연산자 → NOT 연산자
④ 연결 연산자 → NOT 연산자 → OR 연산자 → 비교 연산자

해설
연산자의 우선 순위는 다음과 같다.
산술 연산자(*,/,+,−) → 연결 연산자(||) → 비교 연산자(<,>,<=,>=,<>,=) → IS NULL/LIKE/IN → BETWEEN → NOT 연산자 → AND 연산자 → OR 연산자

10. 다음과 같은 테이블에 대해서 SQL문을 실행했을 때의 결과로 옳은 것은?

[TBL]

NUM
100
200
200
500
999
999

```
[SQL]
SELECT NUM FROM TBL
GROUP BY NUM
HAVING COUNT(*) = 2
ORDER BY (CASE WHEN NUM = 999 THEN 0 ELSE NUM END);
```

①

NUM
200
999

②

NUM
0
200

③

NUM
999
200

④

NUM
200
0

해설

GROUP BY NUM에 의해서 100, 200, 500, 999로 그룹핑되고 HAVING COUNT(*) = 2에 의해서 그룹 내 개수가 2인 200과 999만 선택된다. ORDER BY절에 의해서 정렬이 되는데 CASE문에 따라 999가 0으로 처리되므로 (999가 0으로 변경되어 출력되는 것은 아니다.) 결과는 999 → 200으로 출력된다.

11. 기출 내일 날짜를 조회하는 SQL문으로 옳은 것은? [Oracle]

① SELECT TO_DATE(SYSDATE - 1, 'YYYYMMDD') FROM DUAL;
② SELECT TO_CHAR(SYSDATE + 1, 'YYYYMMDD') FROM DUAL;
③ SELECT TO_CHAR(SYSDATE - 1, 'YYYYMMDD') FROM DUAL;
④ SELECT TO_DATE(SYSDATE + 1, 'YYYYMMDD') FROM DUAL;

12. 다음 테이블 스키마를 참고하여 작성된 SQL문의 빈칸을 채울 때 결과가 다른 것은?

서비스가입

| 회원번호 |
| 서비스번호 |
| 가입날짜 |
| 가입시간 |
| 서비스시작일시 |
| 서비스종료일시 |

논리 모델

SVC_JOIN

| MEM_NO : VARCHAR2(8) NOT NULL |
| SVC_NO : VARCHAR2(6) NOT NULL |
| JOIN_YMD : VARCHAR2(8) NOT NULL |
| JOIN_H : VARCHAR2(2) NOT NULL |
| SVC_START_DATE : DATE NULL |
| SVC_END_DATE : DATE NULL |

물리 모델

```
[SQL문]
SELECT SVC_NO, COUNT(*) AS CNT
FROM SVC_JOIN
WHERE



GOURP BY SVC_NO;
```

① TO_DATE('202503', 'YYYYMM') = SVC_END_DATE

   AND JOIN_YMD ¦¦ JOIN_H = '2024030100'

② '202503' = TO_CHAR(SVC_END_DATE, 'YYYYMM')

   AND JOIN_YMD = '20240301'

   AND JOIN_H = '00'

③ SVC_END_DATE >= TO_DATE('20250301', 'YYYYMMDD')

   AND SVC_END_DATE < TO_DATE('20250401', 'YYYYMMDD')

   AND (JOIN_YMD, JOIN_H) IN ('20240301', '00')

④ SVC_END_DATE >= TO_DATE('20250301000000', 'YYYYMMDDHH24MISS')

   AND SVC_END_DATE <= TO_DATE('20250331235959', 'YYYYMMDDHH24MISS')

   AND CONCAT(JOIN_YMD, JOIN_H) = '2024030100'

이 문제에서 주의할 점은 날짜형과 문자열형을 구분해야 한다는 점이다. DATE라는 날짜형은 '연월일'만 담고 있는 것이 아니라 '시분초'까지 담고 있으며 날짜형끼리는 비교가 가능하지만 문자열형과 비교할 경우에는 날짜형을 TO_CHAR 함수를 사용해서 문자열형으로 변환하거나 반대로 문자열형을 TO_DATE 함수를 사용해서 날짜형으로 변환해서 비교해야 한다. 이때, 지정된 날짜형식에 따라서 변환이 이루어진다. 주요 날짜형식은 다음과 같다.

날짜형식	설명
YYYY	년(4자리): 2023, 2024…
YY	년(2자리): 23, 24…
MM	월: 01~12
DD	일: 01~31
D	요일: 일→1, 토→7
HH or HH12	시간(12시간): 01~12
HH24	시간(24시간): 00~23
MI	분: 00~59
SS	초: 00~59

보기 ②, ③, ④는 서비스종료일시(SVC_END_DATE)가 2025년 3월 1일부터 2025년 3월 31일까지인 조건과 가입일시(SVC_YMD, SVC_H)가 2024년 3월 1일 0시인 조건을 찾는 SQL문이다. 보기 중 ①의 경우 TO_DATE('202503', 'YYYYMM')은 2025년 3월 1일 0시가 되어 이를 SVC_END_DATE와 동등비교를 하게 되면 3월 1일 0시라는 특정 일시만 매칭이 되어 다른 보기와 다른 조건으로 처리된다.

---

13. 아래의 SQL문의 실행결과는?

[TBL]

C1	C2
1	10
2	NULL
3	30
4	40

[SQL]
```
SELECT SUM(NVL(C2, 20)) FROM TBL;
```

① 20

② 80

③ 100

④ 오류 발생

14. 보기의 SQL문의 실행결과가 다음과 같을 때 빈 칸에 들어갈 조인의 종류는?

[사원]

사원명
김지훈
이소윤
전가은

[직업]

직업명
가수
배우

[SQL]

SELECT 사원명, 직업명 FROM 사원 _____ 직업;

[결과]

사원명	직업명
김지훈	가수
이소윤	가수
전가은	가수
김지훈	배우
이소윤	배우
전가은	배우

① FULL OUTER JOIN

② CROSS JOIN

③ NATURAL JOIN

④ INNER JOIN

해설

왼쪽 테이블의 각 행에 대해서 오른쪽 테이블의 모든 행의 대응을 조합하는 결과를 출력하는 조인은 CROSS JOIN이다. 이러한 연산을 카테시안 곱(Cartesian Product)이라고 한다.

15. **기출** 다음의 [사원], [부서] 테이블에 대해서 사원이 한 명도 없는 부서를 검색하는 SQL문을 작성한다고 했을 때 옳지 않은 것은?

사원
사원번호
사원명
담당업무
급여
부서번호(FK)

부서
부서번호
부서명
위치

① SELECT 부서번호

  FROM 부서 A

  WHERE NOT EXISTS

   (SELECT * FROM 사원 B WHERE A.부서번호 = B.부서번호);

② SELECT B.부서번호

  FROM 사원 A

   RIGHT OUTER JOIN 부서 B

    ON A.부서번호 = B.부서번호

  WHERE 사원번호 IS NULL;

③ SELECT 부서번호

  FROM 부서

  WHERE 부서번호 NOT IN

   (SELECT 부서번호 FROM 사원);

④ SELECT 부서번호

  FROM 부서

  WHERE 부서번호 <> ANY (SELECT 부서번호 FROM 사원);

해설

[사원]과 [부서] 테이블이 다음과 같을 때,

[사원]

사원번호	...	부서번호
1		10
2		20
3		30

[부서]

부서번호	...
10	
20	
30	
40	

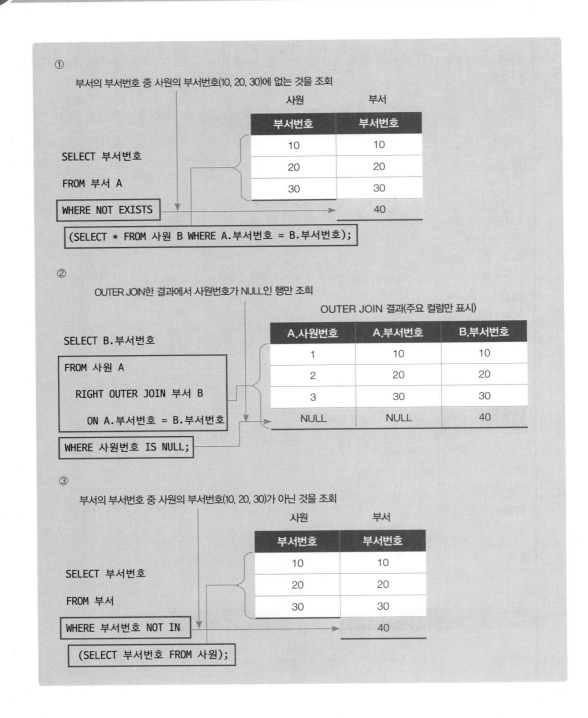

① 부서의 부서번호 중 사원의 부서번호(10, 20, 30)에 없는 것을 조회

	사원	부서
	부서번호	부서번호
	10	10
	20	20
	30	30
		40

```
SELECT 부서번호

FROM 부서 A

WHERE NOT EXISTS

  (SELECT * FROM 사원 B WHERE A.부서번호 = B.부서번호);
```

② OUTER JOIN한 결과에서 사원번호가 NULL인 행만 조회

OUTER JOIN 결과(주요 컬럼만 표시)

A.사원번호	A.부서번호	B.부서번호
1	10	10
2	20	20
3	30	30
NULL	NULL	40

```
SELECT B.부서번호

FROM 사원 A

  RIGHT OUTER JOIN 부서 B

  ON A.부서번호 = B.부서번호

WHERE 사원번호 IS NULL;
```

③ 부서의 부서번호 중 사원의 부서번호(10, 20, 30)가 아닌 것을 조회

	사원	부서
	부서번호	부서번호
	10	10
	20	20
	30	30
		40

```
SELECT 부서번호

FROM 부서

WHERE 부서번호 NOT IN

  (SELECT 부서번호 FROM 사원);
```

④

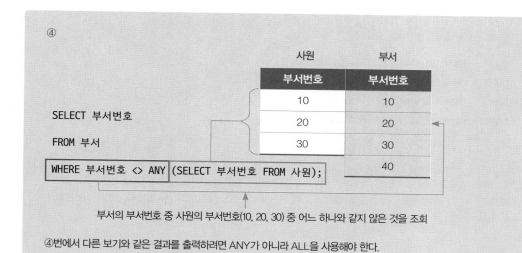

SELECT 부서번호

FROM 부서

WHERE 부서번호 <> ANY (SELECT 부서번호 FROM 사원);

부서의 부서번호 중 사원의 부서번호(10, 20, 30) 중 어느 하나와 같지 않은 것을 조회

④번에서 다른 보기와 같은 결과를 출력하려면 ANY가 아니라 ALL을 사용해야 한다.

16. **기출** 다음은 어떤 조인을 설명한 것인가?

> 가) 조인의 조건이 되는 칼럼에 인덱스가 없을 때 수행된다.
> 나) 조인의 대상이 되는 N개의 테이블에 대해 먼저 정렬을 수행한 후에 조인을 수행한다.

① OUTER JOIN   ② HASH JOIN
③ NESTED LOOP JOIN   ④ SORT MERGE JOIN

해설

조인 종류	설명
SORT MERGE JOIN	조인의 조건이 되는 칼럼에 인덱스가 없어서 인덱스 스캔을 할 수 없거나 대량의 자료를 조인하게 되어 랜덤 액세스 방식이 부담될 경우 전체 테이블 스캔 방식을 사용하여 조인을 수행한다. 조인 칼럼에 대해 먼저 정렬을 수행한 후 조인을 수행한다.
NESTED LOOP JOIN	프로그래밍 언어에서의 중첩 루프를 사용한 반복문과 유사한 방식으로 수행되는 조인이다. 인덱스 스캔을 사용하여 데이터를 랜덤 액세스 방식으로 읽어 들이므로 데이터양이 많을 경우 많은 디스크 I/O가 발생하여 성능이 느려질 수 있다.
HASH JOIN	NESTED LOOP JOIN의 랜덤 액세스로 인한 부하 문제와 SORT MERGE JOIN의 정렬 작업에 대한 부담 문제를 해결한 것으로 두 방식의 단점을 개선한 조인이다. 조인 칼럼에 대해 해시함수를 적용하여 인덱스가 없을 때 별도로 정렬을 수행하지 않고도 빠르게 조인 대상을 찾는 것이 가능하나 해시함수의 특성에 따라 EQUI JOIN에서만 사용할 수 있다는 특징이 있다. 해시함수를 사용하므로 CPU연산 부하가 높다.

17. 다음 중 동일한 결과를 반환하는 SQL문을 두 개 고르시오

① `SELECT * FROM TBL WHERE C1 BETWEEN 10 AND 20;`

② `SELECT * FROM TBL WHERE C1 IN (10, 20);`

③ `SELECT * FROM TBL WHERE C1 >= 10 AND C1 <= 20;`

④ `SELECT * FROM TBL WHERE C1 > 10 AND C1 < 20;`

해설

BETWEEN은 범위를 나타낸다 BETWEEN A AND B라고 하면 A 이상 B 이하를 나타낸다. 따라서 ①번과 ③번은 같은 의미를 가진다. ②번의 C1 IN (10, 20)은 C1이 IN 뒤에 오는 리스트 중의 하나와 일치되는 경우 TRUE를 반환한다. 즉, C1의 값이 10 또는 20인 경우를 의미한다.

18. 다음 중 SELECT문의 각 절이 실행되는 순서를 나열한 것으로 옳은 것은?

① `SELECT → FROM → WHERE → GROUP BY → HAVING → ORDER BY`

② `FROM → WHERE → ORDER BY → SELECT → GROUP BY → HAVING`

③ `FROM → WHERE → GROUP BY → HAVING → SELECT → ORDER BY`

④ `WHERE → GROUP BY → HAVING → SELECT → ORDER BY → FROM`

해설

SELECT문의 실행순서는 다음과 같다.

SELECT   … (5) 지정된 칼럼을 조회하며,
FROM   … (1) 테이블로부터,
WHERE   … (2) 조건에 맞는 행을 필터링하고,
GROUP BY … (3) 그룹핑을 한 뒤,
HAVING   … (4) 조건에 맞는 그룹만 필터링하고, (이때, 그룹별 집계함수 사용 가능)
ORDER BY   … (6) 정렬을 수행한다.

SELECT문의 실행순서를 정확하게 아는 것은 매우 중요하다. 먼저 실행된 절의 결과를 나중에 실행되는 절에서 사용할 수 있으며 그 반대는 불가능하다는 점을 이해해야 한다. 예를 들어 SELECT절에서 칼럼에 별명(Alias)을 붙인 경우 SELECT 절보다 나중에 실행되는 ORDER BY절에서는 해당 별명을 사용할 수 있으나 SELECT절보다 먼저 실행되는 WHERE절에서는 해당 별명을 사용하는 것이 불가능하다. 이런 것은 특히 GROUP BY절과 집계함수를 사용할 때 더욱 분명하게 나타난다. GROUP BY 연산의 결과를 나타내는데 그룹핑되지 않는 칼럼을 SELECT절에 입력할 수 없다는 것은 연산의 결과가 하나의 식별자에 대해서 1:1 매칭이 되는 칼럼만 표시 가능하며 1:M이 되는 경우는 표현 자체가 불가능하다는 것 때문이다. 어떤 경우이건 간에 SELECT문은 조회하고자 하는 무엇(What)만을 정의하기 때문에 논리적으로 결과를 표현할 수 없는 것은 실행되지 않는다.

정답 17. ①, ③   18. ③

19. 아래의 모델 정보를 참고하여 요청에 맞게 SQL문의 빈칸을 채운다고 할 때 옳은 것은?

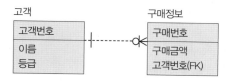

고객		구매정보
고객번호		구매번호
이름		구매금액
등급		고객번호(FK)

[요청]

구매 이력이 있는 고객 중에서 구매 횟수가 5회 이상인 고객의 이름과 등급을 조회한다.

[SQL]

SELECT A.이름, A.등급

FROM 고객 A

> ㉠

GROUP BY A.이름, A.등급

> ㉡

① ㉠ INNER JOIN 구매정보 B ON A.고객번호 = B.고객번호

   ㉡ WHERE COUNT(B.구매번호) >=5

② ㉠ LEFT OUTER JOIN 구매정보 B ON A.고객번호 = B.고객번호

   ㉡ HAVING SUM(B.구매번호) >=5

③ ㉠ INNER JOIN 구매정보 B ON A.고객번호 = B.고객번호

   ㉡ HAVING B.구매번호 >=5

④ ㉠ INNER JOIN 구매정보 B ON A.고객번호 = B.고객번호

   ㉡ HAVING COUNT(B.구매번호) >=5

해설

구매 이력이 있는 고객 정보를 조회하기 위해서는 [고객] 테이블과 [구매정보] 테이블을 FK인 고객번호를 기준으로 INNER JOIN을 수행해야 한다. INNER JOIN은 일종의 교집합, OUTER JOIN은 합집합이므로 여기서는 교집합인 INNER JOIN을 사용한다. 이렇게 조인을 수행한 결과에 대해서 이름과 등급으로 GROUP BY를 할 경우 하나의 고객에 대응하는 구매정보 건들이 그룹으로 묶이게 되며 여기에 COUNT를 하면 고객당 구매 건수가 구해진다. GROUP BY 결과에 대한 조건은 WHERE절이 아니라 HAVING절을 사용해야 하므로 정답은 ④번이다.

20. 다음 SQL문 중에서 오류가 발생하는 것은?

① SELECT SUM(주문금액) AS TOTAL

    FROM 주문

    HAVING AVG(주문금액) > 10000;

② SELECT 메뉴ID, 사용유형코드, COUNT(*) AS CNT

    FROM 시스템사용이력

    WHERE 사용일시 BETWEEN SYSDATE - 1 AND SYSDATE

    GROUP BY 메뉴ID, 사용유형코드

    HAVING 메뉴ID = 2 AND 사용유형코드 = 101;

③ SELECT 메뉴ID, 사용유형코드, SUM(COUNT(*)) AS SUMCNT

    FROM 시스템사용이력

    GROUP BY 메뉴ID, 사용유형코드;

④ SELECT 회원ID, SUM(주문금액) AS TOTAL

    FROM 주문

    GROUP BY 회원ID

    HAVING COUNT(*) > 1;

해설

③ 메뉴ID, 사용유형코드로 GROUP BY한 결과에 대해서 SELECT절에서 SUM(COUNT(*))연산을 수행하면 결국 1건의 결과가 된다. (M건의 그룹에 대해서 집계함수를 사용하여 연산을 수행하면 최종적으로 1건의 결과가 나옴) 따라서 SELECT절에서 메뉴ID, 사용유형코드 칼럼과 함께 표시할 수 없다. (1:1 관계가 아니라면 다른 칼럼과 같이 SELECT절에 사용할 수 없다. 만약 여기서 SUM과 같은 집계함수를 사용하고 싶다면 OVER절을 함께 사용해야 한다.)

Chapter 4

SQL 활용

4.1 서브쿼리

SQL문을 하나 작성하고 보면 이것은 하나의 결과를 반환하는 독립적인 사용자 함수와 마찬가지라고 이해할 수 있다. SQL문의 내부에 DBMS가 제공하는 다양한 함수를 넣을 수 있는 것과 마찬가지로 함수가 들어갈 수 있는 위치에는 그 위치에 맞는 결과를 반환하는 또 다른 독립적인 SQL문을 넣는 것이 가능하며, 이를 서브쿼리(Subquery)라고 한다.

SQLD_19

서브쿼리

SQL문 중에 SELECT문의 예를 들어 보면, SELECT문의 결과 역시 하나의 테이블이 되므로 FROM절의 테이블을 입력하는 위치에 또 다른 독립적 SELECT문을 넣는 것이 가능한 것이다.

서브쿼리에 대한 상대적인 용어로 서브쿼리를 품고 있는 쿼리를 메인쿼리(Main Query)라고 부른다.

5Day

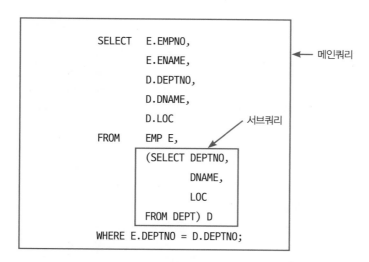

메인쿼리, 서브쿼리

12Day

서브쿼리는 들어가는 위치에 따라서 다음과 같이 세 가지로 구분한다.

종류	서브쿼리가 들어가는 위치
스칼라 서브쿼리	SELECT문의 칼럼 입력 위치
인라인 뷰	FROM절의 테이블 입력 위치
중첩 서브쿼리	WHERE절, HAVING절의 칼럼 또는 테이블 입력 위치

서브쿼리는 또 메인쿼리의 칼럼 사용 여부에 따라 연관 서브쿼리와 비연관 서브쿼리로 나뉜다.

종류	설명
연관(Correlated) 서브쿼리	메인쿼리의 칼럼을 서브쿼리에서 사용
비연관(Un-Correlated) 서브쿼리	메인쿼리의 칼럼을 서브쿼리에서 사용하지 않음

서브쿼리는 반드시 괄호로 감싸서 표현해야 한다.

4.1.1 스칼라 서브쿼리

SELECT문의 칼럼이 입력되는 위치(SELECT, ORDER BY 등)에 들어가는 서브쿼리다. 칼럼이 입력되는 위치에 삽입되므로 스칼라* 서브쿼리의 결과는 하나의 칼럼만을 가져야 한다.

* 스칼라는 크기, 무게, X 좌표 등 한 가지의 단일값만을 가진 것을 말한다. 테이블의 경우에는 단일 칼럼만을 가지는 경우를 스칼라라고 볼 수 있다. 벡터는 두 개 이상의 스칼라를 조합해서 사용하는 것을 말한다. X 좌표와 Y 좌표를 순서쌍으로 조합해서 (X, Y)와 같이 표기하여 2차원 좌표를 나타낼 수 있는데 이것이 대표적인 벡터이다. 테이블의 경우에는 칼럼이 2개 이상인 경우를 벡터라고 볼 수 있다.

예제

	123 EMPNO	ABC ENAME	123 DEPTNO
1	7,369	SMITH	20
2	7,499	ALLEN	30
3	7,521	WARD	30
4	7,566	JONES	20
5	7,654	MARTIN	30

EMP 테이블

	123 DEPTNO	ABC DNAME	ABC LOC
1	10	ACCOUNTING	NEW YORK
2	20	RESEARCH	DALLAS
3	30	SALES	CHICAGO
4	40	OPERATIONS	BOSTON

DEPT 테이블

```
SELECT E.EMPNO,
       E.ENAME,
       (SELECT D.DNAME
        FROM DEPT D
        WHERE D.DEPTNO = E.DEPTNO) AS DNAME
FROM EMP E;
```

- 사원(EMP) 테이블의 사원 정보를 출력하면서 부서(DEPT) 테이블로부터 부서번호 (DEPTNO)에 해당하는 부서명(DNAME)을 가져와서 출력한다.

[해설]

- 서브쿼리: [DEPT] 테이블에서 DEPTNO가 [EMP] 테이블의 DEPTNO와 같은 DNAME 칼럼만 추출한다.

- 메인쿼리: 서브쿼리의 결과가 하나의 칼럼이 되며 DNAME이라는 별명을 붙인다. SELECT 절에서 [EMP] 테이블의 DEPTNO 대신 서브쿼리 결과인 DNAME을 출력한다.

- 사원번호(EMPNO), 사원명(ENAME)과 함께 [EMP] 테이블에 있던 부서번호(DEPTNO) 대신 서브쿼리로 가져온 부서명(DNAME)을 출력한다.

	123 EMPNO ▼	ABC ENAME ▼	ABC DNAME ▼
1	7,369	SMITH	RESEARCH
2	7,499	ALLEN	SALES
3	7,521	WARD	SALES
4	7,566	JONES	RESEARCH
5	7,654	MARTIN	SALES

실행결과

》Test

01. 다음 중 서브쿼리의 종류와 들어갈 수 있는 위치가 잘못 짝지어진 것은?

① 인라인 뷰 – FROM절
② 스칼라 서브쿼리 – SELECT절
③ 중첩 서브쿼리 – WHERE절, HAVING절
④ 연관 서브쿼리 – ORDER BY절

해설
서브쿼리는 일반적으로 들어갈 수 있는 위치에 따라 스칼라 서브쿼리(SELECT절), 인라인 뷰(FROM절), 중첩 서브쿼리(WHERE절, HAVING절)로 나뉜다. 들어갈 수 있는 위치와는 상관없이 메인쿼리의 칼럼을 다시 참조하고 있는지 여부에 따라 연관 서브쿼리와 비연관 서브쿼리로 나뉜다.

4.1.2 인라인 뷰

FROM절의 테이블이 입력되는 위치에 들어가는 서브쿼리다. 뷰(View)가 기존의 테이블로부터 파생되어 동적*으로 생성되는 테이블인 것과 마찬가지로 인라인 뷰 역시 쿼리 실행 시 생성되는 동적 테이블이라고 볼 수 있다.

---

* 동적(Dynamic)이라는 것은 정적(Static)에 대해 상대적인 개념으로, 실행 중에 생성되는 것을 의미한다. 테이블은 이미 디스크에 저장이 되어 있는 데이터를 의미하므로 정적 데이터라고 할 수 있고, 뷰(View)는 쿼리의 실행 중에 만들어지므로 동적 데이터라고 할 수 있다.

인라인 뷰를 사용하면 복잡한 쿼리를 단계적으로 작성할 수 있고 전체가 아닌 테이블의 일부분만 불러와 사용함으로써 비교횟수를 줄이는 것과 같은 이점이 있다.

예제

123 EMPNO	ABC ENAME	123 DEPTNO
1	7,369	SMITH	20
2	7,499	ALLEN	30
3	7,521	WARD	30
4	7,566	JONES	20
5	7,654	MARTIN	30

EMP 테이블

123 DEPTNO	ABC DNAME	ABC LOC	123 MEMBERS
1	10	ACCOUNTING	NEW YORK	50
2	30	SALES	CHICAGO	30
3	40	OPERATIONS	BOSTON	80

DEPT 테이블

```
SELECT E.EMPNO,
       E.ENAME,
       D.DEPTNO,
       D.DNAME,
       D.LOC
FROM EMP E,
    (SELECT DEPTNO,
            DNAME,
            LOC
     FROM DEPT) D
WHERE E.DEPTNO = D.DEPTNO;
```

- 부서(DEPT) 테이블에서 필요한 칼럼만 인라인 뷰로 추출해서 조건에 맞는 사원(EMP) 정보를 출력한다.

[해설]

- 서브쿼리: [DEPT] 테이블에서 DEPTNO, DNAME, LOC 칼럼만 추출한다.
- 메인쿼리: 서브쿼리 결과에 D라는 별명을 붙이고 WHERE절에서 DEPTNO가 같은 행을 조회하고 있으므로 DEPTNO가 두 테이블에 공통적으로 존재하는 30에 대한 행만 출력된다.
- [EMP] 테이블로부터 EMPNO, ENAME 칼럼을, D(서브쿼리 결과)로부터 DEPTNO, DNAME, LOC 칼럼을 출력한다.

123 EMPNO ▼	ABC ENAME ▼	123 DEPTNO ▼	ABC DNAME ▼	ABC LOC ▼
1	7,499	ALLEN	30	SALES	CHICAGO
2	7,521	WARD	30	SALES	CHICAGO
3	7,654	MARTIN	30	SALES	CHICAGO

실행결과

≫Test

02. 다음 중 인라인 뷰에 대한 설명으로 옳지 않은 것은?

① FROM절의 테이블이 들어가는 위치에 삽입될 수 있다.

② Top N 쿼리*와 같이 연산과 조회를 단계적으로 수행할 때 사용할 수 있다.

③ 조인에서 테이블의 필요한 부분만 인라인 뷰로 가져와 사용하면 전체 비교 연산을 줄일 수 있다.

④ SELECT절이 중첩되어 나타남으로써 쿼리가 복잡해지고 가독성이 떨어진다.

해설

인라인 뷰를 사용하면 SELECT절이 중첩되어 나타나므로 쿼리가 복잡해진다고 생각할 수 있는데 실제로는 반복될 수 있는 구문을 하나의 인라인 뷰로 정의해서 별명(Alias)을 붙여 사용하므로 전체적으로 코드의 가독성이 높아진다.

---

* Top N 쿼리: 데이터에 순위를 매기고 상위 N번까지를 추출하는 쿼리

4.1.3 중첩 서브쿼리

중첩 서브쿼리는 쿼리 안에 다른 쿼리가 중첩되어 들어간 경우를 지칭한다고 볼 수 있는데 특히 WHERE절과 HAVING절에 들어가는 것을 말한다. 중첩 서브쿼리는 스칼라 서브쿼리나 인라인 뷰와 달리 반환하는 값의 형태가 하나가 아니며 아래와 같이 다양한 반환값을 가질 수 있다.

5Day

12Day

SQLD_20

중첩 서브쿼리

반환값 유형	설명
단일행(Single Row)	반환되는 값이 단일행, 즉 1건 이하의 데이터인 경우이다. 단일행 비교연산자(〉, 〉=, 〈, 〈=, =, 〈〉 등)의 연산 대상으로 사용할 수 있다.
다중행(Multi Row)	반환되는 값이 다중행인 경우로 다중행 비교연산자(IN, ALL, ANY, SOME, EXISTS 등)의 연산 대상으로 사용할 수 있다.
다중칼럼(Multi Column)	반환되는 값이 여러 칼럼, 즉 벡터인 경우이다. 반환값이 단일 칼럼인 스칼라 서브쿼리와 달리 반환값이 여러 칼럼을 가진 테이블 형태가 된다.

예제-1 단일행

	123 EMPNO	ABC ENAME	123 SAL
1	7,369	SMITH	800
2	7,499	ALLEN	1,600
3	7,521	WARD	1,250
4	7,566	JONES	2,975
5	7,654	MARTIN	1,250
6	7,698	BLAKE	2,850
7	7,782	CLARK	2,450
8	7,839	KING	5,000
9	7,844	TURNER	1,500
10	7,900	JAMES	950
11	7,902	FORD	3,000
12	7,934	MILLER	1,300

EMP 테이블

```
SELECT EMPNO,
       ENAME,
       SAL
FROM EMP
WHERE SAL >= (SELECT AVG(E.SAL) FROM EMP E);
```

- 급여(SAL)가 평균 이상인 사원 정보를 조회한다.
[해설]
- 서브쿼리: [EMP] 테이블에서 급여(SAL)의 평균을 구한다.
- 메인쿼리: 서브쿼리를 WHERE절에서 조건식의 일부로 사용하고 있다. 급여(SAL)가 서브쿼리로 구한 평균값 이상인 건을 출력한다.

	123 EMPNO	ABC ENAME	123 SAL
1	7,566	JONES	2,975
2	7,698	BLAKE	2,850
3	7,782	CLARK	2,450
4	7,839	KING	5,000
5	7,902	FORD	3,000

실행결과

	123 EMPNO	ABC ENAME	123 SAL	123 DEPTNO
1	7,369	SMITH	800	20
2	7,499	ALLEN	1,600	30
3	7,521	WARD	1,250	30
4	7,566	JONES	2,975	20
5	7,654	MARTIN	1,250	30
6	7,698	BLAKE	2,850	30
7	7,782	CLARK	2,450	10
8	7,839	KING	5,000	10
9	7,844	TURNER	1,500	30
10	7,900	JAMES	950	30
11	7,902	FORD	3,000	20
12	7,934	MILLER	1,300	10

EMP 테이블

```
SELECT EMPNO,
       ENAME,
       SAL,
       DEPTNO
FROM EMP
WHERE DEPTNO IN (SELECT DISTINCT DEPTNO
                 FROM EMP
                 WHERE SAL <= 1000);
```

- 급여(SAL)가 1000 이하인 부서원이 있는 부서에 속한 사원 정보를 조회한다.

[해설]

- 서브쿼리: [EMP] 테이블 내 급여(SAL)가 1000 이하인 행의 부서번호(DEPTNO)를 DISTINCT
로 조회하여 중복되지 않은 부서번호 리스트를 구한다.

- 메인쿼리: IN 연산자를 사용하여 [EMP] 테이블 내 부서번호(DEPTNO)가 서브쿼리의 결과
에 속한 건만 조회한다.

	123 EMPNO	ABC ENAME	123 SAL	123 DEPTNO
1	7,369	SMITH	800	20
2	7,566	JONES	2,975	20
3	7,902	FORD	3,000	20
4	7,499	ALLEN	1,600	30
5	7,521	WARD	1,250	30
6	7,654	MARTIN	1,250	30
7	7,698	BLAKE	2,850	30
8	7,844	TURNER	1,500	30
9	7,900	JAMES	950	30

실행결과

5Day

12Day

예제-3 다중칼럼

	123 EMPNO ▼	ᴀʙᴄ ENAME ▼	ᴀʙᴄ JOB ▼	123 SAL ▼
1	7,369	SMITH	CLERK	800
2	7,499	ALLEN	SALESMAN	1,600
3	7,521	WARD	SALESMAN	1,250
4	7,566	JONES	MANAGER	2,975
5	7,654	MARTIN	SALESMAN	1,250
6	7,698	BLAKE	MANAGER	2,850
7	7,782	CLARK	MANAGER	2,450
8	7,839	KING	PRESIDENT	5,000
9	7,844	TURNER	SALESMAN	1,500
10	7,900	JAMES	CLERK	950
11	7,902	FORD	ANALYST	3,000
12	7,934	MILLER	CLERK	1,300

EMP 테이블

```
SELECT EMPNO, ENAME, JOB, SAL
FROM EMP
WHERE (JOB, SAL) IN (SELECT JOB, MAX(SAL)
                     FROM EMP
                     GROUP BY JOB);
```

- 직업(JOB)별로 가장 급여(SAL)가 높은 사원 정보를 조회한다.

[해설]

- 서브쿼리: [EMP] 테이블에서 직업(JOB)에 대해 GROUP BY를 수행하여 직업(JOB)별 급여 (SAL)의 최댓값을 MAX(SAL)로 구하여 출력한다.
- 메인쿼리: 직업(JOB)과 급여(SAL)가 서브쿼리의 결과와 매칭되는 사원 정보를 출력한다.

	123 EMPNO ▼	ᴀʙᴄ ENAME ▼	ᴀʙᴄ JOB ▼	123 SAL ▼
1	7,934	MILLER	CLERK	1,300
2	7,499	ALLEN	SALESMAN	1,600
3	7,566	JONES	MANAGER	2,975
4	7,839	KING	PRESIDENT	5,000
5	7,902	FORD	ANALYST	3,000

실행결과

중첩 서브쿼리의 경우 메인쿼리에서 참조하고 있는 테이블의 칼럼을 서브쿼리 내에 다시 사용할 수 있으며, 이렇게 메인쿼리와 연관성을 가진 것을 특별히 연관 서브쿼리 (Correlated Subquery)라고 하고 메인쿼리와 연관성이 없으면 비연관 서브쿼리(Un-Correlated Subquery)라고 한다.

5Day

12Day

Tip 뷰(View)

앞에서 설명한 인라인 뷰의 경우 그 반환 결과가 하나의 테이블이 된다고 하였다. 인라인 뷰의 경우 특별한 이름이 없고 메인쿼리 안에 SELECT문의 형태로 들어가는데, 아예 별도로 이름을 붙여서 DBMS에 등록해 놓고 마치 테이블을 참조하는 것과 같이 사용할 수 있도록 만든 것을 뷰(View)라고 한다.

뷰는 행과 열을 가지고 있으며 SQL문 안에서 테이블과 똑같은 방법으로 사용된다. 하지만 데이터를 실제로 디스크에 저장하고 있는 테이블과 달리 뷰는 임시 또는 가상 테이블로서 해당 뷰를 참조할 때 동적으로 메모리에 생성된다.

뷰는 CREATE VIEW로 시작하는 DDL 코드로 생성할 수 있으며, 복잡하고 긴 SELECT문을 쿼리에 직접 사용하는 것보다 뷰로 만들어 두고 사용하면 쿼리를 간결하고 단순하게 작성할 수 있다는 장점이 있다. 하지만 테이블과 달리 삽입, 수정, 삭제에 제한*이 있고, 자신만의 인덱스를 가질 수 없다는 단점이 있으므로 주의해서 사용해야 한다.

---

* 단일 테이블로부터 필요한 칼럼만 나열한 단순 뷰는 테이블과 마찬가지로 입력, 수정, 삭제도 가능하지만 조인, 함수, GROUP BY, UNION 등을 사용한 복합 뷰의 경우에는 상황에 따라 입력, 수정, 삭제가 불가능할 수도 있다.

Tip 테이블과 뷰

테이블과 뷰의 차이

	테이블	뷰
개념	정의된 스키마에 따라 실제 데이터를 물리적으로 생성	실제의 테이블을 참조하여 생성하는 논리적인 가상의 테이블
데이터 저장	실제 데이터를 디스크에 저장	실제 데이터를 저장하고 있지 않음
생성 방식	정적(Static)으로 생성	동적(Dynamic)으로 생성
인덱스 생성	자신만의 인덱스 생성 가능	자신만의 인덱스 생성 불가능
삽입/수정/삭제	제약 없음	제약 있음

뷰의 특징

특징	설명
편리성	복잡하고 긴 쿼리를 뷰로 만들어 두고 사용하면 쿼리를 단순하게 작성할 수 있다.
보안성	원래의 테이블에서 외부에 노출하면 안 되는 칼럼을 제외하고 뷰를 생성하여 제공할 수 있다.
독립성	테이블의 구조가 변경되더라도 뷰가 변경되지 않는다면 뷰를 통해 접근하는 애플리케이션은 변경할 필요가 없다.

	123 EMPNO ▼	ABC ENAME ▼	123 SAL ▼	123 DEPTNO ▼
1	7,369	SMITH	800	20
2	7,499	ALLEN	1,600	30
3	7,521	WARD	1,250	30
4	7,566	JONES	2,975	20
5	7,654	MARTIN	1,250	30
6	7,698	BLAKE	2,850	30
7	7,782	CLARK	2,450	10
8	7,839	KING	5,000	10
9	7,844	TURNER	1,500	30
10	7,900	JAMES	950	30
11	7,902	FORD	3,000	20
12	7,934	MILLER	1,300	10

EMP 테이블

	123 DEPTNO ▼	ABC DNAME ▼	ABC LOC ▼
1	10	ACCOUNTING	NEW YORK
2	20	RESEARCH	DALLAS
3	30	SALES	CHICAGO
4	40	OPERATIONS	BOSTON

DEPT 테이블

```
CREATE OR REPLACE VIEW V_EMP AS
SELECT EMPNO,
       ENAME,
       SAL,
       E.DEPTNO,
       D.DNAME,
       D.LOC
FROM EMP E
LEFT OUTER JOIN DEPT D
ON E.DEPTNO = D.DEPTNO;
```

- V_EMP라는 뷰(View)를 생성한다.
- CREATE OR REPLACE로 뷰를 생성할 경우 해당 이름의 뷰가 없으면 새로 생성하고 있으면 대체한다.
- LEFT OUTER JOIN은 오른쪽 테이블의 기준키 순서에 따라 병합되므로 [DEPT] 테이블의 DEPTNO의 순서에 따라 병합된 결과를 보여준다.

NOTE

LEFT OUTER JOIN의 병합 기준은 왼쪽 테이블이며 왼쪽 테이블의 모든 행이 포함됩니다. 여기서는 단지 오른쪽 테이블의 순서에 따라 출력된다는 뜻입니다. 이는 조인의 내부적인 알고리즘 때문이며, 조인의 결과는 기본적으로 무순(순서 없음)입니다. 순서를 명시하려면 ORDER BY를 사용해야 합니다.

```
SELECT * FROM V_EMP;
```

- V_EMP 뷰의 모든 칼럼을 조회한다.

123 EMPNO ▼	ABC ENAME ▼	123 SAL ▼	123 DEPTNO ▼	ABC DNAME ▼	ABC LOC ▼
1	7,782	CLARK	2,450	10	ACCOUNTING	NEW YORK
2	7,839	KING	5,000	10	ACCOUNTING	NEW YORK
3	7,934	MILLER	1,300	10	ACCOUNTING	NEW YORK
4	7,369	SMITH	800	20	RESEARCH	DALLAS
5	7,566	JONES	2,975	20	RESEARCH	DALLAS
6	7,902	FORD	3,000	20	RESEARCH	DALLAS
7	7,499	ALLEN	1,600	30	SALES	CHICAGO
8	7,521	WARD	1,250	30	SALES	CHICAGO
9	7,654	MARTIN	1,250	30	SALES	CHICAGO
10	7,698	BLAKE	2,850	30	SALES	CHICAGO
11	7,844	TURNER	1,500	30	SALES	CHICAGO
12	7,900	JAMES	950	30	SALES	CHICAGO

실행결과

뷰를 삭제할 때는 DROP VIEW 명령문을 사용한다.

```
DROP VIEW V_EMP;
```

- V_EMP 뷰를 삭제한다.

》Test

03. 다음 중 다중행을 반환하는 중첩 서브쿼리에 대해 사용할 수 있는 비교연산자가 아닌 것은?

① =
② ALL
③ EXISTS
④ IN

해설
다중행 비교연산자는 IN, ALL, ANY, SOME, EXISTS 등이 있다.

»Test

04. 다음 중 뷰(View)에 대한 설명으로 <u>옳지 않은</u> 것은?

① 행(Row)과 열(Column)을 가지며 테이블을 조회하는 것과 똑같이 조회 가능하다.

② 쿼리 실행 중 동적으로 메모리에 생성된다.

③ 테이블과 마찬가지로 삽입, 수정, 삭제가 자유롭게 가능하다.

④ 자신만의 인덱스 생성이 불가능하다.

해설

뷰(View)는 조인, 함수, GROUP BY, UNION 등을 사용하여 작성된 경우 상황에 따라서 입력, 수정, 삭제가 불가능할 수도 있다.

4.2 집합연산자

집합연산자는 두 테이블에 대한 집합 연산(합집합, 교집합 등)을 수행하는 연산자이다. JOIN이 특정한 기준키를 가지고 두 테이블에 대한 집합 연산을 수행하는 것과 달리 특정한 기준키 없이 두 테이블의 레코드들에 대해서 합집합과 교집합 연산을 수행하므로 두 테이블의 칼럼 구성, 즉 스키마가 동일*해야 한다. 스키마 구성은 동일하나 칼럼의 이름은 다를 수 있는데 이때 반환되는 칼럼 이름은 첫 번째 테이블을 따른다.

---

* 같은 수의 칼럼을 가져야 하고, 각각 대응되는 칼럼의 데이터 타입이 같아야 한다.

아래 집합연산자 예제들에서 사용할 공통 테이블은 다음과 같다.

	ABC NAME	ABC TEL	123 CLASS
1	김은정	010-2334-4233	1
2	고민준	010-3765-2345	2
3	이서윤	010-1221-7766	2
4	조예준	010-4533-0765	1
5	노윤서	010-3887-6532	3

CLUB1 테이블

	ABC NAME	ABC TEL	123 CLASS
1	이서윤	010-1221-7766	2
2	김준우	010-3478-9233	2
3	정연우	010-8787-0087	1
4	노윤서	010-3887-6532	3
5	서지안	010-3890-2675	3

CLUB2 테이블

4.2.1 UNION ALL / UNION

합집합 연산을 수행한다. 두 테이블에 포함된 레코드들을 모두 포함시킨다. 이때 두 테이블 모두에 포함된 공통의 레코드를 중복 레코드라고 하며, 중복 레코드들을 중복된 개수만큼 그대로 포함시키는 것이 UNION ALL이고, 중복 레코드를 하나만 포함시키는 것이 UNION이다. 이때 주의할 점은 UNION을 실행하면 한쪽 테이블 내에서의 중복까지 제거된다는 점이다. 따라서 UNION의 실행결과는 최종적으로 동일한 데이터는 1건만 포함된다.

UNION ALL

예제

```
SELECT NAME, TEL, CLASS FROM CLUB1
UNION ALL SELECT NAME, TEL, CLASS FROM CLUB2;
```

UNION ALL로 두 테이블을 병합한다.
UNION ALL은 중복된 건(이서윤, 노윤서)도 모두 포함시키므로 전체 10건이 출력된다.

	ABC NAME	ABC TEL	123 CLASS
1	김은정	010-2334-4233	1
2	고민준	010-3765-2345	2
3	이서윤	010-1221-7766	2
4	조예준	010-4533-0765	1
5	노윤서	010-3887-6532	3
6	이서윤	010-1221-7766	2
7	김준우	010-3478-9233	2
8	정연우	010-8787-0087	1
9	노윤서	010-3887-6532	3
10	서지안	010-3890-2675	3

실행결과

UNION

```
SELECT NAME, TEL, CLASS FROM CLUB1
UNION SELECT NAME, TEL, CLASS FROM CLUB2;
```

- UNION으로 두 테이블을 병합한다.
- UNION은 중복을 허용하지 않으므로 중복된 건을 제외하고 전체 8건이 출력된다.

	ABC NAME ▼	ABC TEL ▼	123 CLASS ▼
1	김은정	010-2334-4233	1
2	고민준	010-3765-2345	2
3	이서윤	010-1221-7766	2
4	조예준	010-4533-0765	1
5	노윤서	010-3887-6532	3
6	김준우	010-3478-9233	2
7	정연우	010-8787-0087	1
8	서지안	010-3890-2675	3

실행결과

》Test

05. 다음 설명이 의미하는 집합연산자는?

> 가) 두 개의 테이블에 포함된 모든 레코드를 포함시킨다.
> 나) 중복된 레코드를 중복된 개수만큼 포함시킨다.
> 다) 스키마가 같은 두 개의 테이블을 병합하는 것이다.

① UNION
② UNION ALL
③ JOIN
④ INTERSECT

해설

스키마가 같은 두 개의 테이블에 대해서 합집합을 구하는 것이 UNION이다. 특히 중복된 레코드를 한 번만 포함시키려면 UNION, 중복된 개수만큼 포함시키려면 UNION ALL을 사용한다. UNION/UNION ALL은 스키마가 같은 테이블을 병합하는 것이고 조인(JOIN)은 스키마가 다른 테이블을 병합하는 것이다.

4.2.2 INTERSECT

교집합 연산을 수행한다. 두 테이블에 공통적으로 포함된 레코드만 포함시킨다.

INTERSECT

예제

SELECT NAME, TEL, CLASS FROM CLUB1
INTERSECT SELECT NAME, TEL, CLASS FROM CLUB2;

- INTERSECT로 두 테이블을 병합한다.
- INTERSECT는 두 테이블에 공통된 건만 추출하므로 2건(이서윤, 노윤서)이 출력된다.

	ABC NAME ▼	ABC TEL ▼	123 CLASS ▼
1	이서윤	010-1221-7766	2
2	노윤서	010-3887-6532	3

실행결과

≫ Test

06. 다음 SQL문의 실행결과로 옳은 것은?

[주문내역]

고객번호	주문금액	배송지
10401	23,000	경기
10200	10,000	제주
10115	54,000	서울
10320	77,000	강원
10201	12,000	충북

```
SELECT 고객번호
FROM 주문내역
WHERE 주문금액 BETWEEN 10000 AND 50000
INTERSECT
SELECT 고객번호
FROM 주문내역
WHERE 배송지 IN ('서울', '경기');
```

① 10401

② 10200

③ 10320

④ 10115

해설

```
SELECT 고객번호
FROM 주문내역
WHERE 주문금액 BETWEEN 10000 AND 50000
```

고객번호	주문금액	배송지
10401	23,000	경기
10200	10,000	제주
10201	12,000	충북

```
SELECT 고객번호
FROM 주문내역
WHERE 배송지 IN ('서울', '경기')
```

고객번호	주문금액	배송지
10401	23,000	경기
10115	54,000	서울

INTERSECT 결과

고객번호	주문금액	배송지
10401	23,000	경기

따라서 답은 10401이다.

4.2.3 MINUS / EXCEPT

차집합 연산을 수행한다. 왼쪽 테이블에서 두 테이블에 공통적으로 포함된 레코드들을 제외시킨 결과를 반환한다.

MINUS

5Day

12Day

```
SELECT NAME, TEL, CLASS FROM CLUB1
MINUS SELECT NAME, TEL, CLASS FROM CLUB2;
```

- MINUS 대신 EXCEPT를 사용해도 된다.
- MINUS/EXCEPT는 왼쪽 테이블에서 오른쪽 테이블을 제외한 결과를 출력한다.
- 이는 곧 왼쪽 테이블에서 공통된 건(이서윤, 노윤서)을 제외한 결과와 같다.

	ABC NAME ▼	ABC TEL ▼	123 CLASS ▼
1	김은정	010-2334-4233	1
2	고민준	010-3765-2345	2
3	조예준	010-4533-0765	1

실행결과

》Test

07. 다음 중 집합연산자와 이를 설명하는 그림이 맞게 짝지어진 것은?

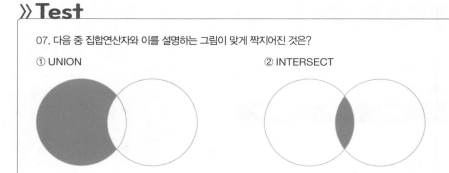

① UNION   ② INTERSECT

③ MINUS   ④ UNION ALL

해설
각 그림이 나타내는 집합연산자는 ① MINUS, ② INTERSECT, ③ UNION ALL, ④ UNION이다.

4.3 그룹함수

기본적으로 GROUP BY절에 따른 결과에 대해서 그룹 별로 연산을 수행하는 함수이다. 앞에서 집계 함수를 설명했는데 바로 이 집계 함수가 그룹함수의 한 종류이다. 그룹 별로 해당 그룹에 대해 개수, 합, 평균, 최댓값, 최솟값 등을 구하는 집계 함수 외에 ROLLUP, CUBE 등의 그룹함수가 더 있다.

아래 그룹함수 예제에서 사용할 테이블은 다음과 같다.

SQLD_21

그룹함수

	NAME	MPG	CYL	HP	GEAR
1	Mazda RX4	21	6	110	4
2	Mazda RX4 Wag	21	6	110	4
3	Datsun 710	23	4	93	4
4	Hornet 4 Drive	21	6	110	3
5	Hornet Sportabout	19	8	175	3
6	Valiant	18	6	105	3
7	Duster 360	14	8	245	3
8	Merc 240D	24	4	62	4
9	Merc 230	23	4	95	4
10	Merc 280	19	6	123	4
11	Merc 280C	18	6	123	4
12	Merc 450SE	16	8	180	3
13	Merc 450SL	17	8	180	3
14	Merc 450SLC	15	8	180	3
15	Cadillac Fleetwood	10	8	205	3
16	Lincoln Continental	10	8	215	3
17	Chrysler Imperial	15	8	230	3
18	Fiat 128	32	4	66	4
19	Honda Civic	30	4	52	4
20	Toyota Corolla	34	4	65	4
21	Toyota Corona	22	4	97	3
22	Dodge Challenger	16	8	150	3
23	AMC Javelin	15	8	150	3
24	Camaro Z28	13	8	245	3
25	Pontiac Firebird	19	8	175	3
26	Fiat X1-9	27	4	66	4
27	Porsche 914-2	26	4	91	5
28	Lotus Europa	30	4	113	5
29	Ford Pantera L	16	8	264	5
30	Ferrari Dino	20	6	175	5
31	Maserati Bora	15	8	335	5
32	Volvo 142E	21	4	109	4

MTCARS 테이블

(MPG: 연비, CYL: 실린더 수, HP: 마력, GEAR: 기어 수)

4.3.1 ROLLUP

GROUP BY절에 들어가는 칼럼을 대상으로 하위 그룹핑을 수행하는 함수이다. 일반적으로 소계와 총계를 구할 때 사용한다. 예를 들어 GROUP BY ROLLUP(날짜)와 같이 사용하면, 먼저 날짜별로 그룹핑을 하고, 마지막에 전체를 하나로 묶은 그룹을 추가해 준다. GROUP BY ROLLUP(날짜, 이름)의 경우에는 (날짜, 이름) → (날짜) → (전체)의 순서로 하위 그룹을 묶어준다.

예제

```
SELECT CYL, COUNT(*)
FROM MTCARS
GROUP BY ROLLUP(CYL)
ORDER BY CYL;
```

- 실린더 수 별로 그룹핑하여 그룹 별 개수를 구하고, 총계를 구한다.

	123 CYL	123 COUNT(*)	
1	4	11	← 실린더 수 별 개수
2	6	7	
3	8	14	← 전체 총계
4	[NULL]	32	

실행결과

```
SELECT CYL, GEAR, COUNT(*)
FROM MTCARS
GROUP BY ROLLUP(CYL, GEAR)
ORDER BY CYL, GEAR;
```

- 실린더 수, 기어 수 별로 그룹핑하여 그룹 별 개수를 구하고, 실린더 수 별 소계, 총계를 구한다.

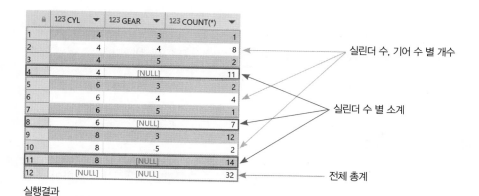

123 CYL	123 GEAR	123 COUNT(*)
1	4	3	1
2	4	4	8
3	4	5	2
4	4	[NULL]	11
5	6	3	2
6	6	4	4
7	6	5	1
8	6	[NULL]	7
9	8	3	12
10	8	5	2
11	8	[NULL]	14
12	[NULL]	[NULL]	32

실린더 수, 기어 수 별 개수

실린더 수 별 소계

전체 총계

실행결과

»Test

08. 다음과 같은 실행결과를 보여주는 SQL문에 대해 (㉠   )에 들어갈 표현으로 옳은 것은?

[사원]

사원번호	부서명	입사연도
10123	개발부	2021
10200	총무부	2022
10115	총무부	2019
10320	개발부	2021
10201	개발부	2019

```
SELECT 부서명, 입사연도, COUNT(*) AS 입사자
FROM 사원
GROUP BY (          ㉠          )
ORDER BY 부서명, 입사연도;
```

[실행결과]

부서명	입사연도	입사자
개발부	2019	1
개발부	2021	2
개발부	NULL	3
총무부	2019	1
총무부	2022	1
총무부	NULL	2
NULL	NULL	5

① ROLLUP(입사연도)

② ROLLUP(부서명, 입사연도)

③ CUBE(부서명, 입사연도)

④ CUBE(부서명)

4.3.2 CUBE

ROLLUP과 비슷하지만 ROLLUP이 1차원적인 하위 그룹핑만 수행하는데 반하여 조합 가능한 모든 경우로 그룹핑을 수행한다. 따라서 인자가 1개인 경우는 ROLLUP과 같으며, 두 개 이상일 경우 결과가 달라지는데 예를 들어, GROUP BY CUBE(날짜, 이름)의 경우 (날짜, 이름) → (날짜) → (이름) → (전체)의 순서로 하위 그룹을 묶어준다.

예제

```
SELECT CYL, GEAR, COUNT(*)
FROM MTCARS
GROUP BY CUBE(CYL, GEAR)
ORDER BY CYL, GEAR;
```

- 실린더 수, 기어 수 별로 그룹핑하여 그룹 별 개수를 구하고, 실린더 수 별 소계, 기어 수 별 소계, 총계를 구한다.

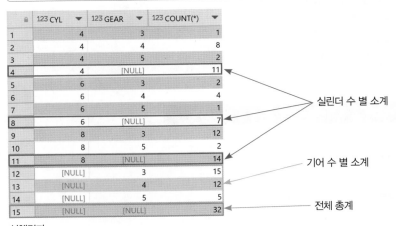

실행결과

09. 조합 가능한 모든 하위 그룹으로 그룹핑을 수행하여 소계와 총계를 계산할 때 사용하는 함수는?

① CUBE

② ROLLUP

③ GROUPING SETS

④ GROUPING

해설

조합 가능한 모든 하위 그룹으로 그룹핑을 수행하는 것은 CUBE이다. ROLLUP의 경우 1차원적인 하위 그룹핑만 수행한다.

4.3.3 GROUPING SETS

GROUPING SETS은 그룹핑할 대상을 지정하는 함수이다. 앞에서 ROLLUP이나 CUBE 의 경우 소계, 총계 형태로 자동으로 그룹핑이 되는데 반하여 GROUPING SETS은 입력 된 인자에 대해서만 소계를 구할 때 사용한다. GROUPING SETS의 인자에 ROLLUP이 나 CUBE 함수를 넣을 수 있으며 이런 경우에는 ROLLUP이나 CUBE의 그룹핑 결과인 소계, 총계들이 각각 별개의 인자로 지정된 것과 같은 결과를 반환한다.

예제

```
SELECT CYL, GEAR, COUNT(*)
FROM MTCARS
GROUP BY GROUPING SETS(CYL, GEAR)
ORDER BY CYL, GEAR;
```

- 실린더 수, 기어 수 별로 그룹핑하여 그룹 별 개수를 구한다.

	123 CYL	123 GEAR	123 COUNT(*)	
1	4	[NULL]	11	
2	6	[NULL]	7	← 실린더 수 별 개수
3	8	[NULL]	14	
4	[NULL]	3	15	
5	[NULL]	4	12	← 기어 수 별 개수
6	[NULL]	5	5	

실행결과

»Test

10. 다음과 같은 실행결과를 보여주는 SQL문에 대해 (㉠)에 들어갈 표현으로 옳은 것은?

[사원]

사원번호	부서명	입사연도
10123	개발부	2021
10200	총무부	2022
10115	총무부	2019
10320	개발부	2021
10201	개발부	2019

```
SELECT 부서명, 입사연도, COUNT(*) AS 입사자
FROM 사원
GROUP BY (          ㉠          )
ORDER BY 부서명, 입사연도;
```

[실행결과]

부서명	입사연도	입사자
개발부	NULL	3
총무부	NULL	2
NULL	2019	2
NULL	2021	2
NULL	2022	1

① CUBE(부서명, 입사연도)

② GROUPING SETS(ROLLUP(부서명))

③ GROUPING SETS(부서명, 입사연도)

④ ROLLUP(부서명, 입사연도)

해설

부서명과 입사연도에 대한 소계만 출력되고 있으므로 GROUPING SETS을 사용해야 한다.

4.3.4 GROUPING

ROLLUP, CUBE, GROUPING SETS과 함께 사용하여 소계에 해당하는 결과 행과 그렇지 않은 행을 구분할 수 있도록 해준다. 소계에 해당하는 결과 행의 경우에는 1을 반환하고 그렇지 않은 경우에는 0을 반환한다. GROUPING 함수와 CASE문을 사용하여 소계나 총계를 표시하는 행에 대해서 그 의미에 맞는 텍스트를 값으로 지정할 수가 있다.

예제

```
SELECT CASE GROUPING(CYL)
        WHEN 1 THEN '총계' ELSE TO_CHAR(CYL)
        END AS CYL,
        COUNT(*)
FROM MTCARS
GROUP BY ROLLUP(CYL)
ORDER BY CYL;
```

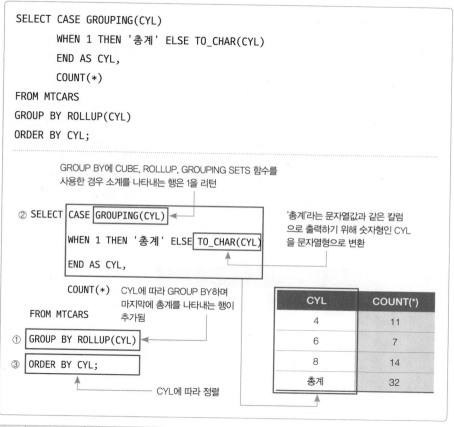

CYL	COUNT(*)
4	11
6	7
8	14
총계	32

	ABC CYL	123 COUNT(*)
1	4	11
2	6	7
3	8	14
4	총계	32

실행결과

≫Test

11. 다음과 같은 실행결과를 보여주는 SQL문에 대해 (⊙) (ⓛ)에 들어갈 표현으로 옳은 것은?

[사원]

사원번호	부서명	입사연도
10123	개발부	2021
10200	총무부	2022
10115	총무부	2019
10320	개발부	2021
10201	개발부	2019

```
SELECT
CASE GROUPING (          ⊙          )
WHEN 1 THEN '소계' ELSE (          ⊙          )
END AS 부서,
CASE GROUPING (          ⓛ          )
WHEN 1 THEN '소계' ELSE TO_CHAR (          ⓛ          )
END AS 연도,
COUNT(*) AS 입사자
FROM 사원
GROUP BY GROUPING SETS (          ⊙          ,          ⓛ          );
```

[실행결과]

부서	연도	입사자
소계	2022	1
소계	2021	2
소계	2019	2
총무부	소계	2
개발부	소계	3

① 사원번호, 입사연도   ② 입사연도, 부서명

③ 사원번호, 부서명   ④ 부서명, 입사연도

해설

실행결과를 보면 부서와 연도에 따른 입사자의 소계를 내고 있음을 알 수 있다. [사원] 테이블에서 부서와 연도를 나타내는 칼럼은 부서명, 입사연도이다. 따라서 GROUPING SETS 함수에는 부서명, 입사연도가 인자로 들어가야 한다. 또한 CASE문과 GROUPING 함수를 이용해서 '소계' 텍스트를 표시하고 있는데 문맥에 따라 첫 번째 GROUPING 함수의 인자는 부서명이 되고 두 번째 GROUPING 함수의 인자는 입사연도가 된다. 입사연도의 경우 문자열형이 아니라 숫자형일 수도 있으므로 CASE문의 ELSE 절에서 TO_CHAR로 형변환을 해주어야 오류가 발생하지 않는다.

4.4 윈도우함수

윈도우함수는 행과 행 간의 관계를 나타내는 연산을 쉽게 하기 위한 함수이다. 하나의 칼럼 내에서 각 행에 대해서 연산을 수행한다는 점에서 GROUP BY 연산과 유사하지만 GROUP BY 연산은 각 행을 대상으로 연산을 수행한 다음 새로운 구성을 만드는데 비하여, 윈도우함수는 각 행의 기존 구성을 유지한 상태로 해당 행에 대해서 새로운 값을 추가하거나 아니면 기존의 값을 변경한다는 점에서 다르다.

대표적인 윈도우함수로 RANK 함수가 있으며 모든 윈도우함수는 OVER 키워드와 함께 사용된다.

아래 예제에서 사용할 테이블은 다음과 같다.

SQLD_23

윈도우함수

5Day

12Day

	ABC NAME	123 MPG	123 CYL	123 HP	123 GEAR
1	Mazda RX4	21	6	110	4
2	Mazda RX4 Wag	21	6	110	4
3	Datsun 710	23	4	93	4
4	Hornet 4 Drive	21	6	110	3
5	Hornet Sportabout	19	8	175	3
6	Valiant	18	6	105	3
7	Duster 360	14	8	245	3
8	Merc 240D	24	4	62	4
9	Merc 230	23	4	95	4
10	Merc 280	19	6	123	4
11	Merc 280C	18	6	123	4
12	Merc 450SE	16	8	180	3
13	Merc 450SL	17	8	180	3
14	Merc 450SLC	15	8	180	3
15	Cadillac Fleetwood	10	8	205	3
16	Lincoln Continental	10	8	215	3
17	Chrysler Imperial	15	8	230	3
18	Fiat 128	32	4	66	4
19	Honda Civic	30	4	52	4
20	Toyota Corolla	34	4	65	4
21	Toyota Corona	22	4	97	3
22	Dodge Challenger	16	8	150	3
23	AMC Javelin	15	8	150	3
24	Camaro Z28	13	8	245	3
25	Pontiac Firebird	19	8	175	3
26	Fiat X1-9	27	4	66	4
27	Porsche 914-2	26	4	91	5
28	Lotus Europa	30	4	113	5
29	Ford Pantera L	16	8	264	5
30	Ferrari Dino	20	6	175	5
31	Maserati Bora	15	8	335	5
32	Volvo 142E	21	4	109	4

MTCARS 테이블

4.4.1 순위함수

순위를 계산하는 함수로 RANK, DENSE_RANK, ROW_NUMBER가 있다.

함수 이름	설명	예
RANK	동일 순위는 같은 순위값을 가진다. 순위값은 앞 순위까지의 누적 개수 +1이 된다.	1, 2, 2, 4, 4, 4, 7, …
DENSE_RANK	동일 순위는 같은 순위값을 가진다. 순위값은 단순하게 앞 순위 +1이다.	1, 2, 2, 3, 3, 3, 4, …
ROW_NUMBER	동일 순위라도 각각의 행이 고유의 순위값을 가진다.	1, 2, 3, 4, 5, 6, 7, …

예제

```
SELECT MPG, COUNT(*), RANK() OVER(ORDER BY COUNT(*) DESC) AS RANK
FROM MTCARS              ③ └──┘  └──────────────────────────┘②
GROUP BY MPG;
①└··········
```

- GROUP BY → SELECT 순으로 실행되므로 ②의 COUNT(*)는 MPG별 개수가 된다.
- 연비(MPG) 별로 그룹핑하여(①) 해당 그룹에 속한 레코드 수가 많은 것부터 순서대로 (내림차순) 순위를 매긴다(②). 동일 순위는 같은 값을 가지며, 이전 순위까지의 누적 개수 + 1의 순위값을 가진다(③).

	123 MPG	123 COUNT(*)	123 RANK
1	15	4	1
2	21	4	1
3	16	3	3
4	19	3	3
5	18	2	5
6	23	2	5
7	30	2	5
8	10	2	5
9	20	1	9
10	27	1	9
11	32	1	9
12	26	1	9
13	24	1	9
14	22	1	9
15	13	1	9
16	17	1	9
17	14	1	9
18	34	1	9

실행결과

```
SELECT MPG, COUNT(*), DENSE_RANK() OVER(ORDER BY COUNT(*) DESC) AS RANK
FROM MTCARS        ③ |_____|   |_____|②
GROUP BY MPG;
①..................
```

- GROUP BY → SELECT 순으로 실행되므로 ②의 COUNT(*)는 MPG별 개수가 된다.
- 연비(MPG) 별로 그룹핑하여(①) 해당 그룹에 속한 레코드 수가 많은 것 순서로 순위를
매긴다(②). 동일 순위는 같은 값을 가지며, 이전 순위 + 1의 순위값을 가진다(③).

	123 MPG	123 COUNT(*)	123 RANK
1	15	4	1
2	21	4	1
3	16	3	2
4	19	3	2
5	18	2	3
6	23	2	3
7	30	2	3
8	10	2	3
9	20	1	4
10	27	1	4
11	32	1	4
12	26	1	4
13	24	1	4
14	22	1	4
15	13	1	4
16	17	1	4
17	14	1	4
18	34	1	4

실행결과

```
SELECT MPG, COUNT(*), ROW_NUMBER() OVER(ORDER BY COUNT(*) DESC) AS RANK
FROM MTCARS        ③ |_____|   |_____|②
GROUP BY MPG;
①..................
```

- GROUP BY → SELECT 순으로 실행되므로 ②의 COUNT(*)는 MPG별 개수가 된다.
- 연비(MPG) 별로 그룹핑하여(①) 해당 그룹에 속한 레코드 수가 많은 것 순서로 순위를
매긴다(②). 동일 순위라도 각각 고유의 순위값을 가진다(③).

🔒	123 MPG ▼	123 COUNT(*) ▼	123 RANK ▼
1	15	4	1
2	21	4	2
3	16	3	3
4	19	3	4
5	18	2	5
6	23	2	6
7	30	2	7
8	10	2	8
9	20	1	9
10	27	1	10
11	32	1	11
12	26	1	12
13	24	1	13
14	22	1	14
15	13	1	15
16	17	1	16
17	14	1	17
18	34	1	18

실행결과

≫Test

12. 다음과 같이 표현되는 순위 함수는 어느 것인가?

수강생번호	성적	순위
104	95	1
533	90	2
243	90	2
766	80	4
534	80	4

① RANK

② DENSE_RANK

③ ROW_NUMBER

④ ROWNUM

해설
가장 일반적인 순위 규칙을 제공하는 함수는 RANK이다. 순위는 전체 앞 순위 누적개수 + 1이고, 동일 순위는 같은 값을 가진다.

4.4.2 집계함수

앞에서 배운 집계함수와 비슷하나 OVER절을 사용해서 파티션 별로 집계하거나 누적 집계를 계산할 수 있다.

함수 이름	설명
COUNT	값이 Null인 행을 제외한 행의 개수를 파티션 별로 집계하거나 누적 집계를 계산하여 반환한다.
SUM	입력된 칼럼에 대해 파티션 별 합계를 구하거나 누적 합계를 계산하여 반환한다.
AVG	입력된 칼럼에 대해 파티션 별 평균을 구하거나 누적 평균을 계산하여 반환한다.
MIN	입력된 칼럼에 대해 파티션 별 최솟값을 반환한다.
MAX	입력된 칼럼에 대해 파티션 별 최댓값을 반환한다.

예제

```
SELECT NAME,
       CYL,
       COUNT(*) OVER(PARTITION BY CYL) AS PART_CYL_CNT
FROM MTCARS                    ①
WHERE CYL <= 6;
```

- 실린더 수(CYL)가 6 이하인 레코드들에 대하여 실린더 수로 파티션을 나누고 파티션 별 레코드 수를 조회한다.
- ① 실린더 수(CYL) 별로 그룹핑하여 파티션을 나누고 파티션별 개수를 구한다.

	ABC NAME	123 CYL	123 PART_CYL_CNT
1	Merc 240D	4	11
2	Lotus Europa	4	11
3	Porsche 914-2	4	11
4	Fiat X1-9	4	11
5	Toyota Corona	4	11
6	Honda Civic	4	11
7	Merc 230	4	11
8	Volvo 142E	4	11
9	Datsun 710	4	11
10	Fiat 128	4	11
11	Toyota Corolla	4	11
12	Ferrari Dino	6	7
13	Merc 280C	6	7
14	Merc 280	6	7
15	Valiant	6	7
16	Hornet 4 Drive	6	7
17	Mazda RX4	6	7
18	Mazda RX4 Wag	6	7

실행결과

```
SELECT NAME,
       CYL,
       MPG,
       MAX(MPG) OVER(PARTITION BY CYL) AS PART_MAX_MPG
FROM MTCARS                   ①
WHERE CYL <= 6;
```

- 실린더 수(CYL)가 6 이하인 레코드들에 대하여 실린더 수로 파티션을 나누고 파티션별 연비(MPG) 최댓값을 조회한다.
- ① 실린더 수(CYL) 별로 그룹핑하여 파티션을 나누고 파티션별 연비(MPG) 최댓값을 구한다.

	ABC NAME	123 CYL	123 MPG	123 PART_MAX_MPG
1	Merc 240D	4	24	34
2	Lotus Europa	4	30	34
3	Porsche 914-2	4	26	34
4	Fiat X1-9	4	27	34
5	Toyota Corona	4	22	34
6	Honda Civic	4	30	34
7	Merc 230	4	23	34
8	Volvo 142E	4	21	34
9	Datsun 710	4	23	34
10	Fiat 128	4	32	34
11	Toyota Corolla	4	34	34
12	Ferrari Dino	6	20	21
13	Merc 280C	6	18	21
14	Merc 280	6	19	21
15	Valiant	6	18	21
16	Hornet 4 Drive	6	21	21
17	Mazda RX4	6	21	21
18	Mazda RX4 Wag	6	21	21

실행결과

≫Test

13. 다음 보기의 실행결과에서 ㉠에 들어갈 값은?

[EMP]

NAME	JOB	SALARY
SMITH	CLERK	800
ALLEN	SALESMAN	1250
WARD	SALESMAN	1600
JONES	MANAGER	2375
MARTIN	SALESMAN	1250
BLAKE	MANAGER	2850
CLARK	MANAGER	2450

```
SELECT DISTINCT JOB, MAX(SALARY) OVER(PARTITION BY JOB) AS JOB_MAX_SAL
FROM EMP;
```

[실행결과]

JOB	JOB_MAX_SAL
CLERK	800
SALESMAN	1600
MANAGER	㉠

① 1250

② 2375

③ 2850

④ 2450

해설

JOB별로 파티션을 묶어 SALARY의 최댓값을 구하여 출력한다. DISTINCT에 의하여 JOB, JOB_MAX_SAL의 조합 중 유일한 것만 출력된다. MANAGER의 SALARY 중에서 최댓값은 2850이다.

4.4.3 행 순서함수

함수	설명
FIRST_VALUE	파티션 별로 그룹핑하여 가장 처음 값을 반환한다.
LAST_VALUE	파티션 별로 그룹핑하여 가장 마지막 값을 반환한다.
LAG	입력된 인자의 값만큼 이전 행의 값을 반환한다.
LEAD	입력된 인자의 값만큼 이후 행의 값을 반환한다.

⚠ 주의

SQL Server에서는 행 순서함수를 지원하지 않는다.

```
SELECT NAME,
       CYL,
       MPG,
       FIRST_VALUE(MPG) OVER(PARTITION BY CYL) AS PART_FIRST_MPG
FROM MTCARS                          ①
WHERE CYL <= 6;
```

NOTE

PARTITION BY에 의해 그룹핑이 될 때 내부적으로 최적의 알고리즘이 사용되기 때문에 파티션 내 순서는 원래의 행 순서와 달라질 수 있습니다. 행 순서를 명확하게 하고 싶다면 ORDER BY를 함께 사용합니다.

- 실린더 수(CYL)가 6 이하인 레코드들에 대하여 실린더 수로 파티션을 나누고 각 파티션에서 첫 번째 연비(MPG) 값을 조회한다.
- ① 실린더 수(CYL) 별로 그룹핑하여 파티션을 나누고 파티션별 첫 번째 MPG 값을 구한다.

	ABC NAME	123 CYL	123 MPG	123 PART_FIRST_MPG
1	Merc 240D	4	24	24
2	Lotus Europa	4	30	24
3	Porsche 914-2	4	26	24
4	Fiat X1-9	4	27	24
5	Toyota Corona	4	22	24
6	Honda Civic	4	30	24
7	Merc 230	4	23	24
8	Volvo 142E	4	21	24
9	Datsun 710	4	23	24
10	Fiat 128	4	32	24
11	Toyota Corolla	4	34	24
12	Ferrari Dino	6	20	20
13	Merc 280C	6	18	20
14	Merc 280	6	19	20
15	Valiant	6	18	20
16	Hornet 4 Drive	6	21	20
17	Mazda RX4	6	21	20
18	Mazda RX4 Wag	6	21	20

실행결과

```
SELECT NAME,
       CYL,
       MPG,
       LAG(MPG, 2) OVER(ORDER BY MPG) AS MPG_2
FROM MTCARS               ①
WHERE CYL <= 6;
```

NOTE

ORDER BY의 기본 정렬은 오름차순입니다.

- 실린더 수(CYL)가 6 이하인 레코드들에 대하여 연비(MPG) 값을 오름차순 정렬하고 원래의 MPG 값과 2행 앞의 MPG 값을 조회한다.
- ① 연비(MPG) 순으로 정렬하고 현재 행에서 2행 앞의 MPG 값을 구한다.

	ABC NAME	123 CYL	123 MPG	123 MPG_2
1	Merc 280C	6	18	[NULL]
2	Valiant	6	18	[NULL]
3	Merc 280	6	19	18
4	Ferrari Dino	6	20	18
5	Mazda RX4	6	21	19
6	Hornet 4 Drive	6	21	20
7	Volvo 142E	4	21	21
8	Mazda RX4 Wag	6	21	21
9	Toyota Corona	4	22	21
10	Merc 230	4	23	21
11	Datsun 710	4	23	22
12	Merc 240D	4	24	23
13	Porsche 914-2	4	26	23
14	Fiat X1-9	4	27	24
15	Honda Civic	4	30	26
16	Lotus Europa	4	30	27
17	Fiat 128	4	32	30
18	Toyota Corolla	4	34	30

실행결과

»Test

14. 다음의 행 순서함수 중에서 이후 행의 값을 가져오는 것은?

① LAG

② LEAD

③ FIRST_VALUE

④ LAST_VALUE

해설

이후 행의 값을 가져오는 것은 LEAD이다. LAG는 이전 행의 값을 가져온다.

4.4.4 비율함수

간단히 말해서 파티션 별로 전체 개수나 합계를 구한 후, 그에 대한 비율을 구하는 함수이다. 누적 백분율, 순서별 백분율 등 다양한 연산을 수행하는 함수를 제공한다.

함수	설명
CUME_DIST	파티션 별로 전체 개수에 대한 누적 백분율을 소수점 단위로 계산하여 반환한다. 마지막 행의 값이 1이 된다.
PERCENT_RANK	파티션 별로 순서별 백분율을 반환한다. 가장 첫 행이 0, 마지막 행이 1이 된다.
NTILE	파티션을 N등분하여 1부터 N까지의 등급 값을 반환한다. 전체 개수를 N으로 나누고 나머지를 앞 등급 순서로 1씩 배분하여 등급별 개수를 정한다. 예) 10개를 4등급으로 나누면 각 등급별 개수는 3, 3, 2, 2가 된다.
RATIO_TO_REPORT	파티션 별 합계에 대한 비율을 계산하여 반환한다.

NOTE

PERCENT_RANK의 경우 첫 행이 0, 마지막 행이 1이 되어야 하므로 (순위 − 1) / (전체 개수 − 1)로 계산됩니다.

NOTE

CUME_DIST, PERCENT_RANK, NTILE은 개수(COUNT)에 대한 것이고, RATIO_TO_REPORT는 합계(SUM)에 대한 것이라는 점이 다릅니다.

⚠ **주의**

SQL Server에서는 비율함수를 지원하지 않는다.

예제

```
SELECT NAME,
       CYL,
       MPG,
       CUME_DIST() OVER(ORDER BY MPG) AS C_DIST,
       PERCENT_RANK() OVER(ORDER BY MPG) AS P_RANK,
       NTILE(5) OVER(ORDER BY MPG) AS N_TILE,
       RATIO_TO_REPORT(MPG) OVER(PARTITION BY CYL) AS R_REPORT
FROM MTCARS
WHERE CYL <= 6;
```

	ᴬᴮᶜ NAME	123 CYL	123 MPG	123 C_DIST	123 P_RANK	123 N_TILE	123 R_REPORT
1	Valiant	6	18	0.1111111111	0	1	0.1304347826
2	Merc 280C	6	18	0.1111111111	0	1	0.1304347826
3	Merc 280	6	19	0.1666666667	0.1176470588	1	0.1376811594
4	Ferrari Dino	6	20	0.2222222222	0.1764705882	1	0.1449275362
5	Hornet 4 Drive	6	21	0.4444444444	0.2352941176	2	0.152173913
6	Mazda RX4 Wag	6	21	0.4444444444	0.2352941176	2	0.152173913
7	Mazda RX4	6	21	0.4444444444	0.2352941176	2	0.152173913
8	Volvo 142E	4	21	0.4444444444	0.2352941176	2	0.0719178082
9	Toyota Corona	4	22	0.5	0.4705882353	3	0.0753424658
10	Merc 230	4	23	0.6111111111	0.5294117647	3	0.0787671233
11	Datsun 710	4	23	0.6111111111	0.5294117647	3	0.0787671233
12	Merc 240D	4	24	0.6666666667	0.6470588235	3	0.0821917808
13	Porsche 914-2	4	26	0.7222222222	0.7058823529	4	0.0890410959
14	Fiat X1-9	4	27	0.7777777778	0.7647058824	4	0.0924657534
15	Honda Civic	4	30	0.8888888889	0.8235294118	4	0.102739726
16	Lotus Europa	4	30	0.8888888889	0.8235294118	5	0.102739726
17	Fiat 128	4	32	0.9444444444	0.9411764706	5	0.1095890411
18	Toyota Corolla	4	34	1	1	5	0.1164383562

실행결과

15. 아래 실행결과에 대해서 ㉠, ㉡, ㉢에 사용된 비율함수로 옳게 짝지어진 것은?

NAME	SALARY	㉠	㉡	㉢
SMITH	800	0.083	0	1
JAMES	950	0.167	0.091	1
WARD	1250	0.333	0.182	1
MARTIN	1250	0.333	0.182	2
MILLER	1300	0.417	0.364	2
TURNER	1500	0.5	0.455	2
ALLEN	1600	0.583	0.545	3
CLARK	2450	0.667	0.636	3
BLAKE	2850	0.75	0.727	4
JONES	2975	0.833	0.818	4
FORD	3000	0.917	0.909	5
KING	5000	1	1	5

① PERCENT_RANK, CUME_DIST, NTILE

② CUME_DIST, PERCENT_RANK, NTILE

③ NTILE, PERCENT_RANK, CUME_DIST

④ RATIO_TO_REPORT, PERCENT_RANK, NTILE

해설

㉠은 누적백분율을 보여주고 있으므로 CUME_DIST이고, ㉡은 ㉠과 유사하지만 0부터 시작하고 있으므로 PERCENT_RANK임을 알 수 있다. ㉢은 전체를 5등분해서 보여주고 있으므로 NTILE이다.

4.5 Top N 쿼리

SQLD_24

Top N 쿼리

빌보드 핫 100과 같이 상위 N 순위까지를 추출하는 쿼리를 Top N 쿼리라고 한다. 기본적으로 순위함수(RANK, DENSE_RANK, ROW_NUMBER)를 사용해서 쿼리를 작성할 수 있다.

아래 예제에서 사용하는 테이블은 다음과 같다.

	123 EMPNO	ABC ENAME	123 SAL
1	7,369	SMITH	800
2	7,499	ALLEN	1,600
3	7,521	WARD	1,250
4	7,566	JONES	2,850
5	7,654	MARTIN	1,250
6	7,698	BLAKE	2,850
7	7,782	CLARK	2,450
8	7,839	KING	5,000
9	7,844	TURNER	1,500
10	7,902	FORD	3,000

EMP 테이블

4.5.1 ROWNUM 함수

ROWNUM 함수는 ROW_NUMBER 함수와 달리 현재 저장된 데이터를 그대로 두고 각 행에 순차적인 번호를 붙여주는 함수이다. 테이블을 다루다 보면 각 행을 순차적으로 구분하는 번호를 붙여서 처리하는 것이 편할 때가 있는데 ROWNUM은 바로 이때 사용하는 함수이다. 주의할 점은 ROWNUM은 테이블의 첫 행부터 차례로 순회하면서 값을 반환하기 때문에 중간을 건너뛰고 값을 가져올 수 없다는 점이다. WHERE절에 ROWNUM을 사용할 경우 조건식이 FALSE가 되면 순회를 멈추고 결과를 반환하므로 주의해야 한다.

```
SELECT ROWNUM, EMPNO, ENAME, SAL
FROM EMP
WHERE ROWNUM <= 5;
```

123 ROWNUM	123 EMPNO	ABC ENAME	123 SAL
1	7,369	SMITH	800
2	7,499	ALLEN	1,600
3	7,521	WARD	1,250
4	7,566	JONES	2,850
5	7,654	MARTIN	1,250

실행결과

```
SELECT ROWNUM, EMPNO, ENAME, SAL
FROM EMP
WHERE ROWNUM = 5;
```

- ROWNUM에 대해 대소비교가 아닌 등식 비교를 하면 아래와 같이 아무런 결과를 가져오지 못한다. ROWNUM이 1일 때 조건이 FALSE가 되어 더 이상 순회하지 않고 바로 결과를 반환하기 때문이다.

123 ROWNUM	123 EMPNO	ABC ENAME	123 SAL

실행결과

ROWNUM을 사용하면서 주의해야 할 경우가 또 한가지 있는데 바로 ORDER BY와 함께 사용할 때이다. ORDER BY로 정렬을 수행한 다음 결과를 표시하면서 단순하게 각 행에 번호를 붙이고 싶어서 ROWNUM을 사용할 경우, 결과를 보면 ROWNUM이 반환한 값이 뒤죽박죽 보일 것이다. 이는 ROWNUM이 각 행을 반환하면서 값을 반환하기 때문에 ORDER BY가 수행되기 전에 각 행에 번호가 매겨지고, 그 후에 정렬이 수행되므로 결과적으로 번호가 엉켜서 출력되는 것이다. 이렇게 정렬을 수행한 후에 차례로 번호를 매기고 싶은 경우라면 ROW_NUMBER를 사용해서 순위를 매기는 방식으로 해결할 수 있다.

```
SELECT ROWNUM, EMPNO, ENAME, SAL
FROM EMP
WHERE ROWNUM <= 5
ORDER BY SAL;
```

123 ROWNUM ▼	123 EMPNO ▼	ABC ENAME ▼	123 SAL ▼
1	1	7,369	SMITH	800
2	3	7,521	WARD	1,250
3	5	7,654	MARTIN	1,250
4	2	7,499	ALLEN	1,600
5	4	7,566	JONES	2,850

실행결과

4.5.2 윈도우함수의 순위함수

윈도우함수의 순위함수로는 RANK, DENSE_RANK, ROW_NUMBER가 있다고 하였다. 이 순위함수를 사용해서 Top N 쿼리를 작성할 수 있다.

예제

```
SELECT *
FROM (SELECT RANK() OVER(ORDER BY SAL DESC) AS RANK,
             EMPNO,
             ENAME,
             SAL
      FROM EMP)
WHERE RANK <= 5;
```

- 서브쿼리에서 SAL이 큰 순서대로 RANK를 사용하여 순위를 매긴 후, 상위 5순위까지 출력한다.

123 RANK ▼	123 EMPNO ▼	ABC ENAME ▼	123 SAL ▼
1	1	7,839	KING	5,000
2	2	7,902	FORD	3,000
3	3	7,566	JONES	2,850
4	3	7,698	BLAKE	2,850
5	5	7,782	CLARK	2,450

실행결과

```
SELECT *
FROM (SELECT DENSE_RANK() OVER(ORDER BY SAL DESC) AS D_RANK,
              EMPNO,
              ENAME,
              SAL
      FROM EMP)
WHERE D_RANK <= 5;
```

- 앞의 예제와 같으며 RANK 대신 DENSE_RANK를 사용하고 있어 상위 5순위까지 출력하면 3위가 2명이기 때문에 전체 6명이 출력된다.

	123 D_RANK ▼	123 EMPNO ▼	ᴬᴮᶜ ENAME ▼	123 SAL ▼
1	1	7,839	KING	5,000
2	2	7,902	FORD	3,000
3	3	7,566	JONES	2,850
4	3	7,698	BLAKE	2,850
5	4	7,782	CLARK	2,450
6	5	7,499	ALLEN	1,600

실행결과

5Day

```
SELECT *
FROM (SELECT ROW_NUMBER() OVER(ORDER BY SAL DESC) AS R_NUM,
              EMPNO,
              ENAME,
              SAL
      FROM EMP)
WHERE R_NUM <= 5;
```

- ROW_NUMBER를 사용하면 중복순위 없이 상위 5명만 출력된다.

	123 R_NUM ▼	123 EMPNO ▼	ᴬᴮᶜ ENAME ▼	123 SAL ▼
1	1	7,839	KING	5,000
2	2	7,902	FORD	3,000
3	3	7,566	JONES	2,850
4	4	7,698	BLAKE	2,850
5	5	7,782	CLARK	2,450

실행결과

12Day

16. 다음 중 Top N 쿼리를 작성할 때 사용할 수 있는 방법이 아닌 것은?

① 서브쿼리에서 ORDER BY로 정렬한 후, 메인쿼리에서 ROWNUM으로 상위 순위를 출력한다.

② ROW_NUMBER로 순위를 계산하여 상위 순위를 출력한다.

③ RANK로 순위를 매긴 WHERE절을 이용하여 상위 순위만 출력한다.

④ 하나의 SELECT문에서 ORDER BY로 정렬을 함과 동시에 WHERE절에서 ROWNUM으로 상위 조건을 필터링한다.

해설

하나의 SELECT문의 WHERE절에서 ROWNUM을 사용하고 ORDER BY로 정렬을 수행하면 ORDER BY절이 WHERE절보다 나중에 수행되기 때문에 순위가 제대로 계산되지 않는다. 서브쿼리에서 ORDER BY절은 일반적으로 사용할 수 없거나 사용할 수 있더라도 의미 없는 결과를 나타낼 수 있는데 Top N 쿼리 작성 시 인라인 뷰 형태로 사용할 때는 가능하다.

4.6 계층형 질의와 셀프 조인

데이터를 다루다 보면 회사의 조직도(본부–사업부–팀)와 같이 계층적으로 구성된 데이터를 다룰 때가 있다. 이런 경우 각 레코드가 하나의 노드가 되고 노드의 부모–자식 관계를 정의하여 일종의 트리 구조와 같이 데이터를 모델링할 수가 있는데 이를 계층형 데이터 모델이라고 한다.

계층형 모델에서 상위 노드(부모노드)에서 하위 노드(자식노드)로 연쇄적으로 데이터에 접근해서 결과를 조회해야 할 경우가 있는데 이럴 경우 사용할 수 있는 것이 계층형 질의와 셀프 조인이다.

아래 예제에서 사용하는 테이블은 다음과 같다.

	123 EMPNO	ABC ENAME	ABC JOB	123 MGR
1	7,369	SMITH	CLERK	7,902
2	7,499	ALLEN	SALESMAN	7,698
3	7,521	WARD	SALESMAN	7,698
4	7,566	JONES	MANAGER	7,839
5	7,654	MARTIN	SALESMAN	7,698
6	7,698	BLAKE	MANAGER	7,839
7	7,782	CLARK	MANAGER	7,839
8	7,839	KING	PRESIDENT	[NULL]
9	7,844	TURNER	SALESMAN	7,698
10	7,900	JAMES	CLERK	7,698
11	7,902	FORD	ANALYST	7,566
12	7,934	MILLER	CLERK	7,782

EMP 테이블

4.6.1 계층형 질의

계층형 질의는 계층 구조를 가지는 칼럼을 대상으로 데이터를 출력할 때 사용할 수 있는 특별한 키워드를 제공한다. 아래의 키워드를 사용해서 계층형 질의를 작성하면 다음에서 설명하는 셀프 조인을 사용하지 않고 보다 단순하고 효율적인 쿼리를 작성할 수 있다.

키워드	설명
LEVEL	전체 계층 구조에서 현재의 레벨 또는 깊이(Depth)를 반환한다. 루트 노드가 1이 되며 한 레벨 내려갈 때마다 1씩 증가한다.
SYS_CONNECT_BY_PATH	최상위 루트 노드로부터 현재 노드까지의 경로를 출력하는 함수이다.
START WITH	경로의 시작이 되는 루트 노드가 되는 조건을 지정한다.
CONNECT BY	부모 노드로부터 자식 노드로의 연결을 지정한다.
CONNECT_BY_ROOT	루트 노드의 지정된 칼럼값을 반환한다.
CONNECT_BY_ISLEAF	가장 말단 노드*이면 1을 반환하고 그 외에는 0을 반환한다.
PRIOR	바로 상위의 부모 노드를 반환한다.
NOCYCLE	사이클** 발생 이후의 데이터를 전개하지 않음으로써 무한 루프를 방지한다.
ORDER SIBLINGS BY	ORDER BY절이 전체를 정렬하는 것에 비하여 ORDER SIBLINGS BY는 같은 레벨의 형제(Sibling) 노드끼리 정렬한다.

---

* 나무의 가지 끝단이 잎(Leaf)인 것처럼 계층 구조의 가장 말단 노드를 리프노드(Leaf Node)라고 한다.

** 데이터를 전개 시 데이터의 중복 발생 즉, 이미 나타났던 데이터가 다시 나타날 경우 사이클(Cycle)이 형성되었다고 한다.

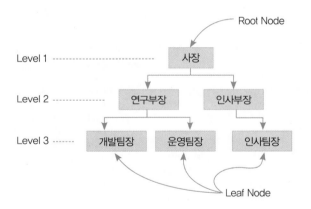

Tip 순방향 전개, 역방향 전개

① 순방향 전개(프 – 자 – 부 – 순)

  CONNECT BY PRIOR 자식 = 부모

  상위 노드로 부모를 지정하므로 부모 → 자식으로 이어지는 순방향 전개를 한다.

② 역방향 전개(프 – 부 – 자 – 역)

  CONNECT BY PRIOR 부모 = 자식

  상위 노드로 자식을 지정하므로 자식 → 부모로 이어지는 역방향 전개를 한다.

```
SELECT *
FROM (SELECT LEVEL AS LVL, EMPNO, ENAME, JOB, PRIOR ENAME AS MANAGER,
PRIOR JOB AS MANAGER_JOB
      FROM EMP
      START WITH MGR IS NULL
      CONNECT BY PRIOR EMPNO = MGR)
ORDER BY LVL, MANAGER, JOB;
```

[해설]

먼저 서브쿼리 부분을 살펴보면,

```
SELECT LEVEL AS LVL, EMPNO, ENAME, JOB, PRIOR ENAME AS MANAGER, PRIOR JOB AS
MANAGER_JOB
      FROM EMP
      START WITH MGR IS NULL
      CONNECT BY PRIOR EMPNO = MGR
```

START WITH MGR IS NULL에 의해서 관리자(MGR) 값이 NULL인 행이 루트가 되며, 사원번호 (EMPNO)가 자식, 관리자(MGR)가 부모를 가리키므로 CONNECT BY PRIOR EMPNO = MGR에 의해서 부모에서 자식으로의 순방향 전개가 이루어진다. 이를 계층 구조로 표현하면 다음과 같다.

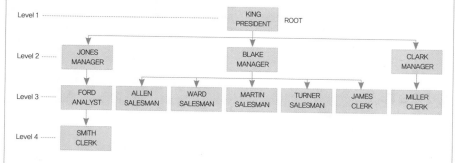

여기까지의 실행결과는 다음과 같은데 순방향 전개에 따라 KING → JONES → FORD → SMITH … 의 순서로 되어 있는 것을 알 수 있다.

LVL	EMPNO	ENAME	JOB	MANAGER	MANAGER_JOB
1	7839	KING	PRESIDENT	NULL	NULL
2	7566	JONES	MANAGER	KING	PRESIDENT
3	7902	FORD	ANALYST	JONES	MANAGER
4	7369	SMITH	CLERK	FORD	ANALYST
2	7698	BLAKE	MANAGER	KING	PRESIDENT

LVL	EMPNO	ENAME	JOB	MANAGER	MANAGER_JOB
3	7499	ALLEN	SALESMAN	BLAKE	MANAGER
3	7521	WARD	SALESMAN	BLAKE	MANAGER
3	7654	MARTIN	SALESMAN	BLAKE	MANAGER
3	7844	TURNER	SALESMAN	BLAKE	MANAGER
3	7900	JAMES	CLERK	BLAKE	MANAGER
2	7782	CLARK	MANAGER	KING	PRESIDENT
3	7934	MILLER	CLERK	CLARK	MANAGER

마지막으로 ORDER BY LVL에 따라 LVL 기준으로 정렬이 이루어지는데 이때, 같은 LVL 값을 가진 그룹 내에서는 무순(순서가 정해져 있지 않음)이므로 LVL 값이 3인 TURNER, JAMES, MARTIN, WARD, MILLER, FORD, ALLEN의 순서에는 큰 의미가 없음에 주의한다.

NOTE
같은 그룹 내에서는 무순이므로 LVL이 2인 JONES, BLAKE, CLARK의 순서가 책과는 다를 수 있습니다.

	123 LVL	123 EMPNO	ABC ENAME	ABC JOB	ABC MANAGER	ABC MANAGER_JOB
1	1	7,839	KING	PRESIDENT	[NULL]	[NULL]
2	2	7,566	JONES	MANAGER	KING	PRESIDENT
3	2	7,698	BLAKE	MANAGER	KING	PRESIDENT
4	2	7,782	CLARK	MANAGER	KING	PRESIDENT
5	3	7,844	TURNER	SALESMAN	BLAKE	MANAGER
6	3	7,900	JAMES	CLERK	BLAKE	MANAGER
7	3	7,654	MARTIN	SALESMAN	BLAKE	MANAGER
8	3	7,521	WARD	SALESMAN	BLAKE	MANAGER
9	3	7,934	MILLER	CLERK	CLARK	MANAGER
10	3	7,902	FORD	ANALYST	JONES	MANAGER
11	3	7,499	ALLEN	SALESMAN	BLAKE	MANAGER
12	4	7,369	SMITH	CLERK	FORD	ANALYST

실행결과

》Test

17. 다음 EMP 테이블에 대한 SQL문의 결과로 옳은 것은?

[EMP]

EMPNO	NAME	JOB	MGRNO
100	SMITH	CLERK	103
101	ALLEN	SALESMAN	105
102	WARD	SALESMAN	105
103	MARTIN	SALESMAN	105
104	JONES	MANAGER	106
105	BLAKE	MANAGER	106
106	KING	PRESIDENT	NULL

»Test

```
SELECT *
FROM EMP
START WITH MGRNO IS NULL
CONNECT BY PRIOR EMPNO=MGRNO
ORDER SIBLINGS BY EMPNO DESC;
```

①

EMPNO	NAME	JOB	MGRNO
106	KING	PRESIDENT	NULL
105	BLAKE	MANAGER	106
104	JONES	MANAGER	106
103	MARTIN	SALESMAN	105
102	WARD	SALESMAN	105
101	ALLEN	SALESMAN	105
100	SMITH	CLERK	103

②

EMPNO	NAME	JOB	MGRNO
106	KING	PRESIDENT	NULL
105	BLAKE	MANAGER	106
103	MARTIN	SALESMAN	105
100	SMITH	CLERK	103
102	WARD	SALESMAN	105
101	ALLEN	SALESMAN	105
104	JONES	MANAGER	106

③

EMPNO	NAME	JOB	MGRNO
100	SMITH	CLERK	103
101	ALLEN	SALESMAN	105
102	WARD	SALESMAN	105
103	MARTIN	SALESMAN	105
104	JONES	MANAGER	106
105	BLAKE	MANAGER	106
106	KING	PRESIDENT	NULL

》Test

④

EMPNO	NAME	JOB	MGRNO
106	KING	PRESIDENT	NULL
104	JONES	MANAGER	106
105	BLAKE	MANAGER	106
101	ALLEN	SALESMAN	105
102	WARD	SALESMAN	105
103	MARTIN	SALESMAN	105
100	SMITH	CLERK	103

SQLD_25

계층형 질의 문제 해설

해설

①을 정답으로 생각하기 쉬운데 정답은 ②이다. 사원번호(EMPNO)가 자식, 관리자번호(MGRNO)가 부모를 가리키므로 CONNECT BY PRIOR EMPNO = MGRNO에 따라 부모 → 자식의 순방향 전개가 이루어진다. 이를 그림으로 표현하면 다음과 같다.

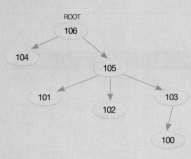

또한 ORDER SIBLINGS BY EMPNO DESC에 따라 동일 레벨에서 사원번호(EMPNO)에 따라 내림차순으로 정렬된다. 따라서 KING → BLAKE → MARTIN → SMITH → WARD → ALLEN → JONES 순서가 된다. 도출되는 과정은 아래의 그림과 같으며 보다 자세한 설명은 동영상을 참고한다.

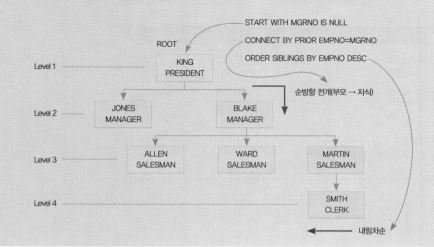

4.6.2 셀프 조인

조인은 원래 서로 다른 두 테이블에 대해서 수행하는 것인데, 쿼리의 문법상 조인의 대상이 되는 두 테이블이 반드시 서로 다른 테이블이어야 하는 것은 아니다. 다시 말해서 같은 테이블에 대해서 조인을 수행하도록 쿼리를 작성하는 것이 가능하며 이런 경우를 셀프 조인이라고 한다.

셀프 조인을 하는 경우는 계층적인 분류 값을 가지는 칼럼을 다룰 때이다. 상품 분류나 주소 체계, 또는 회사의 조직도 등을 다룰 때, 부모–자식 관계의 모델링을 한 다음, 셀프 조인을 사용해서 쿼리를 작성하면 전체 분류 체계를 계층적으로 조회하여 출력하는 것이 가능하다.

단, 셀프 조인을 사용할 경우 계층의 깊이가 깊어질수록 쿼리가 반복되고 길어진다는 단점이 있다. 이런 문제는 계층형 질의를 사용해서 해결할 수 있다.

예제

```
SELECT B.EMPNO, B.ENAME, B.JOB, A.ENAME AS BOSS, A.JOB AS BOSS_JOB
FROM EMP A, EMP B
WHERE A.EMPNO = B.MGR;
```

- EMP 테이블의 MGR 칼럼은 직속 관리자의 사원번호이다. 셀프 조인을 통해 직속 관리자(BOSS)와, 관리자의 직업(BOSS_JOB) 칼럼을 조회한다.

	123 EMPNO	ABC ENAME	ABC JOB	ABC BOSS	ABC BOSS_JOB
1	7,902	FORD	ANALYST	JONES	MANAGER
2	7,900	JAMES	CLERK	BLAKE	MANAGER
3	7,844	TURNER	SALESMAN	BLAKE	MANAGER
4	7,521	WARD	SALESMAN	BLAKE	MANAGER
5	7,654	MARTIN	SALESMAN	BLAKE	MANAGER
6	7,499	ALLEN	SALESMAN	BLAKE	MANAGER
7	7,934	MILLER	CLERK	CLARK	MANAGER
8	7,782	CLARK	MANAGER	KING	PRESIDENT
9	7,566	JONES	MANAGER	KING	PRESIDENT
10	7,698	BLAKE	MANAGER	KING	PRESIDENT
11	7,369	SMITH	CLERK	FORD	ANALYST

실행결과

NOTE

튜플의 무순서성에 따라, 출력되는 순서는 다를 수 있습니다. 순서를 명확하게 하고 싶다면 ORDER BY를 사용해야 합니다.

5Day

12Day

≫Test

18. EMP 테이블에 대한 다음의 실행결과를 보여주는 SQL문은?

[EMP]

EMPNO	NAME	MGRNO
100	SMITH	103
101	ALLEN	105
102	WARD	105
103	MARTIN	105
104	JONES	106
105	BLAKE	106
106	KING	NULL

[실행결과]

EMPNO	NAME	BOSS
100	SMITH	MARTIN
101	ALLEN	BLAKE
102	WARD	BLAKE
103	MARTIN	BLAKE
104	JONES	KING
105	BLAKE	KING

① SELECT B.EMPNO, B.NAME, A.NAME AS BOSS

　FROM EMP A, EMP B

　WHERE A.EMPNO = B.MGRNO;

② SELECT B.EMPNO, B.NAME, A.NAME AS BOSS

　FROM EMP A, EMP B

　WHERE A.MGRNO = B.EMPNO;

③ SELECT A.EMPNO, A.NAME, B.NAME AS BOSS

　FROM EMP A, EMP B

　WHERE A.EMPNO = B.EMPNO;

④ SELECT A.EMPNO, A.NAME, B.NAME AS BOSS

　FROM EMP A, EMP B

　WHERE A.MGRNO = B.MGRNO;

5Day

12Day

4.7 PIVOT절과 UNPIVOT절

테이블은 행(Row)과 열(Column)로 구성된다. 테이블의 칼럼 구성은 테이블의 스키마가 되며, 행은 하나하나가 실제 속성값을 갖는 레코드가 된다. 즉, 테이블로 구성된 데이터는 칼럼의 관점에서 데이터를 여러 개의 행으로 나열했다고 볼 수 있는 것이다. 이것을 행과 열의 관점을 바꿔서 행의 관점에서 각각의 칼럼의 값들을 나열해 볼 수 있는데 이렇게 테이블의 행과 열을 전환하여 테이블을 재구성하는 것을 피벗(PIVOT)이라고 한다. 엑셀의 피벗 테이블을 생각하면 이해가 쉬울 것이다.

예를 들어 테이블이 연도별, 계절별 데이터를 담고 있는 경우, 수량, 평균, 최댓값 등을 집계함수를 사용해서 계산하고 싶은데, 현재의 테이블 모양이 적절하지 않은 경우가 있다. 집계함수는 다중행(Multi-Row) 함수로서 행으로 나열된 데이터의 통계치만 구할 수 있는데, 데이터가 칼럼으로 나열되어 있을 경우 집계함수를 사용할 수가 없다. 이런 경우 피벗을 통해 테이블의 모양을 바꾸면 집계함수를 호출하여 우리가 원하는 통계치를 구할 수가 있다.

SQL에서는 행과 열을 바꾸는 관점에 따라서 피벗(PIVOT)과 언피벗(UNPIVOT)을 구분한다.

SQLD_26

PIVOT, UNPIVOT

4.7.1 PIVOT절

행을 열로 바꾼다. 지정된 칼럼의 각 행 속성값들이 새로운 칼럼 헤더가 되고 이에 맞게 전체 속성값들이 재배치된다.

예제

	JOB	DEPTNO
1	CLERK	20
2	SALESMAN	30
3	SALESMAN	30
4	MANAGER	20
5	SALESMAN	30
6	MANAGER	30
7	MANAGER	10
8	PRESIDENT	10
9	SALESMAN	30
10	CLERK	30
11	ANALYST	20
12	CLERK	10

EMP 테이블

	DEPTNO	DNAME
1	10	ACCOUNTING
2	20	RESEARCH
3	30	SALES
4	40	OPERATIONS

DEPT 테이블

먼저 [EMP] 테이블과 [DEPT] 테이블을 조인하여 PIVOT할 테이블을 만든다.

```
SELECT E.JOB, D.DNAME
FROM EMP E, DEPT D
WHERE E.DEPTNO = D.DEPTNO;
```

	JOB	DNAME
1	PRESIDENT	ACCOUNTING
2	MANAGER	ACCOUNTING
3	CLERK	ACCOUNTING
4	ANALYST	RESEARCH
5	CLERK	RESEARCH
6	MANAGER	RESEARCH
7	CLERK	SALES
8	SALESMAN	SALES
9	SALESMAN	SALES
10	SALESMAN	SALES
11	SALESMAN	SALES
12	MANAGER	SALES

실행결과

이 테이블은 직업별, 부서별 사원 구성을 담고 있지만 한 눈에 보기 어렵게 되어 있다. 이를 피벗하여 좀 더 보기 쉽게 각 부서별 사원의 수를 직업별로 분류한 테이블을 만들어보자.

6Day

12Day

앞에서의 SQL문을 서브쿼리로 사용하여 PIVOT절을 작성하면 다음과 같다.

```
SELECT *
FROM (SELECT E.JOB, D.DNAME
       FROM EMP E, DEPT D
       WHERE E.DEPTNO = D.DEPTNO)
PIVOT (COUNT(*) FOR DNAME IN ('ACCOUNTING' AS ACCOUNTING,
                              'RESEARCH' AS RESEARCH,
                              'SALES' AS SALES));
```

[해설]
- [EMP] 테이블은 각 행이 한 명의 사원을 의미한다. [DEPT] 테이블과 조인하여 부서번호(DEPTNO)를 부서명(DNAME)으로 대체하는 것을 서브쿼리로 작성하고 이 결과에 대해 PIVOT을 수행한다.
- PIVOT절을 보면 DNAME에 대해서 COUNT(*) 연산을 수행하는 것을 알 수 있는데 PIVOT 내부적으로 첫 번째 칼럼에 대해서 GROUP BY 연산이 수행됨을 포함하고 있다. 따라서 첫 번째 칼럼인 직업(JOB)으로 GROUP BY가 되고, 다시 부서명(DNAME)에 대해서 각 값('ACCOUNTING', 'RESEARCH', 'SALES')별로 COUNT(*)를 수행하게 된다.
- 부서명(DNAME)의 각 값은 별도의 칼럼으로 전환된다.
- 이렇게 되면 직업(JOB)별, 부서명(DNAME)별 인원수가 아래와 같은 표로 정리된다.

	ABC JOB	123 ACCOUNTING	123 RESEARCH	123 SALES
1	PRESIDENT	1	0	0
2	MANAGER	1	1	1
3	CLERK	1	1	1
4	ANALYST	0	1	0
5	SALESMAN	0	0	4

실행결과

》Test

19. 다음 중 피벗(PIVOT)에 대한 설명으로 옳지 않은 것은?

① 테이블의 형태를 바꾸어 보기 편하도록 만든다.
② DBMS에서 제공하는 내장함수이다.
③ 행으로 나열되어 있는 데이터를 열로 나열한다.
④ FROM절 이후에 기술하며 SELECT절보다 먼저 수행된다.

[해설]
피벗은 함수가 아니라 구문으로 PIVOT절이라고 하며 FROM절 뒤에 온다.

4.7.2 UNPIVOT절

PIVOT과 반대로 열을 행으로 바꾼다. 칼럼 헤더들이 한 칼럼의 각 행 속성값이 되고, 이에 맞게 전체 속성값들이 재배치된다.

예제

	ABC 계절 ▼	123 Y2018 ▼	123 Y2019 ▼	123 Y2020 ▼	123 Y2021 ▼	123 Y2022 ▼
1	봄	12.9	12.5	12	12.8	13.2
2	여름	25.3	23.9	24	24.2	24.5
3	가을	13.5	15.2	14	14.9	14.8
4	겨울	1	2.8	1	0.3	0.2

평균기온 테이블

위 테이블은 연도별, 계절별 평균기온 데이터를 가지고 있다. 이를 연도별로 그룹핑을 하고 싶을 때 이런 테이블 구성으로는 GROUP BY 연산을 할 수가 없다. 이를 언피벗하여 칼럼 구성이 계절, 연도, 기온으로 되어있는 테이블로 재구성해보자.

```
SELECT 계절, 연도, 기온
FROM (SELECT * FROM 평균기온)
UNPIVOT (기온 FOR 연도 IN (Y2018 AS '2018년',
                          Y2019 AS '2019년',
                          Y2020 AS '2020년',
                          Y2021 AS '2021년',
                          Y2022 AS '2022년'));
```

[해설]
- 앞에서 PIVOT을 이해했으면 UNPIVOT은 PIVOT과 정확히 반대로 동작한다고 이해하면 된다.
- [평균기온] 테이블은 기온을 계절별, 연도별로 표시하고 있으며 연도는 각각의 칼럼으로 구분되어 있다. Y2018, Y2019, Y2020 등의 칼럼을 각각 '2018년', '2019년', '2020년'이라는 문자열값으로 전환하여 하나의 칼럼으로 표시하고 칼럼명은 연도로 한다.
- 첫 번째 칼럼인 계절은 Y2018, Y2019, Y2020 등의 칼럼 수 만큼 중복해서 표시하여 계절, 연도의 조합을 여러 행으로 표시한다.
- 원래의 테이블의 각각의 값들은 세 번째 칼럼에 기온이라는 칼럼명으로 다시 정리된다.

ABC 계절 ▼	ABC 연도 ▼	123 기온 ▼
1 봄	2018년	12.9
2 봄	2019년	12.5
3 봄	2020년	12
4 봄	2021년	12.8
5 봄	2022년	13.2
6 여름	2018년	25.3
7 여름	2019년	23.9
8 여름	2020년	24
9 여름	2021년	24.2
10 여름	2022년	24.5
11 가을	2018년	13.5
12 가을	2019년	15.2
13 가을	2020년	14
14 가을	2021년	14.9
15 가을	2022년	14.8
16 겨울	2018년	1
17 겨울	2019년	2.8
18 겨울	2020년	1
19 겨울	2021년	0.3
20 겨울	2022년	0.2

실행결과

이렇게 구성된 테이블은 계절 또는 연도별로 GROUP BY 연산을 적용할 수가 있다.

»Test

20. 아래의 그림과 같은 동작을 수행하는 것은?

① PIVOT
② UNPIVOT
③ GROUP BY
④ ORDER BY

해설
UNPIVOT은 열로 구성된 데이터를 여러 개의 행으로 변환한다.

4.8 정규표현식

정규표현식을 사용하면 문자열을 처리할 때, 패턴에 기반하여 검색, 치환, 추출 등을 수행할 수 있다. 메타 문자와 리터럴 문자를 조합하여 패턴을 만들고 이 패턴에 따라 문자열을 처리할 수 있어 문자열을 처리하는데 매우 효율적인 방법을 제공한다. 원래는 Java나 Python 등 다른 프로그래밍 언어에서 사용되었던 것인데, SQL에서도 이를 사용할 수 있도록 정규표현식 함수를 지원하기 시작했다.

정규표현식을 구성하는 패턴 문자열은 정규표현식을 지원하는 프로그래밍 언어에서 대부분 유사하므로, 이미 정규표현식을 사용해서 문자열을 처리해본 경험이 있다면 SQL에서도 쉽게 사용이 가능하고 애플리케이션에서 정규표현식을 사용해서 처리한 경우 이를 쿼리로 이식하기도 쉽다.

SQLD_27

정규표현식

🎯 Tip 메타 문자, 리터럴 문자

① 정규표현식 메타 문자

메타 문자는 문자 그 자신이 가진 의미가 아니라 다른 의미로 사용되는 문자를 말한다. 예를 들어 정규표현식에서 '^' 문자는 '^' 문자 그 자체를 나타내는 것이 아니라 입력 문자열의 시작을 의미하는 메타 문자이다.

주요 메타 문자

메타 문자	의미	예
₩	메타 문자를 리터럴 문자로 표시하거나 리터럴 문자와 결합하여 정해진 메타 문자를 표시	₩₩ : ₩ ₩n : 줄바꿈(개행) 문자
^	개행으로 나뉜 문자열의 시작 지점	^The : The로 시작하는 문자열
$	개행으로 나뉜 문자열의 끝 지점	ing$: ing로 끝나는 문자열
.	임의의 한 문자(개행 문자는 제외)	a.b : acb, a–b, a1b, …
?	선행 문자 0 또는 1개	no? : n, no
*	선행 문자 0개 이상	no* : n, no, noo, nooo…
+	선행 문자 1개 이상	no+ : no, noo, nooo…

메타 문자	의미	예
|	선택적 일치	a|b : a, b
[ ]	대괄호 안의 문자들 중 하나와 일치	[abc] : a, b, c
[–]	연속 문자의 범위를 지정	[a–z] : a부터 z까지 소문자 알파벳 문자
[^]	대괄호 안의 문자들을 제외한 나머지 문자들 중 하나와 일치	[^abc] : d, e, z, … (a, b, c를 제외한 나머지 문자)
( )	소괄호로 묶인 표현식을 한 단위로 취급	(ab) : ab

② 정규표현식 리터럴 문자

문자 그 자체가 가진 의미 그대로 사용되는 문자. 정규표현식에서 패턴 매칭을 수행할 때 처리되는 최소 단위는 문자이다. 알파벳의 경우 a, A와 같이 단일문자 하나가 그에 해당하고 한글의 경우에는 한 음절의 한 개 문자가 단위가 된다.

⚠ **주의** Oracle과 SQL Server의 정규식 지원 차이

[Oracle]
– Oracle 10g부터 정규표현식 함수 지원

Oracle 정규표현식 함수

정규표현식 함수	설명
REGEXP_LIKE	정규표현식을 사용한 LIKE 연산
REGEXP_REPLACE	정규표현식을 사용하여 문자열 대체
REGEXP_INSTR	정규표현식을 사용하여 문자열 검색 후 위치 반환
REGEXP_SUBSTR	정규표현식을 사용하여 부분 문자열 반환
REGEXP_COUNT	정규표현식을 사용하여 특정 패턴의 문자열 개수 반환

[SQL Server]
– PATINDEX 함수: 찾고자 하는 문자열을 검색 후 위치를 반환. 정규식은 아니나 정규식과 유사한 패턴 문자열 지원
– LIKE 연산자: PATINDEX의 패턴 문자열 지원

SQL Server의 패턴 문자열

메타 문자	의미	예
%	0개 이상의 문자	%a% : a가 포함되어 있는 문자열 모두
_	임의의 한 문자	a_b : acb, a-b, a1b, …
[ ]	대괄호 안의 문자들 중 하나와 일치	[abc] : a, b, c
[-]	연속 문자의 범위를 지정	[a-z] : a부터 z까지 소문자 알파벳 문자
[^]	대괄호 안의 문자들을 제외한 나머지 중 하나와 일치	[^a-z] : a부터 z까지 소문자 알파벳을 제외한 나머지 문자

》Test

21. 아래 MEMBER 테이블의 PHONE 칼럼에는 전화번호가 일정하지 않은 형식으로 저장되어 있다. 이를 실행결과와 같이 일정한 형식으로 변경하기 위한 SQL문으로 (㉠   )에 알맞은 것은?

[Oracle]

[MEMBER]

Name	PHONE
David	010*8776*4672
Michael	010/4455/2318
Jane	010 8876 1609
Elizabeth	010-3581-3376
Mark	010.2345.4321
Ethan	010~7788~6809

SELECT (㉠   ) AS NUM FROM MEMBER;

[실행결과]

Name	PHONE
David	010-8776-4672
Michael	010-4455-2318
Jane	010-8876-1609
Elizabeth	010-3581-3376
Mark	010-2345-4321
Ethan	010-7788-6809

≫Test

① `REGEXP_REPLACE(PHONE, '[0-9]', '-')`

② `REGEXP_REPLACE(PHONE, '^[0-9]', '-')`

③ `REGEXP_REPLACE(PHONE, '[0¦9]', '-')`

④ `REGEXP_REPLACE(PHONE, '[^0-9]', '-')`

해설

정규표현식 0~9까지의 숫자를 의미하는 정규표현식은 '[0-9]'이다. 따라서 숫자 이외의 문자들을 나타내는 정규표현식은 '[^0-9]'이다.

SQLD_28

복합 쿼리 예제 – 3

복합 쿼리 예제 – 3

이번에는 서브쿼리(인라인 뷰)와 LAG/LEAD 등 몇 가지 함수가 복합된 쿼리를 살펴보자.

먼저 본 예제에 사용할 테이블을 생성한다.

```
CREATE TABLE TBL (ID VARCHAR2(10), SVAL NUMBER, EVAL NUMBER);

INSERT INTO TBL VALUES('A01', 1, 2);
INSERT INTO TBL VALUES('A02', 2, 3);
INSERT INTO TBL VALUES('A03', 3, 4);
INSERT INTO TBL VALUES('B04', 4, 5);
INSERT INTO TBL VALUES('B05', 7, 8);
INSERT INTO TBL VALUES('B06', 8, NULL);
```

[TBL]

ID	SVAL	EVAL
A01	1	2
A02	2	3
A03	3	4
B04	4	5
B05	7	8
B06	8	NULL

살펴볼 쿼리 전문은 다음과 같다.

```
SELECT ID, SVAL, EVAL
FROM (SELECT ID,
             GR,
             SVAL,
             NVL(EVAL, 99) EVAL,
             CASE WHEN SVAL = LAG(EVAL) OVER (PARTITION BY GR ORDER BY
SVAL, NVL(EVAL, 99)) THEN 1
             ELSE 0
             END AS FLAG1,
             CASE WHEN EVAL = LEAD(SVAL) OVER (PARTITION BY GR ORDER BY
SVAL, NVL(EVAL, 99)) THEN 1
             ELSE 0
             END AS FLAG2
      FROM (SELECT ID,
                   SUBSTR(ID, 1, 1) AS GR,
                   SVAL,
                   EVAL
            FROM TBL))
WHERE FLAG1 = 1 AND FLAG2 = 1;
```

쿼리 전문이 이중의 서브쿼리(인라인 뷰)로 되어 있는데다 중간에 CASE문까지 있어 매우 복잡해 보인다. 차근차근 살펴보자.

[쿼리 해설]

4.8 | 정규표현식 **253**

① GR 칼럼 생성

ID에 'A01', 'B04'와 같이 A, B 그룹 접두어가 붙어있다. 이로부터 그룹을 나타내는 GR 칼럼을 생성한다.

```
SUBSTR(ID, 1, 1) AS GR
```
- ID의 첫 번째 문자부터 한 개의 문자열을 부분문자열로 추출하여 GR이라는 칼럼명을 부여한다.

② FLAG1, FLAG2 칼럼 생성

SVAL과 EVAL의 값을 살펴보면 SVAL이 이전 행의 EVAL과 같은 값을 가지고 있는 것들이 보인다. 이로부터 FLAG1과 FLAG2를 생성한다. 이때 OVER절에 의해서 전체 행이 아니라 파티션으로 묶어 처리하는데 주의한다.

```
CASE WHEN SVAL = LAG(EVAL) OVER (PARTITION BY GR ORDER BY SVAL,
NVL(EVAL, 99)) THEN 1
ELSE 0
END AS FLAG1
```
- SVAL이 LAG(EVAL) 즉, 이전 행의 EVAL과 같으면 1, 아니면 0인 FLAG1 칼럼을 만든다. 이때 OVER절에 의해서 전체 행에 대해서가 아니라 GR로 묶어서 처리한다. GR의 값이 'A', 'B'로 나뉘므로 'A' 그룹과 'B' 그룹을 나누어 그룹별로 처리한다.
- 그룹 내에서 ORDER BY절에 의해 SVAL, NVL(EVAL, 99)로 정렬한다. NVL(EVAL, 99)은 EVAL의 NULL을 99로 처리하는 것을 의미한다. 정렬 시 NULL 값의 처리가 DBMS에 따라 달라지므로 이렇게 하여 SQL문을 보다 견고하게 한다.(오라클은 후순위, SQL Server는 선순위로 DBMS에 따라 다르다.)

```
CASE WHEN EVAL = LEAD(SVAL) OVER (PARTITION BY GR ORDER BY SVAL,
NVL(EVAL, 99)) THEN 1
ELSE 0
END AS FLAG2
```
- EVAL이 LEAD(SVAL) 즉, 다음 행의 SVAL과 같으면 1, 아니면 0인 FLAG2 칼럼을 만든다. OVER절은 앞의 CASE문과 동일하다.

	ABC ID	123 SVAL	123 EVAL	123 FLAG1	123 FLAG2
1	A01	1	2	0	1
2	A02	2	3	1	1
3	A03	3	4	1	0
4	B04	4	5	0	0
5	B05	7	8	0	1
6	B06	8	99	1	0

FLAG1, FLAG2를 구한 실행결과

- B04행의 FLAG1이 0임에 주의. SVAL이 이전 행의 EVAL과 같으나 이전 행이 A 그룹이라 해당되지 않
  는다. (OVER절에 의해 그룹을 나눠 처리하기 때문)
- A03행의 FLAG2가 0임에 주의. EVAL이 다음 행의 SVAL과 같으나 이후 행이 B 그룹이라 해당되지 않
  는다. (OVER절에 의해 그룹을 나눠 처리하기 때문)

최종적으로 아래의 WHERE절에 의해 FLAG1과 FLAG2가 모두 1인 행을 조회한다.

```
WHERE FLAG1 = 1 AND FLAG2 = 1
```

[최종 실행결과]

ID	SVAL	EVAL
A02	2	3

복합 쿼리 예제 – 4

이번에는 상품별, 월별 주문개수의 합계를 구하는 쿼리를 살펴보자.

먼저, 이번 예제에 사용될 상품, 주문내역 테이블을 만든다.

```
CREATE TABLE 상품 (상품번호 NUMBER, 상품명 VARCHAR2(100));
ALTER TABLE 상품 ADD CONSTRAINT PK_상품 PRIMARY KEY(상품번호);

INSERT INTO 상품 VALUES(101, '상품1');
INSERT INTO 상품 VALUES(102, '상품2');
INSERT INTO 상품 VALUES(103, '상품3');
```

[상품]

상품번호	상품명
101	상품1
102	상품2
103	상품3

bDay

SQLD_29

복합 쿼리 예제 – 4

12Day

```
CREATE TABLE 주문내역 (고객번호 NUMBER, 주문일시 VARCHAR2(100), 주문개수 NUMBER,
상품번호 NUMBER);
ALTER TABLE 주문내역 ADD CONSTRAINT PK_주문내역 PRIMARY KEY(고객번호, 주문일시);
ALTER TABLE 주문내역 ADD CONSTRAINT FK_주문내역_REL1 FOREIGN KEY(상품번호)
REFERENCES 상품(상품번호);

INSERT INTO 주문내역 VALUES (1001, '2024.01', 2, 101);
INSERT INTO 주문내역 VALUES (1002, '2024.02', 1, 102);
INSERT INTO 주문내역 VALUES (1003, '2024.01', 4, 101);
INSERT INTO 주문내역 VALUES (1004, '2024.02', 3, 103);
INSERT INTO 주문내역 VALUES (1005, '2024.01', 2, 102);
INSERT INTO 주문내역 VALUES (1006, '2024.02', 2, 101);
INSERT INTO 주문내역 VALUES (1007, '2024.01', 1, 103);
```

[주문내역]

고객번호	주문일시	주문개수	상품번호
1001	2024.01	2	101
1002	2024.02	1	102
1003	2024.01	4	101
1004	2024.02	3	103
1005	2024.01	2	102
1006	2024.02	2	101
1007	2024.01	1	103

이를 ERD로 표현하면 다음과 같다.

살펴볼 쿼리 전문은 다음과 같다.

```
SELECT
        CASE GROUPING(B.상품명)
            WHEN 1 THEN '상품전체' ELSE B.상품명
        END AS 상품명,
        CASE GROUPING(A.주문일시)
            WHEN 1 THEN '합계' ELSE A.주문일시
        END AS 주문월,
        SUM(A.주문개수) AS 주문개수
FROM 주문내역 A INNER JOIN 상품 B ON A.상품번호 = B.상품번호
GROUP BY ROLLUP(B.상품명, A.주문일시)
ORDER BY 상품명, 주문월;
```

[쿼리 해설]

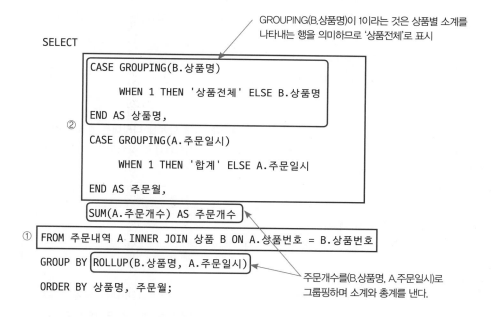

GROUPING(B.상품명)이 1이라는 것은 상품별 소계를
나타내는 행을 의미하므로 '상품전체'로 표시

주문개수를(B.상품명, A.주문일시)로
그룹핑하며 소계와 총계를 낸다.

① 상품 테이블과 주문내역 테이블을 조인

먼저 표준 조인 문법으로 상품 테이블과 주문내역 테이블을 INNER JOIN한다. 이렇게 하나의 테이블로 조인한 후, 각 상품별, 월별 주문개수의 합계를 구할 것이다.

```
FROM 주문내역 A INNER JOIN 상품 B ON A.상품번호 = B.상품번호
```
- 표준 조인 문법으로 INNER JOIN을 수행한다.
- ON절을 통해 상품번호를 조인의 기준키로 지정한다.

[조인 수행결과]

고객번호	주문일시	주문개수	상품번호	상품명
1001	2024.01	2	101	상품1
1002	2024.02	1	102	상품2
1003	2024.01	4	101	상품1
1004	2024.02	3	103	상품3
1005	2024.01	2	102	상품2
1006	2024.02	2	101	상품1
1007	2024.01	1	103	상품3

② CASE문으로 소계의 타이틀 표시

이제 ROLLUP으로 그룹핑하여 소계, 총계를 구할 것이다. 이때 소계와 총계를 나타내는 행은 타이틀이 NULL로 표시되므로 GROUPING함수와 CASE문으로 이것을 적절한 문자열로 바꿔준다.

```
CASE GROUPING(B.상품명)
     WHEN 1 THEN '상품전체' ELSE B.상품명
END AS 상품명
```
- GROUPING은 ROLLUP, CUBE 등으로 그룹핑한 결과에 대해 합계를 나타내는 행에 대해서 1을 반환한다. 상품명별 합계를 나타내는 행에서 상품명은 NULL로 표시되므로 이를 '상품전체'라는 타이틀로 바꿔 표시한다.

```
CASE GROUPING(A.주문일시)
     WHEN 1 THEN '합계' ELSE A.주문일시
END AS 주문월
```
- GROUPING은 ROLLUP, CUBE 등으로 그룹핑한 결과에 대해 합계를 나타내는 행에 대해서 1을 반환한다. 주문일시별 합계를 나타내는 행에서 주문일시는 NULL로 표시되므로 이를 '합계'라는 타이틀로 바꿔 표시한다.

ROLLUP 함수를 사용해서 상품별, 월별 GROUP BY를 수행한 후, SELECT절에서 SUM(A.주문개수)으로 소계와 총계를 구한다.

```
SELECT
        SUM(A.주문개수) AS 주문개수
…
GROUP BY ROLLUP(B.상품명, A.주문일시)
```

CASE문을 사용하지 않고 상품명과 주문월을 그대로 표시할 경우 다음과 같이 출력된다.

상품명	주문월	주문개수
상품1	2024.01	6
상품1	2024.02	2
상품1	NULL	8
상품2	2024.01	2
상품2	2024.02	1
상품2	NULL	3
상품3	2024.01	1
상품3	2024.02	3
상품3	NULL	4
NULL	NULL	15

CASE문까지 적용한 최종 수행결과는 다음과 같다.

	ABC 상품명	ABC 주문월	123 주문개수
1	상품1	2024.01	6
2	상품1	2024.02	2
3	상품1	합계	8
4	상품2	2024.01	2
5	상품2	2024.02	1
6	상품2	합계	3
7	상품3	2024.01	1
8	상품3	2024.02	3
9	상품3	합계	4
10	상품전체	합계	15

최종 실행결과

bDay

12Day

01. 다음 중 서브쿼리에 대한 설명으로 옳지 않은 것은?

① 중첩 서브쿼리에서 실행결과가 여러 건인 다중행 서브쿼리는 다중행 비교연산자와 함께 사용된다.

② 서브쿼리에서도 자체적인 ORDER BY절을 사용할 수 있다.

③ 메인쿼리에서는 서브쿼리에 있는 칼럼을 자유롭게 사용할 수 없다.

④ 서브쿼리가 단일행 비교연산자와 함께 사용될 때는 결과가 반드시 1건 이하여야 한다.

해설

서브쿼리에서는 내부적으로 ORDER BY절을 사용할 수 없다. 서브쿼리의 주요 특징은 다음과 같다.

- 서브쿼리에서는 메인쿼리의 칼럼을 모두 사용할 수 있다.

- 메인쿼리에서는 서브쿼리의 칼럼을 사용할 수 없다.

- 서브쿼리는 괄호로 감싸서 사용한다.

- 서브쿼리에서는 ORDER BY절을 사용할 수 없다.

- 서브쿼리가 사용될 수 있는 곳은 SELECT절, FROM절, WHERE절, HAVING절, ORDER BY절, INSERT문의 VALUES절, UPDATE문의 SET절이다.

- 서브쿼리가 단일행 비교연산자와 함께 사용될 경우 서브쿼리의 결과가 1건 이하여야 한다.

- 서브쿼리가 2건 이상의 결과를 반환하는 경우 반드시 다중행 비교연산자와 함께 사용해야 한다.

02. 아래의 테이블에 대한 SQL문을 실행한 결과로 옳은 것은?

[TBL]

COL1	COL2	COL3
A	가	10
A	가	20
A	다	25
B	가	10
B	나	30
B	나	20
B	나	60
C	라	30

```
[SQL]
SELECT NTILE3, COUNT(*) AS CNT
FROM (SELECT COL1, COL2, COL3, NTILE(3) OVER(ORDER BY COL3) AS NTILE3
      FROM TBL)
GROUP BY NTILE3;
```

①

NTILE3	CNT
1	3
2	3
3	2

②

NTILE3	CNT
1	4
2	3
3	1

③

NTILE3	CNT
1	2
2	3
3	3

④

COL2	S
1	5
2	2
3	1

서브쿼리를 보면 COL3로 정렬하여 NTILE(3)으로 3등분하고 있다. NTILE은 전체 행을 인자의 개수만큼 등분하는 것으로 전체 건수가 8건이므로 3 : 3 : 2로 등분한다. (8건을 3으로 나누면 나머지가 2이므로 먼저 2 : 2 : 2로 등분한 후 나머지를 앞에 두 그룹에 1씩 배분한다. 따라서 3 : 3 : 2가 된다. 만약 7건을 3등분한다면 3 : 2 : 2가 되고 5건을 3등분한다면 2 : 2 : 1이 된다.)

COL1	COL2	COL3	NTILE3
A	가	10	1
B	가	10	1
B	나	20	1
A	가	20	2
A	다	25	2
C	라	30	2
B	나	30	3
B	나	60	3

여기에 NTILE3로 GROUP BY한 후, 그룹별 건수를 출력하므로 최종결과는 다음과 같다.

NTILE3	CNT
1	3
2	3
3	2

03. 기출 다음 중 뷰(View)에 대한 설명으로 옳지 않은 것은?

① 편리성 – 복잡한 쿼리를 뷰로 생성하여 관련 쿼리를 단순화할 수 있고 해당 쿼리를 자주 사용할 경우 뷰를 이용하면 편리하게 사용할 수 있다.

② 보안성 – 사용자에게 숨겨야 할 정보가 존재할 경우 해당 칼럼을 제외하고 뷰를 생성하여 사용자에게 제공할 수 있다.

③ 물리성 – 실제로 데이터를 담고 있으므로 물리적으로 관리할 수 있다.

④ 독립성 – 애플리케이션에서 테이블을 직접 참조하지 않고 뷰를 통해서 접근하게 되면 테이블의 구조가 변경되더라도 애플리케이션은 수정하지 않아도 된다.

04. 다음 테이블에 대한 SQL문의 실행결과로 옳은 것은?

[학생]

학번	이름	학과번호
101	김지훈	101
102	정승아	103
103	조이현	102
104	송아영	101
105	이수현	102

[학과]

학과번호	학과명
101	컴퓨터공학과
102	통계학과
103	국어국문학과

```
[SQL]
SELECT COUNT(*)
FROM 학생 S
WHERE NOT EXISTS
  (SELECT *
   FROM 학과 D
  WHERE S.학과번호 = D.학과번호
    AND 학과명='통계학과');
```

① 2

② 3

③ 5

④ 8

해설

WHERE절에 들어가는 중첩 서브쿼리 문제이다. WHERE절에서 NOT EXISTS 조건을 사용하고 있으므로 [학생] 테이블에서 서브쿼리의 결과에 매칭되는 건을 제외한다. 서브쿼리에서 학과번호가 같고 학과명이 통계학과인 경우에 대해 매칭시키고 있으므로 조건에 맞는 [학생] 테이블의 데이터는 아래와 같다.

학번	이름	학과번호
101	김지훈	101
102	정승아	103
104	송아영	101

COUNT(*)로 건수를 출력하므로 최종적으로 3을 출력한다.

05. 다음과 같은 SQL문에 대하여 빈칸을 채울 때 구문의 의미에 맞는 정상적인 결과를 출력하는 것을 고르시오.

```
[SQL]
SELECT EMPNO, JOB, SAL
FROM EMP
WHERE ROWNUM (        );

가) <= 10 → 10번 이하의 건만 출력
나) >= 10 → 10번 이상의 건만 출력
다) = 10 → 10번 건만 출력
라) <> 10 → 10번 건만 제외하고 출력
```

① 가
② 가, 나
③ 다, 라
④ 가, 나, 다, 라

해설

ROWNUM은 테이블을 순회하면서 차례로 각 행의 번호를 반환하고, 중간을 건너뛰고 실행될 수 없으며, WHERE절에 사용할 경우 조건식이 FALSE가 되면 순회를 멈춘다. 따라서 <, <= 등의 비교만 정상 출력된다. 이에 따르면 가)만 정상적으로 출력이 되고 나), 다)는 한 건도 출력되지 않으며 라)는 전체 건수가 아무리 많아도 9번까지만 출력된다.

정답 05. ①

06. **기출** 다음 계층형 쿼리에 대한 설명으로 옳지 않은 것은?

[TBL]

ID	P_ID	NAME	P_NAME	DEPTH
3	0	A		1
4	0	B		1
5	3	C	A	2
6	3	D	A	2
7	3	E	A	2
8	3	F	A	2
9	6	G	F	3
10	4	H	B	2
11	4	I	B	2

```
[SQL]
SELECT ID, P_ID, NAME, P_NAME
FROM TBL
WHERE P_ID NOT IN (3)
START WITH P_ID = 0
CONNECT BY PRIOR ID = P_ID
ORDER SIBLINGS BY P_ID ASC, ID ASC;
```

① 순방향 전개이다.

② 중복이 생겼을 때 루프를 돌지 않기 위해서 NOCYCLE 옵션을 사용할 수 있다.

③ P_ID가 (3)에 포함되면 출력되지 않는다.

④ ORDER SIBLINGS BY를 하면 전체 테이블 기준으로 정렬한다.

해설

ORDER SIBLINGS BY는 전체를 정렬하는 것이 아니라 같은 레벨의 형제 노드끼리 정렬한다.

계층형 질의는 START WITH 조건으로 시작 노드를 결정하고, CONNECT BY 조건에 따라 순방향(부모 → 자식) 전개 또는 역방향(자식 → 부모) 전개를 한다. CONNECT BY PRIOR ID = P_ID를 해석하면 ID는 자식, P_ID는 부모이므로 'PRIOR 자식 = 부모'는 부모에서 자식으로 내려오는 순방향 전개를 의미한다.

07. 다음 테이블에 대한 SQL문의 실행결과로 옳은 것은?

[TBL1]

COL1	COL2
A1	B1
A2	B2
A3	B3
A4	B4

[TBL2]

COL1	COL2
A1	B1
A2	B2

```
[SQL]
SELECT COUNT(*) AS CNT
FROM (SELECT COL1, COL2 FROM TBL1
      UNION SELECT COL1, COL2 FROM TBL2
      UNION ALL SELECT COL1, COL2 FROM TBL2)
GROUP BY COL1, COL2;
```

①

CNT
2
2
1
1

②

CNT
1
1
1
1

③

CNT
2
2
2
2

④

CNT
3
3
1
1

UNION은 합집합을 만들면서 중복된 건을 한 번만 포함시키고 UNION ALL은 모두 포함시킨다.

서브쿼리에서 TBL1과 TBL2를 먼저 UNION으로 결합하고 다음에 TBL2와 UNION ALL로 결합하고 있다. 집합 연산자는 앞의 것이 먼저 실행되므로 UNION을 먼저 실행하고 UNION ALL을 나중에 실행한다.

먼저 TBL1과 TBL2를 UNION으로 결합한 결과는 다음과 같다.

COL1	COL2
A1	B1
A2	B2
A3	B3
A4	B4

여기에 TBL2와 UNION ALL로 결합한 결과는 다음과 같다.

COL1	COL2
A1	B1
A2	B2
A3	B3
A4	B4
A1	B1
A2	B2

여기에 대해 COL1, COL2로 GROUP BY하여 COUNT를 출력하고 있으므로 결과는 다음과 같다.

CNT
2
2
1
1

만약 UNION과 UNION ALL의 순서를 바꾸거나 둘 다 UNION을 사용하면 ②번과 같이 되고 둘 다 UNION ALL 을 사용하면 ④번과 같이 된다.

08. 다음 SQL문의 실행결과로 옳은 것은?

[주문]

고객번호	금액
101	1000
101	3000
102	1500
102	500
102	4000

[고객등급]

등급	최소금액	최대금액
VIP	5000	7000
GOLD	4000	5000
SILVER	3000	4000
BRONZE	1000	3000

```
[SQL]
SELECT A.고객번호, B.등급
FROM (SELECT 고객번호, SUM(금액) AS 합계
        FROM 주문
        GROUP BY 고객번호) A,
        고객등급 B
WHERE A.합계 >= B.최소금액 AND A.합계 < B.최대금액;
```

①

고객번호	등급
101	GOLD
102	VIP

②

고객번호	등급
101	GOLD

③

고객번호	등급
101	BRONZE
101	SILVER
102	GOLD

④

고객번호	등급
101	SILVER
102	GOLD

```
SELECT 고객번호, SUM(금액) AS 합계
     FROM 주문
     GROUP BY 고객번호
```

위의 서브쿼리에서는 고객번호별로 금액의 합계를 구하고 있고 결과는 다음과 같다.

고객번호	합계
101	4000
102	6000

```
SELECT A.고객번호, B.등급
FROM (...) A, 고객등급 B
```

위의 메인쿼리에서 서브쿼리 결과를 A, 고객등급 테이블을 B로 하여 CROSS JOIN을 하고 있다. (FROM 절에 여러 테이블을 나열하면 CROSS JOIN이 된다.) 이렇게 하면 서브쿼리 결과 2건에 대해 고객등급 4건이 카테시안 곱이 되어 각각의 조합인 8건이 출력된다.

고객번호	등급
101	VIP
101	GOLD
101	SILVER
101	BRONZE
102	VIP
102	GOLD
102	SILVER
102	BRONZE

여기에 WHERE절을 통해 합계가 고객등급 테이블의 최소금액 이상, 최대금액 미만인 행에 대해서만 출력하면 최종적으로 합계에 따른 고객등급을 출력하는 결과가 된다.

고객번호	등급
101	GOLD
102	VIP

09. 주어진 [부서] 테이블에 대해 아래와 같은 실행결과를 출력하는 SQL문은?

[부서]

부서코드	부서명	상위부서코드
100	아시아지부	NULL
110	중국지사	100
111	베이징지점	110
112	상하이지점	110
120	한국지사	100
121	서울지점	120
122	부산지점	120

[실행결과]

LVL	부서코드	부서명	상위부서코드
2	100	아시아지부	NULL
1	120	한국지사	100
2	121	서울지점	120
2	122	부산지점	120

① SELECT LEVEL AS LVL, 부서코드, 부서명, 상위부서코드

  FROM 부서

  START WITH 부서코드 = '100'

  CONNECT BY PRIOR 부서코드 = 상위부서코드

  ORDER BY 부서코드;

② SELECT LEVEL AS LVL, 부서코드, 부서명, 상위부서코드

  FROM 부서

  START WITH 부서코드 = '120'

  CONNECT BY PRIOR 상위부서코드 = 부서코드

  UNION

  SELECT LEVEL AS LVL, 부서코드, 부서명, 상위부서코드

  FROM 부서

  START WITH 부서코드 = '120'

  CONNECT BY 상위부서코드 = PRIOR 부서코드

  ORDER BY 부서코드;

③ SELECT LEVEL AS LVL, 부서코드, 부서명, 상위부서코드
　FROM 부서
　START WITH 부서코드 = '121'
　CONNECT BY 부서코드 = PRIOR 상위부서코드
　ORDER BY 부서코드;

④ SELECT LEVEL AS LVL, 부서코드, 부서명, 상위부서코드
　FROM 부서
　START WITH 부서코드 =
　　　　(SELECT 부서코드 FROM 부서 WHERE 상위부서코드 IS NULL
　　　　START WITH 부서코드 = '120'
　　　　CONNECT BY PRIOR 상위부서코드 = 부서코드)
　CONNECT BY 상위부서코드 = PRIOR 부서코드
　ORDER BY 부서코드;

해설

각 SQL문에서 주의 깊게 봐야 할 부분은 START WITH와 CONNECT BY 부분이다. START WITH는 시작 노드를 나타내고 CONNECT BY는 시작 노드로부터 순방향 전개인지 역방향 전개인지를 나타내는데 'CONNECT BY PRIOR 자식=부모'는 순방향 전개이고 'CONNECT BY PROPR 부모=자식'은 역방향 전개이다. 여기서는 부서코드가 자식 노드를 나타내고 상위부서코드가 부모 노드를 나타내므로 'CONNECT BY PRIOR 부서코드=상위부서코드'는 순방향 전개이고 'CONNECT BY PRIOR 상위부서코드=부서코드'는 역방향 전개이다.

주어진 [부서] 테이블을 트리 구조로 표현해보면 다음과 같다.

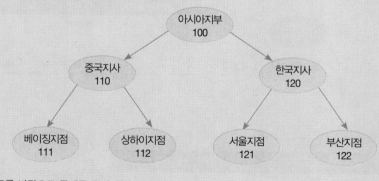

이 트리 구조를 바탕으로 문제를 풀면 된다.

① 부서코드가 '100'인 아시아지부 노드로부터 시작하여 순방향으로 전개한 후 부서코드로 정렬한다.

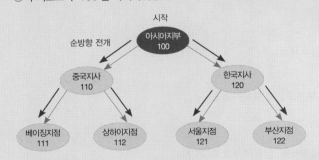

LVL	부서코드	부서명	상위부서코드
1	100	아시아지부	NULL
2	110	중국지사	100
3	111	베이징지점	110
3	112	상하이지점	110
2	120	한국지사	100
3	121	서울지점	120
3	122	부산지점	120

② 부서코드가 '120'인 한국지사 노드로부터 시작하여 역방향으로 전개한 것과 순방향으로 전개한 것을 UNION으로 병합하고 있다.

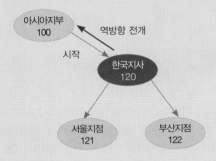

LVL	부서코드	부서명	상위부서코드
1	120	한국지사	100
2	100	아시아지부	NULL

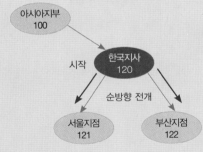

LVL	부서코드	부서명	상위부서코드
1	120	한국지사	100
2	121	서울지점	120
2	122	부산지점	120

UNION으로 병합하여 부서코드로 정렬하면 다음과 같이 된다.

LVL	부서코드	부서명	상위부서코드
2	100	아시아지부	NULL
1	120	한국지사	100
2	121	서울지점	120
2	122	부산지점	120

따라서 정답은 ②번이다.

③ 부서코드가 '121'인 서울지점 노드로부터 시작하여 역방향으로 전개한 후 부서코드로 정렬한다.

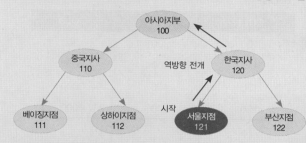

LVL	부서코드	부서명	상위부서코드
3	100	아시아지부	NULL
2	120	한국지사	100
1	121	서울지점	120

④ 먼저 서브쿼리의 결과는 부서코드가 '120'인 한국지사 노드로부터 시작하여 역방향으로 전개하여 상위부서코드가 NULL인 행의 부서코드이므로 아시아지부 노드의 부서코드인 '100'이다. 결국 ①번과 동일한 SQL문이 되므로 결과도 ①번과 동일하다.

---

10. **기출** 다음과 같은 서브쿼리의 유형으로 옳은 것은?

```
SELECT A.EMPNO, A.ENAME
FROM EMP A
WHERE A.EMPNO = (SELECT B.EMPNO
                 FROM EMP_T B
                 WHERE A.EMPNO = B.EMPNO);
```

① EARLY FILTER 서브쿼리

② SERVICE 서브쿼리

③ LOOPING 서브쿼리

④ CORRELATED 서브쿼리

해설

서브쿼리는 들어가는 위치에 따라 스칼라 서브쿼리, 인라인 뷰, 중첩 서브쿼리로 나뉘며, 동작 방식에 따라 연관 서브쿼리와 비연관 서브쿼리로 나뉜다. 또 중첩 서브쿼리는 반환되는 값의 유형에 따라 단일행 서브쿼리, 다중행 서브쿼리, 다중칼럼 서브쿼리로 나뉜다. 보기의 서브쿼리를 자세히 보면 서브쿼리에서 메인쿼리의 칼럼 EMPNO를 사용하고 있다. 이러한 서브쿼리를 연관(Correlated) 서브쿼리라고 한다.

11. **기출** 다음의 테이블들에 대한 SQL1과 SQL2의 결과가 같을 때 빈칸에 알맞은 것은?

[TBL1]

COL1	COL2
100	200
110	300
120	400
130	500

[TBL2]

COL1	COL2	COL3
100	200	1000
110	300	2000
120	400	3000
130	500	4000

```
[SQL1]
SELECT * FROM TBL1 A
WHERE (A.COL1, A.COL2) IN (SELECT B.COL1, B.COL2
                           FROM TBL2 B
                           WHERE B.COL3 > 3000);

[SQL2]
SELECT * FROM TBL1 A
WHERE (        ) (SELECT 1 FROM TBL2 B
                 WHERE A.COL1 = B.COL1
                 AND A.COL2 = B.COL2
                 AND B.COL3 > 3000);
```

① IN

② EXISTS

③ A.COL1 =

④ ANY

해설

SQL1에서는 IN 연산자를 통해 서브쿼리의 결과에 포함되는 행을 추출하고 있다. SQL2에서는 SQL1의 메인쿼리 조건식이 서브쿼리의 WHERE절 안으로 들어가 있어 조건에 맞는 행이 있으면 서브쿼리가 1을 반환하고 없으면 아무런 행도 반환하지 않는다. 따라서 EXISTS 연산자를 사용해서 반환되는 행이 있는지 없는지를 검사하면 SQL1과 동일한 결과를 출력하게 된다. 일반적으로 IN 연산자는 리스트 중에 하나와 같은지를 비교하므로 서브쿼리의 모든 결과를 비교하지만 EXISTS는 결과가 하나라도 발견되면 즉시 결과를 반환하므로 속도가 빠르다는 장점이 있다.

12. 아래의 SQL문과 같은 결과를 보여주는 것으로 옳은 것은?

[부서]

부서번호	부서명
101	개발부
102	인사부
103	기획부

[비품사용]

부서번호	비품코드	사용량
101	N01	100
101	N02	200
101	N03	300
102	N01	200
102	N02	300
103	N01	300

```
[SQL]
SELECT A.부서번호, B.비품코드, SUM(사용량) AS 사용량합계
FROM 부서 A INNER JOIN 비품사용 B ON A.부서번호=B.부서번호
GROUP BY CUBE(A.부서번호, B.비품코드)
ORDER BY A.부서번호, B.비품코드;
```

① SELECT A.부서번호, B.비품코드, SUM(사용량) AS 사용량합계
   FROM 부서 A INNER JOIN 비품사용 B ON A.부서번호=B.부서번호
   GROUP BY GROUPING SETS(A.부서번호, B.비품코드)
   ORDER BY A.부서번호, B.비품코드;

② SELECT A.부서번호, B.비품코드, SUM(사용량) AS 사용량합계
   FROM 부서 A INNER JOIN 비품사용 B ON A.부서번호=B.부서번호
   GROUP BY GROUPING SETS(A.부서번호, B.비품코드, (A.부서번호, B.비품코드))
   ORDER BY A.부서번호, B.비품코드;

③ SELECT A.부서번호, B.비품코드, SUM(사용량) AS 사용량합계
   FROM 부서 A INNER JOIN 비품사용 B ON A.부서번호=B.부서번호
   GROUP BY GROUPING SETS(A.부서번호, B.비품코드, (A.부서번호, B.비품코드), ())
   ORDER BY A.부서번호, B.비품코드;

④ SELECT A.부서번호, B.비품코드, SUM(사용량) AS 사용량합계
   FROM 부서 A INNER JOIN 비품사용 B ON A.부서번호=B.부서번호
   GROUP BY GROUPING SETS((A.부서번호), (B.비품코드))
   ORDER BY A.부서번호, B.비품코드;

4 출제예상문제(20문항)

CUBE 함수와 같은 결과를 보여주는 GROUPING SETS 함수의 형식을 묻고 있다. CUBE(부서번호, 비품코드)라고 하면 (부서번호, 비품코드), (부서번호), (비품코드), (전체)로 그룹핑하고 각각의 소계를 계산한다. 따라서 이에 해당하는 GROUPING SETS 형식은 GROUPING SETS(부서번호, 비품코드, (부서번호, 비품코드), ( ))이다. ①번, ④번은 결국 같은 SQL문으로 부서번호와 비품코드의 소계를 내고 있고, ②번은 ③번의 결과에서 전체 총계가 빠져 있다. 문제의 SQL문 실행결과는 다음과 같다.

[실행결과]

부서번호	비품코드	사용량합계
101	N01	100
101	N02	200
101	N03	300
101	NULL	600
102	N01	200
102	N02	300
102	NULL	500
103	N01	300
103	NULL	300
NULL	N01	600
NULL	N02	500
NULL	N03	300
NULL	NULL	1400

13. 기출 다음 중 파티션별 윈도우에서 가장 먼저 나온 값을 구하는 윈도우 함수는 어느 것인가?

① LAG
② LEAD
③ FIRST_VALUE
④ LAST_VALUE

행 순서함수에는 다음과 같은 것들이 있다.

함수	설명
FIRST_VALUE	파티션 별로 그룹핑하여 가장 처음 값을 반환한다.
LAST_VALUE	파티션 별로 그룹핑하여 가장 마지막 값을 반환한다.
LAG	입력된 인자의 값만큼 이전 행의 값을 반환한다.
LEAD	입력된 인자의 값만큼 이후 행의 값을 반환한다.

14. 아래와 같은 실행결과를 보여주는 SQL문을 작성한다고 했을 때 빈칸에 알맞은 것은?

[사원]

부서번호	직급	급여
101	부장	1000
101	팀장	800
101	사원	500
102	팀장	850
102	사원	600

[실행결과]

부서번호	직급	급여합계
101	부장	1000
101	사원	500
101	팀장	800
101	NULL	2300
102	사원	600
102	팀장	850
102	NULL	1450
NULL	NULL	3750

[SQL]
```
SELECT 부서번호, 직급, SUM(급여) AS 급여합계
FROM 사원
GROUP BY (          )
ORDER BY 부서번호;
```

① GROUPING SETS(부서번호, 직급)

② ROLLUP(부서번호, 직급)

③ CUBE(부서번호, 직급)

④ 부서번호, 직급

bDay

1ZDay

해설

실행결과를 보면 (부서번호, 직급), (부서번호), (전체)로 소계를 내고 있다. 이렇게 그룹핑을 하는 그룹함수는 ROLLUP이다. 이를 GROUPING SETS으로 표현하면 GROUPING SETS((부서번호, 직급), (부서번호), ( ))가 된다. CUBE의 경우 모든 조합 가능한 그룹핑을 수행하므로 CUBE(부서번호, 직급)이라고 하면 (부서번호), (직급), (부서번호, 직급), (전체)로 그룹핑한다.

15. 아래의 데이터 모델에서 과목별로 점수에 따라 등수가 5등 이내인 학생을 선별하여 성적 우수 장학금을 수여하려고 한다. 보기와 같은 실행결과를 보여주는 SQL문으로 옳은 것은? (단, 점수가 동점일 경우 동일 등수로 한다.)

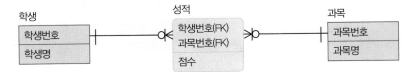

[실행결과]

과목번호	학생번호	점수	등수
101	2102	98	1
101	1203	95	2
101	3378	95	2
101	4655	88	4
101	2421	85	5
...	...	...	...

① SELECT 과목번호, 학생번호, 점수, 등수

    FROM (SELECT RANK() OVER(PARTITION BY 과목번호 ORDER BY 점수 DESC) AS 등수, 학생번호, 과목번호, 점수

      FROM 성적)

    WHERE 등수 <= 5;

② SELECT 과목번호, 학생번호, 점수, 등수

    FROM (SELECT RANK() OVER(ORDER BY 점수 DESC) AS 등수, 학생번호, 과목번호, 점수

      FROM 성적);

    WHERE 등수 <= 5;

③ SELECT 과목번호, 학생번호, 점수, 등수

    FROM (SELECT DENSE_RANK() OVER(PARTITION BY 과목번호 ORDER BY 점수 DESC) AS 등수, 학생번호, 과목번호, 점수

      FROM 성적)

    WHERE 등수 <= 5;

④ SELECT 과목번호, 학생번호, 점수, 등수

    FROM (SELECT DENSE_RANK() OVER(ORDER BY 점수 DESC) AS 등수, 학생번호, 과목번호, 점수

       FROM 성적)

    WHERE 등수 <= 5;

해설

보기에서 주어진 실행결과의 등수를 보면 1 → 2 → 2 → 4 → 5로 되어 있어 RANK( ) 함수를 사용하고 있음을 알 수 있다.
RANK( ), DENSE_RANK( ), ROW_NUMBER( )의 차이는 다음과 같다.

함수 이름	설명	예
RANK	동일 순위는 같은 순위 값을 가진다. 순위 값은 앞 순위까지의 누적 개수 +1이 된다.	1, 2, 2, 4, 4, 4, 7, ⋯
DENSE_RANK	동일 순위는 같은 순위 값을 가진다. 순위 값은 단순하게 앞 순위 +1이다.	1, 2, 2, 3, 3, 3, 4, ⋯
ROW_NUMBER	동일 순위라도 각각의 행이 고유의 순위 값을 가진다.	1, 2, 3, 4, 5, 6, 7, ⋯

RANK( ) 함수에도 OVER절을 사용할 수 있는데, 과목별로 점수에 따라 등수를 매기라고 했으므로 OVER(PARTITION
BY 과목번호 ORDER BY 점수 DESC)가 되어야 한다.

16. 아래의 TBL 테이블에 대한 SQL문의 실행결과로 옳은 것은? [Oracle]

[TBL]

TEXT
1234567
ABCDEFG
ABCD123
abc123!
A!@#$%^9

[SQL]
```
SELECT COUNT(*) FROM TBL
WHERE REGEXP_LIKE(TEXT, '^[A-Z].*[0-9]$')
```

① 1   ② 2

③ 3   ④ 4

해설

REGEXP_LIKE는 LIKE와 같이 주어진 칼럼의 문자열값이 패턴에 맞으면 참을 반환하는 함수이며 패턴을 나타낼 때 정규 표현식을 사용할 수 있다. 패턴 문자열 '^[A-Z].*[0-9]$'이 의미하는 바는 다음과 같다.

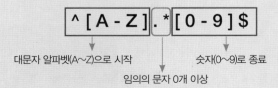

대문자 알파벳(A~Z)으로 시작

임의의 문자 0개 이상

숫자(0~9)로 종료

즉, 대문자 알파벳으로 시작하면서 숫자로 끝나는 문자열값을 가진 행의 건수를 출력한다.

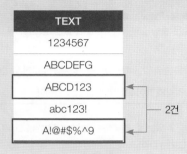

TEXT
1234567
ABCDEFG
ABCD123
abc123!
A!@#$%^9

2건

---

17. **기출** 다음 중에서 셀프 조인을 수행해야 하는 경우로 가장 적절한 것은?

① 한 테이블 내에 서로 연관된 칼럼이 없을 경우에 사용한다.

② 네트워크로 분산된 시스템에서 같은 두 개의 테이블을 조인할 때 사용한다.

③ 온라인 쇼핑몰에서 주문정보는 주문정보를 사용해서 셀프 조인한다.

④ 동일한 테이블 내 두 개의 칼럼 간에 조인을 수행할 때 사용한다.

해설

같은 테이블 안에 서로 연관된 칼럼이 존재하고 이를 조건식에 사용해서 조인을 수행하고자 한다면 동일한 테이블을 FROM 절에 두 번 입력해야 한다. 이때 동일한 테이블은 별명(Alias)을 사용하여 구분하며 이러한 조인을 셀프 조인이라고 한다. 셀프 조인은 부모-자식 관계와 같은 트리 구조로 데이터가 구성되어 있는 경우 이를 계층적으로 조회하여 출력하는 것이 가능하다. 셀프 조인을 사용할 경우 계층의 깊이가 깊어지면 쿼리가 반복되고 길어지는 단점이 있으며 계층형 질의를 사용해서 해결 가능하다.

18. 다음 TBL 테이블에 대하여 SQL문을 실행할 경우 그 결과로 옳은 것은?

[TBL]

COL1	COL2
AA	1
AA	1
AA	2
BB	2
BB	3

```
[SQL]
SELECT COUNT(COL1), COUNT(COL2)
FROM (SELECT DISTINCT COL1, COL2
    FROM TBL);
```

① 2, 3

② 2, 2

③ 3, 3

④ 4, 4

해설

DISTINCT는 나열되는 행에서 중복되는 행은 최초 한 번만 표시한다. 따라서 SELECT DISTINCT COL1, COL2 FROM TBL의 결과는 다음과 같다.

COL1	COL2
AA	1
AA	2
BB	2
BB	3

COUNT(COL1)과 COUNT(COL2)는 동일하게 행 수를 카운트하므로 결과는 4, 4이다.

19. 다음과 같은 SQL문의 결과로 옳은 것은? [Oracle]

[TBL]

NAME	VAL
JAMES	1000
RACHEL	1050
DAVID	1150
MARK	1250

[SQL]
```
SELECT NAME, VAL,
       COUNT(*) OVER(ORDER BY VAL
                     RANGE BETWEEN 50 PRECEDING
                                AND 50 FOLLOWING) AS CNT
FROM TBL;
```

①

NAME	VAL	CNT
JAMES	1000	1
RACHEL	1050	1
DAVID	1150	1
MARK	1250	1

②

NAME	VAL	CNT
JAMES	1000	2
RACHEL	1050	3
DAVID	1150	3
MARK	1250	2

③

NAME	VAL	CNT
JAMES	1000	2
RACHEL	1050	2
DAVID	1150	1
MARK	1250	1

④

NAME	VAL	CNT
JAMES	1000	2
RACHEL	1050	3
DAVID	1150	2
MARK	1250	1

해설

RANGE BETWEEN … PRECEDING AND … FOLLOWING 구문은 현재 행을 기준으로 앞뒤 값의 범위를 나타낸다. 먼저 VAL에 대해서 정렬을 수행하고 50 PRECEDING AND 50 FOLLOWING에 따라서 현재 행을 기준으로 −50 ~ +50 범위에 들어가는 행의 카운트를 표시한다.

첫 번째 행의 경우 현재 행의 값 1000을 기준으로 범위가 950 ~ 1050이 되므로 자신의 행(1000)과 다음 행(1050)까지 두 개가 카운트된다.

두 번째 행의 경우 현재 행의 값 1050을 기준으로 1000 ~ 1100 범위를 카운트하는데 이전 행(1000)과 자신의 행(1050) 이 카운트되며 다음 행(1150)은 카운트되지 않아 두 개만 카운트된다. 이렇게 각 행의 CNT를 구하면 다음과 같다.

NAME	VAL	CNT
JAMES	1000	2
RACHEL	1050	2
DAVID	1150	1
MARK	1250	1

20. 주어진 [사원], [부서] 테이블에 대한 다음 SQL문의 실행결과로 옳은 것은?

[사원]

이름	직급	부서번호
SMITH	사원	120
ALLEN	팀장	130
WARD	부장	130
JONES	팀장	120
BLAKE	사원	130
MARTIN	부장	140
FORD	팀장	120

[부서]

부서번호	부서명
120	연구개발
130	경영지원
140	영업

```
[SQL]
SELECT *
FROM (SELECT E.직급, D.부서명
      FROM 사원 E, 부서 D
      WHERE E.부서번호 = D.부서번호)
PIVOT (COUNT(*) FOR 부서명 IN ('연구개발' AS 연구개발,
                              '경영지원' AS 경영지원,
                              '영업' AS 영업));
```

①

직급	연구개발	경영지원	영업
사원	1	1	0
팀장	2	1	0
부장	0	1	1

②

직급	부서명
사원	연구개발
팀장	경영지원
부장	경영지원
팀장	연구개발
사원	경영지원
부장	영업
팀장	연구개발

③

부서명	사원	팀장	부장
연구개발	1	2	0
경영지원	1	1	1
영업	0	0	1

④

부서명	COUNT(*)
연구개발	3
경영지원	3
영업	1

해설

먼저 서브쿼리의 결과는 [사원]과 [부서] 테이블을 부서번호를 기준키로 조인한 것으로 아래와 같다.

직급	부서명
사원	연구개발
팀장	경영지원
부장	경영지원
팀장	연구개발
사원	경영지원
부장	영업
팀장	연구개발

PIVOT 구문을 통해 직급별, 부서명별로 카운팅을 하고 부서명 칼럼의 값 중 '연구개발', '경영지원', '영업'을 각각 별도의 칼럼으로 분리하여 표시한다. (PIVOT은 행으로 나열되어 있는 데이터를 열로 나열한다.)

Chapter 5

관리구문

5.1 DML

DML(Data Manipulation Language)은 데이터 조작 언어, 즉 데이터를 조작하는 작업을 수행하는 SQL 명령어이다. 이미 만들어져 있는 테이블*에 레코드를 추가하고, 변경하며, 삭제하는 등 테이블의 데이터를 변경하는 작업을 수행한다. 데이터를 조작한다는 것은 기본적으로 읽기와 쓰기 작업을 의미하는데, 앞에서 배운 SELECT문은 읽기(Read) 작업에 관한 것이고 여기서 설명하는 INSERT, UPDATE, DELETE, MERGE문은 모두 쓰기(Write) 작업에 관한 것이다.

DML 코드를 작성할 때 주의해야 할 점은 DDL과 달리 자동커밋(AUTOCOMMIT)이 되지 않는다는 점이다. 즉, 명시적으로 커밋(COMMIT)을 실행하기 전에는 작업을 되돌리는 것이 가능하며** 데이터베이스에 접근하는 다른 사용자가 데이터를 조회할 때는, 변경된 사항이 보이지 않는다.

---

* 테이블은 DDL 코드를 사용해서 만든다.

** 이를 롤백(ROLLBACK)이라고 한다.

7Day

> **⚠ 주의 자동커밋(AUTOCOMMIT)**
>
> Oracle의 경우 DDL은 자동커밋 모드의 On/Off와 상관없이 무조건 자동커밋이 수행되므로 롤백이 불가능하다는 특징이 있다. DML은 자동커밋 모드에 따르며 기본 모드가 자동커밋 Off이므로 명시적으로 커밋을 수행해야 하고 롤백도 가능하다.
>
> Oracle과 달리 SQL Server는 기본적으로 자동커밋 모드이기 때문에 DDL뿐만 아니라 DML에 대해서도 별도의 커밋이나 롤백을 호출할 필요가 없다. 자동커밋 모드를 끌 경우 DML뿐만 아니라 DDL에 대해서도 자동커밋이 되지 않으므로 롤백이 가능하다. 또한 자동커밋 모드가 On인 상태에서도 명시적으로 트랜잭션을 선언(BEGIN TRANSACTION)한 경우에는 롤백이 가능하다.

13Day

5.1.1 INSERT

테이블에 레코드를 추가하는 명령어이다.

INSERT INTO 테이블1 [(칼럼1 [[, 칼럼2] ...])] VALUES (데이터1 [[, 데이터2] ...]);

- 테이블1의 칼럼1, 칼럼2에 데이터1, 데이터2를 삽입한다. 칼럼의 리스트와 데이터의 리스트가 1대 1로 대응되며 리스트에 없는 칼럼은 Null 값이 입력된다.(단, PK나 NOT NULL 제약조건을 가진 칼럼에 대해서는 Null 값이 입력될 수 없으므로 오류가 발생한다.)
- 칼럼 리스트를 생략할 수도 있는데 이때는 VALUES 이하의 데이터 리스트가 테이블의 전체 칼럼 리스트와 개수 및 각각의 데이터 타입이 일치해야 하고 그렇지 않으면 오류가 발생한다.

예제

	123 MEMBER_ID	ABC NAME	ABC EMAIL	ABC PHONE
1	1,001	David	david@gmail.com	010-8776-4672
2	1,002	Michael	michael@gmail.com	010-4455-2318
3	1,003	Jane	jane@gmail.com	010-8876-1609
4	1,004	Elizabeth	eliza@gmail.com	010-3581-3376
5	1,005	Mark	mark@gmail.com	010-2345-4321

MEMBER 테이블

INSERT INTO MEMBER (MEMBER_ID, NAME, EMAIL) VALUES(1006, 'Ethan', 'ethan@gmail.com');

- PHONE 칼럼에는 Null 값이 입력된다.

---

	123 MEMBER_ID	ABC NAME	ABC EMAIL	ABC PHONE
1	1,001	David	david@gmail.com	010-8776-4672
2	1,002	Michael	michael@gmail.com	010-4455-2318
3	1,003	Jane	jane@gmail.com	010-8876-1609
4	1,004	Elizabeth	eliza@gmail.com	010-3581-3376
5	1,005	Mark	mark@gmail.com	010-2345-4321
6	1,006	Ethan	ethan@gmail.com	[NULL]

실행결과

INSERT INTO MEMBER VALUES(1007, 'Tom', 'tom@gmail.com', '010-5532-6565');

- MEMBER 테이블에 새로운 행을 추가한다. MEMBER 테이블의 칼럼 순서(MEMBER_ID, NAME, EMAIL, PHONE)에 맞게 값이 들어간다.

---

123 MEMBER_ID ▼	ABC NAME ▼	ABC EMAIL ▼	ABC PHONE ▼
1	1,001	David	david@gmail.com	010-8776-4672
2	1,002	Michael	michael@gmail.com	010-4455-2318
3	1,003	Jane	jane@gmail.com	010-8876-1609
4	1,004	Elizabeth	eliza@gmail.com	010-3581-3376
5	1,005	Mark	mark@gmail.com	010-2345-4321
6	1,006	Ethan	ethan@gmail.com	[NULL]
7	1,007	Tom	tom@gmail.com	010-5532-6565

실행결과

≫ Test

01. 다음 DDL 코드로 생성된 주문 테이블에 대해 보기의 SQL문 중 오류가 발생하는 것은?

```
CREATE TABLE 주문(
    고객번호 NUMBER PRIMARY KEY,
    주문금액 NUMBER DEFAULT 0
);
```

① INSERT INTO 주문 VALUES(1001, 3000);

② INSERT INTO 주문 (고객번호, 주문금액) VALUES(1002, 4000);

③ INSERT INTO 주문 (고객번호) VALUES(1003);

④ INSERT INTO 주문 VALUES(1004);

해설

칼럼 리스트 없이 VALUES만으로 행을 추가할 때는 테이블의 전체 칼럼 개수와 입력되는 값의 개수가 같아야 한다.

5.1.2 UPDATE

기존의 레코드를 수정하는 명령어이다. WHERE절을 통해 수정하고자 하는 레코드를 특정하며 지정된 칼럼의 데이터를 수정한다.

```
UPDATE 테이블1 SET 칼럼1 = 데이터1 [[, 칼럼2 = 데이터2] ... ] [WHERE 조건식];
```

- 테이블1에서 WHERE절의 조건에 해당하는 레코드의 값을 변경한다. 변경하고자 하는 칼럼에 대한 값을 지정하며, WHERE절이 없을 경우 모든 레코드에 대해 적용되니 주의해야 한다.

13Day

01. ④   **5.1** | DML   **291**

예제

123 MEMBER_ID	ABC NAME	ABC EMAIL	ABC PHONE
1	1,001	David	david@gmail.com	010-8776-4672
2	1,002	Michael	michael@gmail.com	010-4455-2318
3	1,003	Jane	jane@gmail.com	010-8876-1609
4	1,004	Elizabeth	eliza@gmail.com	010-3581-3376
5	1,005	Mark	mark@gmail.com	010-2345-4321
6	1,006	Ethan	ethan@gmail.com	[NULL]
7	1,007	Tom	tom@gmail.com	010-5532-6565

MEMBER 테이블

```
UPDATE MEMBER SET PHONE = '010-7788-6809' WHERE MEMBER_ID = 1006;
```

- MEMBER_ID가 1006인 행의 PHONE 칼럼의 값을 '010-7788-6809'로 변경한다.

123 MEMBER_ID	ABC NAME	ABC EMAIL	ABC PHONE
1	1,001	David	david@gmail.com	010-8776-4672
2	1,002	Michael	michael@gmail.com	010-4455-2318
3	1,003	Jane	jane@gmail.com	010-8876-1609
4	1,004	Elizabeth	eliza@gmail.com	010-3581-3376
5	1,005	Mark	mark@gmail.com	010-2345-4321
6	1,006	Ethan	ethan@gmail.com	010-7788-6809
7	1,007	Tom	tom@gmail.com	010-5532-6565

실행결과

》Test

02. 다음 중 고객번호가 1002인 레코드에 대해서 주문금액을 두 배로 업데이트하는 SQL문으로 옳은 것은?

① UPDATE 주문 SET 주문금액 = 주문금액 * 2 WHERE 고객번호=1002;

② UPDATE 주문 주문금액 = 주문금액 * 2 WHERE 고객번호=1002;

③ UPDATE 주문 SET 주문금액 *= 2 WHERE 고객번호=1002;

④ UPDATE 주문 SET 주문금액 = 주문금액 * 2 ON 고객번호=1002;

해설
UPDATE문 문법에 맞는 것은 ①이다.

5.1.3 DELETE

기존의 레코드를 삭제하는 명령어이다. 특정 레코드를 명시하지 않으면 테이블의 모든 레코드가 삭제된다.

```
DELETE FROM 테이블1 [WHERE 조건식]
```
- WHERE절의 조건에 맞는 레코드를 삭제한다. WHERE절을 생략할 경우 모든 레코드를 삭제한다.

DDL 코드인 TRUNCATE를 사용해서도 테이블의 데이터를 모두 삭제할 수 있는데 내부적인 메커니즘은 두 명령이 완전히 다르므로 주의해야 한다. TRUNCATE는 작업취소 (UNDO)를 위한 데이터를 생성하지 않아 속도가 빠르고 디스크 공간을 릴리즈(Release) 하여 재사용이 가능하게 하는 반면 DELETE는 로그를 남기며 롤백이 가능하다는 차이가 있다.

》Test

03. 다음 중 TBL1 테이블의 데이터를 모두 삭제하는 명령으로 옳은 것은? (단, 삭제 후에도 다시 복원이 가능해야 한다.)

① DELETE FROM TBL1;
② TRUNCATE TABLE TBL1;
③ DROP TABLE TBL1;
④ DELETE TABLE TBL1;

> **해설**
> 테이블의 데이터를 삭제한 후에도 롤백이 가능하도록 하는 것은 DELETE FROM이다.

5.1.4 MERGE

MERGE를 사용하면 테이블 단위로 데이터를 갱신하는 것이 가능하다. 두 테이블을 비교하여 특정 조건에 맞는 레코드에 대해서는 UPDATE문을 실행하여 데이터를 갱신하고, 그렇지 않은 레코드는 INSERT문을 사용해서 신규 추가한다.

기존 테이블의 변경사항을 백업 테이블에 반영하거나 개발을 위해 변경 또는 추가된 레코드를 운영 환경에 적용할 때 사용할 수 있다.

```
MERGE INTO 테이블1
USING 테이블2
ON 조건식1
[WHEN MATCHED THEN
    UPDATE SET 테이블1.칼럼1 = 테이블2.칼럼1 [[, 테이블1.칼럼2 = 테이블2.칼럼
2] ... ] [WHERE 조건식2]
    [DELETE [WHERE 조건식3]]]
[WHEN NOT MATCHED THEN
    INSERT (테이블1.칼럼1 [[, 테이블1.칼럼2] ... ]) VALUES (테이블2.칼럼1
[[, 테이블2.칼럼2] ... ])]
```

- 테이블1을 테이블2와 비교하여 ON절의 조건식에 맞는 레코드의 경우 UPDATE문을 실행하여 갱신하고, 그렇지 않은 레코드는 INSERT문을 실행하여 신규 추가한다. 테이블2는 비교대상이고 테이블1이 변경되는 것으로 테이블2의 변경사항을 테이블1에 반영한다고 이해하면 쉽다.
- WHERE절을 사용해서 특정 조건의 행에 대해 UPDATE를 수행하도록 할 수 있다. DELETE절은 UPDATE가 된 행에 한하여 조건에 따라 실행되므로 주의한다.
- WHEN MATCHED THEN과 WHEN NOT MATCHED THEN 구문은 둘 중에 하나만 사용하는 것도 가능하다. 이런 경우 사용되지 않는 구문에 대해서는 아무런 동작을 수행하지 않는다.

예제

	123 MEMBER_ID	ABC NAME	ABC EMAIL	ABC PHONE
1	1,001	David	david@gmail.com	010-8776-4672
2	1,002	Michael	michael@gmail.com	010-4455-2318
3	1,003	Jane	jane@gmail.com	010-8876-1609
4	1,004	Elizabeth	eliza@gmail.com	010-3581-3376
5	1,005	Mark	mark@gmail.com	010-2345-4321
6	1,006	Ethan	ethan@gmail.com	010-7788-6809
7	1,007	Tom	tom@gmail.com	010-5532-6565

MEMBER 테이블

	123 MEMBER_ID	ABC NAME	ABC EMAIL	ABC PHONE
1	1,004	Elizabeth	[NULL]	010-3581-3376
2	1,006	Ethan	ethan@gmail.com	010-7788-6809
3	1,002	Michael	michael@gmail.com	010-4455-2318
4	1,001	David	[NULL]	[NULL]

MEMBER_BACKUP 테이블

```
MERGE INTO MEMBER_BACKUP MB
USING MEMBER M
ON (MB.MEMBER_ID = M.MEMBER_ID)
WHEN MATCHED THEN
    UPDATE SET MB.NAME = M.NAME,
               MB.EMAIL = M.EMAIL,
               MB.PHONE = M.PHONE
WHEN NOT MATCHED THEN
    INSERT (MB.MEMBER_ID, MB.NAME, MB.EMAIL, MB.PHONE) VALUES (M.MEMBER_
ID, M.NAME, M.EMAIL, M.PHONE);
```

- MEMBER_BACKUP 테이블에 MEMBER 테이블을 병합한다. MEMBER_ID를 비교하여 매칭되는 행에 대해서는 칼럼을 업데이트하고 매칭되지 않는 행은 새로 추가한다.

123 MEMBER_ID ▼	ABC NAME ▼	ABC EMAIL ▼	ABC PHONE ▼
1	1,004 Elizabeth	eliza@gmail.com	010-3581-3376
2	1,006 Ethan	ethan@gmail.com	010-7788-6809
3	1,002 Michael	michael@gmail.com	010-4455-2318
4	1,001 David	david@gmail.com	010-8776-4672
5	1,003 Jane	jane@gmail.com	010-8876-1609
6	1,005 Mark	mark@gmail.com	010-2345-4321
7	1,007 Tom	tom@gmail.com	010-5532-6565

UPDATE 실행 (rows 1-4)
INSERT 실행 (rows 5-7)

실행결과 MEMBER_BACKUP 테이블

》Test

04. 다음 설명에 맞는 DML 명령어는 어느 것인가?

가) WHEN MATCHED THEN, WHEN NOT MATCHED THEN절이 사용된다.
나) 새로운 건의 입력과 기존 건의 수정을 한 번에 수행할 수 있다.
다) 테이블의 변경 사항을 백업 테이블에 반영하거나 개발을 위해 추가, 변경된 건을 운영 환경에 적용할 때 사용할 수 있다.

① INSERT
② MERGE
③ DELETE
④ UPDATE

7Day

해설
보기의 설명은 MERGE에 대한 설명이다.

13Day

5.2 TCL

TCL(Transaction Control Language)은 트랜잭션 제어 언어, 즉 트랜잭션을 제어하는 SQL 명령어이다. 트랜잭션이란 앞에서 데이터베이스에 데이터를 읽고 쓸 때, 한 번에 수행되어야 하는 논리적인 작업 단위를 말한다고 하였다. 데이터베이스는 여러 사용자가 동시에 사용하는 것을 가정하고 있고, 이때 발생하는 무수한 읽기, 쓰기 작업 과정에서 오류 없이 데이터의 무결성을 보장하는 것이 매우 중요하다. 트랜잭션은 데이터의 무결성을 보장하기 위한 읽기, 쓰기 작업의 수행 원칙을 제시한다.

트랜잭션을 이해하기 위한 간단한 예로 온라인 상점에서 상품을 하나 구매하는 것을 생각해 보자. 물건을 선택한 후, 결제를 하게 되면 내 계좌에서 상품 금액이 차감되고 구매한 물품이 구매 완료 상태로 표시될 것이다. 만약 어떤 이유에서인지 내 계좌에서 돈만 빠져나가고 상품 구매는 완료 처리가 안 되었다고 한다면 어떻게 될까? 고객은 환불을 요청할 것이고 온라인 상점 관리자는 시스템의 어느 부분에서 오류가 발생했는지 확인하고 만약 확인이 안 된다면 고객에게 환불을 해주어야 할지 말아야 할지 난감한 상황이 될 것이다. 따라서 시스템을 구축하는 개발자는 이런 상황이 절대로 발생하지 않도록 만들어야 한다. 어찌되었든 상품 구매 과정에서 오류가 발생하면 시스템 내부적으로 앞에서 차감되었던 돈도 원래대로 되돌려놓도록 처리해야 한다는 얘기다. 트랜잭션이란 이렇게 쪼개질 수 없는 하나의 작업 단위를 말한다.

TCL은 앞에서 배운 INSERT, UPDATE, DELETE 명령들을 하나의 트랜잭션으로 묶어서 처리하거나 명령들의 수행 작업을 취소할 수 있는 명령어를 제공한다.

SQLD_30

트랜잭션

5.2.1 트랜잭션의 특징

트랜잭션은 다음과 같은 특징을 가진다.

특징	설명
원자성(Atomicity)	하나의 트랜잭션으로 묶인 연산들은 All or Nothing의 개념으로 모두 실행되든지 아니면 전혀 실행되지 않아야 한다.
일관성(Consistency)	트랜잭션의 결과는 데이터베이스의 정합성을 깨지 않는다는 것으로서 트랜잭션 이전에 데이터베이스에 오류가 없다면 트랜잭션 이후에도 오류가 없다.
고립성(Isolation)	트랜잭션은 독립적으로 수행되며 다른 트랜잭션이 실행 중간에 간섭하거나 영향을 미치지 않는다.
영속성(Durability)	트랜잭션의 결과는 데이터베이스에 영구적으로 저장되어 유지된다.

5.2.2 COMMIT

커밋(COMMIT) 명령어를 만나면 INSERT, UPDATE, DELETE와 같은 DML 명령들을 통한 변경사항을 데이터베이스에 영구적으로 반영하고 락*을 해제하여 트랜잭션을 완료한다.

---

*   트랜잭션을 시작하면 일종의 쓰기 잠금이 발생하여 다른 사용자가 데이터베이스의 데이터를 수정, 반영하는 것을 막는다. 이러한 쓰기 잠금을 락(Lock)이라고 한다.

5.2.3 ROLLBACK

7Day

트랜잭션에 포함되는 전체 변경사항(이전의 커밋 명령 이후의 변경사항), 또는 지정된 저장점(SAVEPOINT) 이후의 변경사항을 취소하고 원래대로 되돌린다. 커밋과 마찬가지로 락이 해제된다. 롤백을 이해할 때 중요한 점은 일단 커밋이 된 것에 대해서는 롤백이 불가능하다는 점이다. CREATE, ALTER, TRUNCATE와 같은 DDL 명령어는 기본적으로 자동커밋이 되므로 롤백이 불가능하고 INSERT, UPDATE, DELETE와 같은 DML 명령어는 자동커밋이 되지 않아서 롤백이 가능하다는 차이가 있다. (Oracle 기준)

> ⚠️ **주의**
>
> SQL Server의 경우 기본적으로 자동커밋 모드가 On 상태이므로 DML 명령어도 자동커밋이 되어 롤백이 불가능하다. 단 BEGIN TRANSACTION에 의한 명시적 트랜잭션에 대해서는 롤백이 가능하다.

13Day

》Test

05. 다음 SQL문이 실행되었을 때의 결과로 옳은 것은? [SQL Server]

[주문]

고객번호	주문금액
1001	1000
1002	2000
1003	3000

SQLD_31

COMMIT, ROLLBACK
문제 해설

```
BEGIN TRANSACTION;
INSERT INTO 주문(고객번호, 주문금액) VALUES(1004, 2000);
COMMIT;
BEGIN TRANSACTION;
DELETE 주문 WHERE 고객번호=1001;
BEGIN TRANSACTION;
UPDATE 주문 SET 주문금액=2000 WHERE 고객번호=1003;
ROLLBACK;
SELECT COUNT(*) FROM 주문 WHERE 주문금액<=2000;
```

① 2

② 3

③ 1

④ 0

해설

COMMIT 명령에 의해 INSERT문은 실행된다. ROLLBACK 명령에 의해 앞의 DELETE문과 UPDATE문은 실행 취소되므로, 주문 테이블은 아래와 같이 된다.

고객번호	주문금액
1001	1000
1002	2000
1003	3000
1004	2000

주문금액이 2000 이하인 건수는 3건이므로 정답은 ②이다.

5.2.4 SAVEPOINT

롤백(ROLLBACK)을 하기 위한 저장점을 지정한다. 롤백으로 저장점을 지정하면 트랜잭션에 포함되는 전체 변경사항이 취소되는 것이 아니라 저장점 이후에 해당하는 변경사항만 취소된다.

> ⚠ **주의** SAVEPOINT 문법
>
> [Oracle]
>
> ```
> SAVEPOINT <이름>;
> ROLLBACK TO <이름>;
> ```
>
> Oracle에서는 특별히 트랜잭션의 시작을 지정하지 않는다. DML 코드가 시작되면 자동으로 트랜잭션이 시작된다.
>
> [SQL Server]
>
> ```
> SAVE TRANSACTION <이름>;
> ROLLBACK TRANSACTION <이름>;
> ```
>
> SQL Server는 BEGIN TRANSACTION으로 트랜잭션의 시작을 명시적으로 지정할 수 있다.

》Test

7Day

06. 다음 보기의 SQL문을 실행한 결과, 고객번호 1003의 주문금액은 얼마인가? [SQL Server]

[주문]

고객번호	주문금액
1001	1000
1002	2000
1003	3000

```
BEGIN TRANSACTION;
SAVE TRANSACTION SP1;
UPDATE 주문 SET 주문금액=2000 WHERE 고객번호=1003;
SAVE TRANSACTION SP2;
UPDATE 주문 SET 주문금액=1000 WHERE 고객번호=1003;
ROLLBACK TRANDACTION SP2;
COMMIT;
```

13Day

① 1000

② 2000

③ 3000

④ 4000

해설

ROLLBACK TRANSACTION SP2에 의해서 마지막 UPDATE문은 실행 취소되었으므로 첫 번째 UPDATE문의 실행만 적용된다.

고객번호	주문금액
1001	1000
1002	2000
1003	2000

고객번호 1003의 주문금액은 2000이다.

5.3 DDL

DDL(Data Definition Language)은 데이터 정의 언어로 데이터의 구조, 즉 스키마를 정의하고 이를 관리하는 SQL 명령어이다. ERD(Entity-Relationship Diagram)로 그려진 데이터 모델링은 논리적 모델링으로서 엔터티와 속성, 관계를 특정 DBMS에 의존적이지 않게 설계하는 것이고 DDL을 사용해서 이를 특정 DBMS에 실제로 적용하는 것은 물리적 모델링이라고 할 수 있다.

DDL을 사용해서 테이블을 생성할 때 지정해야 할 요소는 다음과 같다.

요소	설명
테이블 이름	테이블의 이름을 지정한다.
칼럼 이름	테이블을 구성하는 칼럼들의 이름을 지정한다.
칼럼 데이터 타입	각 칼럼의 데이터 타입을 지정한다.
칼럼 데이터 크기	각 칼럼의 데이터 크기를 지정한다.
제약조건(Constraints)	PK, NOT NULL 등 칼럼이 가지는 제약조건을 지정한다.

여기서 특히 데이터 타입은 DBMS의 종류에 따라 달라지므로 기종에 맞게 사용해야 한다. 데이터 타입은 크게 문자열형, 숫자형, 날짜형으로 구분하며 문자열형의 경우 가변 크기인지 고정 크기인지에 따라 타입을 지정하는 키워드가 다르다.

5.3.1 CREATE

테이블을 생성하는 명령어이다.

```
CREATE TABLE 테이블1 (
    칼럼1 데이터타입1[(데이터크기1)] [DEFAULT 기본값1] [NULL / NOT NULL]
    [[[,칼럼2 데이터타입2[(데이터크기2)] [DEFAULT 기본값2] [NULL / NOT NULL]]
    ... ]
    [, CONSTRAINT 이름1 PRIMARY KEY (칼럼1)]
    [, CONSTRAINT 이름2 FOREIGN KEY (칼럼2) REFERENCES 테이블2(칼럼3)]]
);
```

- 테이블1이란 이름의 테이블을 신규 생성한다. 테이블1이란 이름의 테이블이 이미 존재하면 오류가 발생한다. 칼럼은 여러 개 추가할 수 있으며 이때 모든 칼럼이 서로 다른 이름을 가져야 한다.
- DEFAULT는 해당 칼럼의 기본값을 지정한다. 테이블에 레코드 삽입 시 특정 값이 지정되지 않으면 여기서 지정한 기본값을 가진다.
- CONSTRAINT는 PK, FK 등의 제약조건을 지정할 때 사용한다. 논리적 모델링에서 설계한 관계(Relationship)는 여기서 FK 형태로 표현된다.

CREATE문 작성 시 주의할 점은 다음과 같다.

① 테이블 이름은 해당 데이터베이스 내에서 고유해야 한다.
② 칼럼 이름은 해당 테이블 내에서 고유해야 한다.
③ 칼럼에 대해 이름, 데이터 타입은 필수로 지정되어야 한다. (데이터 크기는 데이터 타입에 따라 지정해야 할 수도 있고 그렇지 않을 수도 있다.)
④ DEFAULT, NULL, NOT NULL 등은 선택적으로 지정 가능하다. (아무것도 지정하지 않은 경우 NULL이 지정된 것으로 본다.)
⑤ 테이블 이름, 칼럼 이름, 제약조건 이름 등 이름을 지정하는 경우 숫자로 시작될 수 없고 A-Z, a-z, 0-9, _, $, # 문자만 허용된다.
⑥ 칼럼의 정의는 괄호 안에 기술한다.
⑦ 각 칼럼은 콤마(,)로 구분한다.
⑧ 다른 SQL문과 마찬가지로 끝은 세미콜론(;)으로 끝난다.
⑨ 테이블 이름을 지정할 때, 의미 없이 짓지 않도록 한다. 가급적 해당 테이블이 담는 데이터의 성격에 맞는 이름을 사용한다.
⑩ 칼럼의 이름은 통일성을 살려서 지어야 한다. 예를 들어 MEMBER 테이블과 GUEST 테이블 모두에 회원번호에 해당하는 칼럼이 있다고 할 때, 하나는 ID, 다른 하나는 NO와 같이 다르게 하지 않고 ID로 통일해서 짓는 것이 좋다.

CONSTRAINT는 칼럼의 제약조건을 나타내며 아래와 같은 것들을 지정할 수 있다.

❶ PRIMARY KEY

PK인 칼럼을 지정한다. PK로 지정된 칼럼은 Null 값을 가질 수 없고, 모든 값이 고유 (Unique)해야 한다. 자동으로 UNIQUE INDEX가 생성된다.

❷ FOREIGN KEY

FK 또는 외래키라고 하며 다른 테이블의 PK로부터 가져온 칼럼을 지정한다. FK를 지정 하여 논리적 모델링에서 정의한 관계(Relationship)를 표현한다. FK 지정 시 참조 대상 인 칼럼에 대해서 참조 무결성 제약조건*을 지정할 수 있다.

---

* 참조 무결성 제약조건을 지정하면 데이터의 입력, 수정, 삭제 과정에서 데이터의 일관성(Consistency)이 깨지는 것을 DBMS 차원에서 방지할 수 있다.

Tip 참조 무결성 제약조건

참조 대상이 되는 쪽을 부모, 참조하는 쪽을 자식이라고 가정한다.

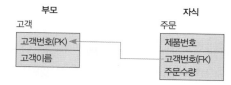

① DELETE/MODIFY ACTION

제약조건	설명
CASCADE	부모의 값 삭제 시 자식의 값도 같이 삭제된다.
SET NULL	부모의 값 삭제 시 자식의 해당 칼럼은 NULL 값이 된다.
SET DEFAULT	부모의 값 삭제 시 자식의 해당 칼럼은 기본값으로 변경된다.
RESTRICT	자식 테이블에 해당 데이터가 PK로 지정되지 않은 경우에만 부모 테이블에서 삭제 및 수정이 가능하다.
NO ACTION	제약조건을 위배한 경우 동작이 실패하며 아무런 액션도 취하지 않는다.

② INSERT ACTION

제약조건	설명
AUTOMATIC	부모 테이블에 PK가 없는 경우 PK 생성 후 자식 테이블에 값이 입력된다.
SET NULL	부모 테이블에 PK가 없는 경우 자식 테이블에 NULL 값이 입력된다.
SET DEFAULT	부모 테이블에 PK가 없는 경우 자식 테이블에 기본값이 입력된다.
DEPENDENT	부모 테이블에 PK가 존재할 때만 자식 테이블에 값 입력을 허용한다.
NO ACTION	제약조건을 위배한 경우 동작이 실패하며 아무런 액션도 취하지 않는다.

SQLD_32

참조 무결성 제약조건

7Day

NOTE
CASCADE에 의해 자식의 값이 삭제될 때, 해당 칼럼의 값만 삭제되는 것이 아니라 행 전체가 삭제됩니다. 행은 유지한 채로 해당 칼럼의 값만 삭제하고 싶다면 SET NULL을 사용합니다.

13Day

❸ UNIQUE KEY

PK와 마찬가지로 모든 값이 고유해야 하는 조건을 지정한다. 단, PK와 달리 Null 값을 가질 수 있다.

❹ NOT NULL

Null 값을 가질 수 없다. NOT NULL 제약조건을 가진 칼럼에 Null 값이 입력되는 경우 오류가 발생한다.

❺ CHECK

가질 수 있는 값을 특정 범위로 제한한다. 예를 들어 GENDER라는 칼럼이 있다고 했을 때, 'M', 'F'의 두 가지 값만 가지도록 제한하려면 다음과 같이 하면 된다.

```
CONSTRAINT CHK_GENDER CHECK(GENDER IN ('M', 'F'))
```

》Test

07. 테이블을 생성하는 CREATE문 작성 시 유의해야 할 점으로 <u>옳지 않은</u> 것은?

① 칼럼의 이름은 통일성 있게 지어야 한다.
② 테이블의 이름은 해당 데이터베이스에서 유일해야 한다.
③ 칼럼에 대해 이름과 데이터 타입은 필수로 지정해야 한다.
④ 테이블의 이름은 작성의 편의성을 위해 TBL01, TBL02와 같이 일련번호 형태로 작성한다.

> **해설**
> 테이블의 이름은 내용에 맞게, 의미 있게 짓는 것이 좋다.

5.3.2 ALTER

생성되어 있는 테이블의 스키마를 변경하는 명령어이다.

❶ 칼럼 추가

ALTER TABLE 테이블1 ADD 칼럼1 데이터타입1[(데이터크기1)];

- 테이블1이란 기존 테이블에 칼럼1이란 새로운 칼럼을 추가한다. 기존 칼럼들의 끝에 추가된다.

❷ 칼럼 삭제

ALTER TABLE 테이블1 DROP COLUMN 칼럼1;

- 테이블1에서 칼럼1을 삭제한다. ALTER로 삭제한 칼럼은 복구가 불가능하므로 주의해야 한다.

❸ 칼럼 변경

```
ALTER TABLE 테이블1 MODIFY (
    칼럼1 데이터타입1[(데이터크기1)] [DEFAULT 기본값1] [NULL / NOT NULL]
    [[, 칼럼2 데이터타입2[(데이터크기2)] [DEFAULT 기본값2] [NULL / NOT NULL]]
    ... ]
);
```

- 칼럼에 저장된 데이터가 하나도 없는 경우에만 데이터 타입 변경이 가능하다.
- 데이터 크기를 줄이는 경우 이미 저장되어 있는 값들을 줄어든 데이터 크기에 모두 담을 수 있을 경우에만 줄일 수 있다.
- DEFAULT를 지정할 경우, 변경 이후에 추가되는 레코드에 대해서만 기본값이 적용된다.
- NOT NULL로 변경하려면 현재 칼럼의 값 중에 Null 값이 없어야 한다.

⚠️ **주의**

SQL Server는 칼럼 변경 시 아래 형식을 따르며 여러 칼럼을 동시에 수정하는 구문은 지원하지 않는다.

```
ALTER TABLE 테이블1 ALTER COLUMN 칼럼1 데이터타입1(데이터크기1) [DEFAULT
기본값1] [NULL / NOT NULL];
```

7Day

NOTE
확장형 데이터 타입으로 변경할 경우에는 칼럼이 비어 있지 않아도 가능합니다.
예) DATE → TIMESTAMP

13Day

5.3 | DDL **305**

❹ 칼럼 이름 변경

ALTER TABLE 테이블1 RENAME COLUMN 칼럼1 TO 칼럼2;

- 칼럼1을 칼럼2로 이름을 변경한다.

❺ 제약조건 추가

ALTER TABLE 테이블1 ADD CONSTRAINT 이름1 제약조건(칼럼1);

- 칼럼1에 대해 이름1이란 이름의 제약조건을 추가한다.

❻ 테이블 삭제

DROP TABLE 테이블1 [CASCADE CONSTRAINTS];

- 다른 테이블에서 테이블1을 참조하고 있는 경우 CASCADE CONSTRAINTS를 명시하지 않으면 삭제가 불가능하며 오류가 발생한다.

⚠ 주의
SQL Server에서는 CASCADE 옵션을 사용할 수 없다. 따라서 테이블 삭제 전에 별도로 제약조건을 삭제해야 한다.

❼ 테이블 초기화

TRUNCATE TABLE 테이블1;

- 테이블의 데이터만 삭제하고 스키마는 그대로 둔다.
- DELETE와 달리 롤백이 불가능하고, 저장 공간이 릴리즈(Release)된다.

Tip DROP, TRUNCATE, DELETE의 차이

	DROP	TRUNCATE	DELETE
문법	DROP TABLE 〈테이블〉	TRUNCATE TABLE 〈테이블〉	DELETE FROM 〈테이블〉
SQL 종류	DDL	DDL	DML
동작	테이블을 스키마까지 완전하게 삭제	테이블을 생성 초기 상태로 초기화 (데이터는 삭제하고 스키마는 남김)	스키마는 남겨두고 데이터만 삭제 (WHERE절을 사용하여 특정 행만 삭제 가능)
자동커밋 여부	O	O	X
디스크 공간 릴리즈	O	O	X
작업취소(UNDO)를 위한 로그 데이터 생성 여부	X	X	O

SQLD_33

DROP, TRUNCATE,
DELETE의 차이

》Test

08. 이미 생성되어 있는 테이블의 스키마를 변경하기 위한 명령어는?

① CREATE
② DROP
③ ALTER
④ REPLACE

해설

스키마를 변경하는 명령어는 ALTER이다.

7Day

13Day

5.4 DCL

DCL(Data Control Language)은 데이터 제어 언어로 사용자를 생성하고 권한을 부여하는 작업을 수행하는 SQL 명령어이다.

5.4.1 USER 관련 명령어

데이터베이스를 생성한 후, 여기에 데이터를 읽고 쓰려면 계정(USER)이 필요하다. USER 관련 명령어는 계정을 생성하고 변경하며 삭제하는 명령어를 말한다.

❶ USER 생성

```
CREATE USER 사용자1 IDENTIFIED BY 패스워드1;
```
- 사용자1이란 이름의 USER를 새로 생성하며 패스워드1으로 비밀번호를 지정한다.
- 사용자1이란 USER가 이미 있을 경우 오류가 발생한다. 이 경우 ALTER USER를 사용해야 한다.

❷ USER 변경

```
ALTER USER 사용자1 IDENTIFIED BY 패스워드1;
```
- 이미 생성되어 있는 사용자1의 비밀번호를 패스워드1으로 변경한다.

❸ USER 삭제

```
DROP USER 사용자1;
```
- 사용자1이란 USER를 삭제한다.

≫Test

09. 다음 중 사용자를 생성하고 사용자에게 데이터베이스에 대한 권한을 부여하거나 회수하는 명령어는
어느 것인가?

① DDL

② DML

③ DCL

④ TCL

해설
사용자를 생성하고, 사용자에게 권한을 부여하는 등의 작업을 수행하는 명령어는 DCL이다.

5.4.2 권한 관련 명령어

데이터베이스에 접근 권한을 부여한다. 앞에서 생성한 계정에 대해서 특정 데이터베이스
에 대한 읽기, 쓰기 등의 접근 권한을 부여하는 명령어이다.

❶ GRANT

```
GRANT 권한1 [ON 테이블1] TO 사용자1 [WITH GRANT OPTION];
```
- 사용자1에게 권한1을 부여한다.
- 특정 테이블에 대해서만 권한을 부여하려면 ON 옵션을 추가한다.
- WITH GRANT OPTION을 추가하면 권한을 받는 사용자가 다른 사용자에게 자신이 부여받
은 권한을 줄 수 있다.
- 여기서 지정할 수 있는 권한은 DBMS에 따라 여러 가지가 있다. 대표적으로 테이블을
생성할 수 있는 권한을 부여하려면 다음과 같이 하면 된다.
```
GRANT CREATE TABLE TO 사용자1;
```

7Day

13Day

권한	설명
CREATE USER	사용자를 생성할 수 있는 권한
ALTER USER	생성된 사용자의 정보를 변경할 수 있는 권한
DROP USER	사용자를 삭제할 수 있는 권한
CREATE SESSION	데이터베이스 접속 권한
ALTER SESSION	데이터베이스 접속 상태에서 환경 값을 변경할 수 있는 권한
CREATE TABLE	자신 소유의 테이블을 생성할 수 있는 권한
CREATE ANY TABLE	임의의 스키마 소유 테이블을 생성할 수 있는 권한

❷ REVOKE

REVOKE 권한1 [ON 테이블1] FROM 사용자1 [RESTRICT / CASCADE];

- 사용자1에게 부여한 권한1을 회수한다.
- 특정 테이블에 대해서만 권한을 회수하려면 ON 옵션을 추가한다.
- RESTRICT는 해당 권한을 회수할 때 다른 권한도 같이 회수되어야 하는 경우, 즉 다른 권한에 의존적인 경우에 본 권한회수 명령이 수행되지 않는다.
- CASCADE는 해당 권한을 회수할 때 의존적인 다른 권한까지 함께 회수한다.
- 테이블 생성 권한을 회수하려면 다음과 같이 하면 된다.

REVOKE CREATE TABLE FROM 사용자1;

》Test

10. 사용자가 테이블을 생성하는 작업을 할 수 있도록 권한을 부여하는 DCL로 옳은 것은?

① REVOKE CREATE TABLE TO USER1;

② GRANT CREATE TABLE TO USER1;

③ ROLE CREATE TABLE TO USER1;

④ ALTER CREATE TABLE TO USER1;

해설
사용자에게 권한을 부여하는 DCL은 GRANT이다.

5.4.3 ROLE 관련 명령어

계정에 부여할 수 있는 권한은 그 종류가 매우 많다. 따라서 각각의 계정에 대해 일일이 권한을 부여하는 것은 데이터베이스를 관리하는 입장에서 보자면 복잡하고 비효율적인 작업이 된다. 따라서 일반적으로 데이터베이스를 관리할 때 몇 가지 권한을 묶어서 일종의 패키지로 만든 다음 이를 각 계정에 부여하는 방식을 사용하며 이렇게 권한을 패키지로 묶은 것을 ROLE이라고 한다.

ROLE을 생성하고 사용하는 방법은 다음과 같다.

① ROLE_MGR이라는 이름의 ROLE을 생성한다.

```
CREATE ROLE ROLE_MGR;
```

② 생성된 ROLE_MGR에 세션 연결(CREATE SESSION), 테이블 생성(CREATE TABLE), 사용자 생성(CREATE USER) 권한을 부여한다.

```
GRANT CREATE SESSION, CREATE TABLE, CREATE USER TO ROLE_MGR;
```

③ ROLE_MGR 역할을 USER1이라는 사용자에게 부여한다.

```
GRANT ROLE_MGR TO USER1;
```

④ 이제 USER1이란 계정은 세션 연결, 테이블 생성, 사용자 생성 권한을 가지는 관리자 역할의 계정이 되었다.

7Day

≫Test

11. 아래의 (㉠)에 들어갈 단어로 알맞은 것은?

DBMS 사용자에게 부여할 수 있는 권한은 그 종류가 매우 많기 때문에 각각의 사용자에 대한 권한을 일일이 관리하는 것은 매우 복잡하고 부담스러운 일이다. 이러한 관리자의 불편을 줄이기 위해 사용자의 권한을 그룹으로 묶어서 관리할 수 있도록 한 것을 (㉠)(이)라고 한다.

① ROLE   ② GRANT
③ REVOKE   ④ PRIVILEGE

13Day

해설
보기는 ROLE에 대한 설명이다.

01. 다음 두 테이블 TBL1, TBL2에 대해서 아래의 SQL문을 실행한 후 TBL1의 건수는 어떻게 되는가?

[TBL1]

COL1	COL2	COL3
A	X	1
B	Y	2
C	Z	3

[TBL2]

COL1	COL2	COL3
A	X	1
B	Y	2
C	Z	3
D	XY	4
E	YZ	5

```
[SQL]
MERGE INTO TBL1
USING TBL2
  ON (TBL1.COL1 = TBL2.COL1)
WHEN MATCHED THEN
  UPDATE SET TBL1.COL3 = 4
    WHERE TBL1.COL3 = 2
  DELETE WHERE TBL1.COL3 <= 2
WHEN NOT MATCHED THEN
  INSERT(TBL1.COL1, TBL1.COL2, TBL1.COL3)
    VALUES(TBL2.COL1, TBL2.COL2, TBL2.COL3);
```

① 4

② 3

③ 5

④ 8

MERGE INTO 구문은 특정 조건에 맞는 레코드에 대해서는 UPDATE문을 실행하여 데이터를 갱신하고, 그렇지 않은 레코드는 INSERT문을 사용해서 신규 추가한다. DELETE절은 UPDATE절로 갱신된 행만을 대상으로 수행되며, 갱신된 값을 기준으로 행을 삭제한다. (업데이트의 결과가 DELETE의 조건을 만족하는 경우가 없으므로 위 구문의 DELETE는 실행되지 않음) 실행결과는 다음과 같다.

COL1	COL2	COL3
A	X	1
B	Y	4
C	Z	3
D	XY	4
E	YZ	5

02. **기출** 다음과 같이 MEMBER 테이블을 생성하고자 한다. 테이블을 생성하고 인덱스를 추가하는 DDL문으로 올바른 것은?

MEMBER

MEM_ID VARCHAR(20)
NAME VARCHAR(100) NOT NULL
KIND VARCHAR(10)
REGDATE DATE

① CREATE TABLE MEMBER (

    MEM_ID VARCHAR(20) PRIMARY KEY,

    NAME VARCHAR(100) NOT NULL,

    KIND VARCHAR(10),

    REGDATE DATE

    );

    CREATE INDEX IDX_MEMBER ON MEMBER(KIND);

```
② CREATE TABLE MEMBER (
   MEM_ID VARCHAR(20),
   NAME VARCHAR(100) NOT NULL,
   KIND VARCHAR(10),
   REGDATE DATE
   );
   CREATE INDEX IDX_MEMBER AS MEMBER(KIND);
③ CREATE TABLE MEMBER (
   MEM_ID VARCHAR(20),
   NAME VARCHAR(100) NOT NULL,
   KIND VARCHAR(10),
   REGDATE DATE
   );
   CREATE INDEX IDX_MEMBER ON MEMBER(KIND);
④ CREATE TABLE MEMBER (
   MEM_ID VARCHAR(20) PRIMARY KEY,
   NAME VARCHAR(100) NOT NULL,
   KIND VARCHAR(10),
   REGDATE DATE
   );
   ALTER INDEX IDX_MEMBER ON MEMBER(KIND);
```

해설

CREATE TABLE에서 MEM_ID에 PRIMARY KEY를 표시해야 하고, 인덱스를 생성하는 문법은 CREATE INDEX 〈인덱스명〉 ON TABLE(COLUMN)이므로 CREATE INDEX IDX_MEMBER ON MEMBER(KIND)가 되어야 한다.

03. 표준 SQL(SQL:1999)에서 테이블을 생성할 때 참조관계를 정의하기 위해서는 FK, 즉 외래키를 선언한다. FK 선언 시 부모 테이블에 PK가 없는 경우 자식 테이블에 데이터 입력을 허용하지 않는 참조동작(Referential Action)은 어느 것인가?

① CASCADE
② AUTOMATIC
③ DEPENDENT
④ RESTRICT

해설

데이터 삽입 시 FK 제약조건의 참조 무결성 옵션은 다음과 같다.

제약조건	설명
AUTOMATIC	부모 테이블에 PK가 없는 경우 PK 생성 후 자식 테이블에 값이 입력된다.
SET NULL	부모 테이블에 PK가 없는 경우 자식 테이블에 NULL 값이 입력된다.
SET DEFAULT	부모 테이블에 PK가 없는 경우 자식 테이블에 기본값이 입력된다.
DEPENDENT	부모 테이블에 PK가 존재할 때만 자식 테이블에 값 입력을 허용한다.
NO ACTION	제약조건을 위배한 경우 동작이 실패하며 아무런 액션도 취하지 않는다.

04. 다음 SQL문이 순서대로 실행되고 난 후의 결과값은?

```
[SQL]
CREATE TABLE TBL1(COL1 NUMBER(10));
INSERT INTO TBL1 VALUES(1);
INSERT INTO TBL1 VALUES(4);
SAVEPOINT SP1;
UPDATE TBL1 SET COL1=8 WHERE COL1=2;
SAVEPOINT SP1;
DELETE TBL1 WHERE COL1 >= 2;
ROLLBACK TO SP1;
INSERT INTO TBL1 VALUES(3);
SELECT MAX(COL1) FROM TBL1;
```

① 1
② 2
③ 3
④ 4

해설

같은 이름의 SAVEPOINT를 선언하면 앞에서 선언된 것은 무시된다. 따라서 ROLLBACK할 때 마지막에 선언한 SAVEPOINT로 롤백(ROLLBACK)된다.

05. **기출** 아래에서 설명한대로 테이블의 칼럼을 변경하는 DDL문으로 올바른 것은? [Oracle]

> 회원 테이블의 이름 칼럼의 데이터 타입을 CHAR에서 VARCHAR로 변경하고 데이터 크기를 120으로 늘린다.

① ALTER TABLE 회원 ADD CONSTRAINT COLUMN 이름 VARCHAR(120);

② ALTER TABLE 회원 ADD COLUMN 이름 VARCHAR(120);

③ ALTER TABLE 회원 MODIFY(이름 VARCHAR(120));

④ ALTER TABLE 회원 ALTER COLUMN 이름 VARCHAR(120);

해설

Oracle에서 칼럼을 변경하는 것은 ALTER TABLE ~ MODIFY(~)이다. 따라서 주어진 지시에 따라 DDL문을 작성하면 ALTER TABLE 회원 MODIFY(이름 VARCHAR(120))이다.

06. 아래와 같이 스키마를 변경하려고 한다. 적절한 SQL문은? [SQL Server]

회원

| 회원번호 VARCHAR(10) NOT NULL |
| 회원명 VARCHAR(10) NOT NULL |
| 등록일자 VARCHAR(100) NULL |

회원

| 회원번호 VARCHAR(10) NOT NULL |
| 회원명 VARCHAR(80) NOT NULL |
| 등록일자 DATE NOT NULL |

① ALTER TABLE 회원 ALTER COLUMN (회원명 VARCHAR(80) NOT NULL, 등록일자 DATE NOT NULL)

② ALTER TABLE 회원 ALTER COLUMN (회원명 VARCHAR(80), 등록일자 DATE NOT NULL)

③ ALTER TABLE 회원 ALTER COLUMN 회원명 VARCHAR(80) NOT NULL;
   ALTER TABLE 회원 ALTER COLUMN 등록일자 DATE NOT NULL;

④ ALTER TABLE 회원 ALTER COLUMN 회원명 VARCHAR(80);
   ALTER TABLE 회원 ALTER COLUMN 등록일자 DATE NOT NULL;

해설

테이블 칼럼의 정의를 변경할 때 SQL Server의 문법은 다음과 같다.

ALTER TABLE 〈테이블명〉 ALTER COLUMN〈칼럼명〉 …

또한 SQL Server에서는 여러 행을 동시에 수정하는 구문이 지원되지 않으므로 변경하려는 칼럼 수만큼 ALTER문을 작성해야 한다.

07. 아래와 같은 구조의 테이블을 생성하려고 한다. 이때 아직 부서가 미정인 사원의 부서(DEPT_CODE)는 기본부서(코드: '1000')로 지정하고, 입사일자(JOIN_DATE)를 기준으로 많은 조회가 발생하므로 입사일자에 인덱스를 생성하려고 한다. SQL문에서 ㉠, ㉡, ㉢에 들어갈 알맞은 표현은?

EMP

EMP_NO: VARCHAR2(10) NOT NULL
EMP_NM: VARCHAR2(30) NOT NULL DEPT_CODE: VARCHAR2(4) NOT NULL JOIN_DATE: DATE NOT NULL REGIST_DATE: DATE NULL

```
CREATE TABLE EMP (
  EMP_NO VARCHAR2(10)            ㉠          ,
  EMP_NM VARCHAR2(30) NOT NULL,
  DEPT_CODE VARCHAR2(4)         ㉡         ,
  JOIN_DATE DATE NOT NULL,
  REGIST_DATE DATE NULL
);
ALTER TABLE EMP ADD CONSTRAINT EMP_PK PRIMARY KEY(EMP_NO);
CREATE         ㉢          IDX_EMP_01 ON EMP(JOIN_DATE);
```

① PRIMARY KEY, DEFAULT '1000' NOT NULL, INDEX
② NOT NULL, DEFAULT '1000' NOT NULL, INDEX
③ NOT NULL, DEFAULT '1000', INDEX
④ PRIMARY KEY, DEFAULT '1000', INDEX

해설

EMP_NO는 NOT NULL로 되어 있고 PK 속성이다. 따라서 ㉠에는 NOT NULL 또는 PRIMARY KEY가 들어가야 하는데 뒤에 ALTER문으로 PK 제약조건을 추가하고 있으므로 여기서는 단순히 NOT NULL만 입력한다. PRIMARY KEY라고 입력하면 뒤에 오는 ALTER문에서 오류가 발생한다. 부서(DEPT_CODE)는 NOT NULL로 되어 있고 기본값 '1000'을 지정해야 하므로 ㉡에는 DEFAULT '1000' NOT NULL이 들어가야 한다. 이때 NOT NULL을 생략하면 NULL이 되므로 빠뜨리지 않도록 주의한다. 입사일자(JOIN_DATE)에 인덱스를 생성한다고 했으므로 ㉢은 INDEX이다.

08. 다음 중 문자열을 입력할 때 입력되는 문자열의 크기와 상관없이 일정한 고정 길이를 갖는 타입은?

① VARCHAR2

② NUMBER

③ CHAR

④ DATE

해설
VARCHAR2는 가변길이 문자열형으로 입력된 데이터의 크기에 맞춘다. CHAR는 고정길이 문자열형으로 사이즈보다 작게 입력되면 나머지 공간을 빈 공간으로 채운다.

09. 입력(Insert), 수정(Update), 삭제(Delete) 등 DML 명령어를 실행한 후에 작업취소를 위한 명령어로 옳은 것은?

① ROLLBACK

② SAVEPOINT

③ COMMIT

④ GRANT

해설
트랜잭션에 포함되는 전체 변경사항(이전의 커밋 명령 이후의 변경사항), 또는 지정된 저장점(SAVEPOINT) 이후의 변경사항을 취소하고 원래대로 되돌리는 명령어는 롤백(ROLLBACK)이다.

10. CREATE문 작성 시 주의할 점으로 잘못된 것은?

① 테이블 이름은 해당 데이터베이스에서 고유해야 한다.

② 칼럼에 대해 이름과 데이터 타입은 필수로 지정해야 한다.

③ NULL / NOT NULL 옵션을 생략하면 NOT NULL로 처리된다.

④ 테이블, 칼럼, 제약조건 등의 이름은 숫자로 시작될 수 없다.

해설
DEFAULT, NULL, NOT NULL 등은 선택적으로 지정 가능하며 아무것도 지정하지 않은 경우 NULL이 지정된 것으로 본다.

11. 다음 중 DROP, TRUNCATE, DELETE 명령어에 대해 비교한 설명으로 옳지 않은 것을 2개 고르시오.

① DROP 명령어는 테이블을 스키마까지 완전히 삭제하는 것이고, TRUNCATE 명령어는 테이블을 초기상태로 만드는 것이다.

② DROP은 자동커밋(AUTOCOMMIT)으로 실행되고, DELETE와 TRUNCATE는 사용자 커밋(COMMIT)으로 실행되어 롤백이 가능하다.

③ 특정 테이블에 대하여 WHERE절이 없는 DELETE문을 실행하는 것은 DROP TABLE 명령을 실행하는 것과 똑같다.

④ TRUNCATE 명령은 작업취소(UNDO)를 위한 데이터를 생성하지 않기 때문에 DELETE보다 속도가 빠르다.

해설

DROP, TRUNCATE, DELETE를 비교하면 다음과 같다.

	DROP	TRUNCATE	DELETE
문법	DROP TABLE 〈테이블〉	TRUNCATE TABLE 〈테이블〉	DELETE FROM 〈테이블〉
SQL 종류	DDL	DDL	DML
동작	테이블을 스키마까지 완전하게 삭제	테이블을 생성 초기 상태로 초기화(데이터는 삭제하고 스키마는 남김)	스키마는 남겨두고 데이터만 삭제 (WHERE절을 사용하여 특정 행만 삭제 가능)
자동커밋 여부	O	O	X
디스크 공간 릴리즈	O	O	X
작업취소(UNDO)를 위한 로그 데이터 생성 여부	X	X	O

② TRUNCATE는 자동커밋으로 실행된다.

③ WHERE절이 없는 DELETE문은 DROP TABLE이 아니라 TRUNCATE TABLE과 같다. 단, 이때도 데이터만 삭제한다는 점에서 같을 뿐이지 롤백 가능 여부나 디스크 공간 릴리즈 여부 등에서는 서로 다르다.

12. 다음 중 트랜잭션의 특징으로 잘못된 것은?

① 원자성(Atomicity): 하나의 트랜잭션으로 묶인 연산들은 All or Nothing의 개념으로 모두 실행되든지 아니면 전혀 실행되지 않아야 한다.

② 고립성(Isolation): 트랜잭션은 독립적으로 수행되며 다른 트랜잭션이 실행 중간에 간섭하거나 영향을 미치지 않는다.

③ 일관성(Consistency): 트랜잭션 이전에 데이터베이스에 오류가 있더라도 트랜잭션 이후에는 오류가 수정된다.

④ 영속성(Durability): 트랜잭션의 결과는 데이터베이스에 영구적으로 저장되어 유지된다.

13. **기출** 다음 중 사용자의 권한을 회수하는 DCL 명령어는?

① GRANT
② REVOKE
③ RENAME
④ ROLLBACK

14. 아래와 같은 테이블에 대해서 데이터를 삽입하는 SQL문 중에서 성공하는 것을 고르면?

```
CREATE TABLE TBL (
    ID NUMBER PRIMARY KEY,
    AMT NUMBER NOT NULL,
    DEGREE VARCHAR2(1)
);


가) INSERT INTO TBL VALUES(1, 100);
나) INSERT INTO TBL(ID, AMT, DEGREE) VALUES(2, 200, 'AB');
다) INSERT INTO TBL(ID, DEGREE) VALUES(4, 'X');
라) INSERT INTO TBL(ID, AMT) VALUES(3, 300);
마) INSERT INTO TBL VALUES(5, 500, NULL);
```

① 가, 나
② 나, 다
③ 다, 라
④ 라, 마

가) 삽입 칼럼을 명시하지 않고 입력하고자 한다면 모든 칼럼을 입력해야 한다.

나) DEGREE 칼럼의 크기가 1이므로 'AB'는 길이 초과로 입력할 수 없다.

다) AMT 칼럼을 생략하고 입력하고 있다. 생략한 칼럼은 기본값으로 NULL이 입력되는데 AMT 칼럼이 NOT NULL로 선언되어 있으므로 생략하고 입력할 수 없다.

---

15. 권한을 회수하는 REVOKE 명령어에 대해 회수하려는 권한이 다른 권한에 의존성이 있어 같이 취소되어야 하는 경우, 모든 권한을 취소하려면 어떤 옵션을 추가해야 하는가?

① RESTRICT
② CONSTRAINT
③ CASCADE
④ AUTOMATIC

RESTRICT는 해당 권한을 취소할 때 다른 권한도 같이 취소되어야 하는 경우, 즉 다른 권한에 의존적인 경우에 권한취소 명령이 수행되지 않는다. CASCADE는 해당 권한을 취소할 때 의존적인 다른 권한까지 함께 취소된다.

7Day

---

16. 다음 중 커밋(COMMIT)되지 않은 데이터에 대한 설명으로 옳지 않은 것은?

① 변경된 데이터가 다른 사용자에게도 보여진다.
② 롤백(ROLLBACK) 명령어로 이전 커밋(COMMIT) 이후의 변경 사항을 취소할 수 있다.
③ 변경된 데이터가 나 자신에게는 정상적으로 보여진다.
④ 다른 사용자가 커밋(COMMIT)되지 않은 데이터를 수정할 수 없다.

커밋(COMMIT) 명령어를 만나면 INSERT, UPDATE, DELETE와 같은 DML 명령들을 통한 변경사항을 데이터베이스에 영구적으로 반영하고 락(Lock)을 해제하여 트랜잭션을 완료한다. 변경된 데이터는 커밋(COMMIT)이 되어야 데이터베이스에 반영되고 다른 사용자에게도 보여진다. 커밋(COMMIT)되지 않은 데이터는 롤백(ROLLBACK)이 가능하다.

13Day

17. 아래 테이블 TBL1, TBL2, TBL3에 대하여 DELETE FROM TBL1을 수행한 후에 테이블 TBL3에 남아 있는 데이터로 가장 적절한 것은?

```
[TBL1]
CREATE TABLE TBL1 (
C INTEGER PRIMARY KEY,
D INTEGER);

[TBL2]
CREATE TABLE TBL2 (
B INTEGER PRIMARY KEY,
C INTEGER REFERENCES TBL1(C) ON DELETE CASCADE);

[TBL3]
CREATE TABLE TBL3 (
A INTEGER PRIMARY KEY,
B INTEGER REFERENCES TBL2(B) ON DELETE SET NULL);
```

[TBL1]

C	D
1	1
2	1

[TBL2]

B	C
1	1
2	1

[TBL3]

A	B
1	1
2	2

①

1	1

②

2	2

③

1	NULL
2	NULL

④

1	NULL
2	2

해설

TBL1를 삭제하면 참조 제약조건에 따라서 TBL2도 2건 모두 삭제된다. (CASCADE 옵션), TBL3는 SET NULL 옵션에 따라 Child 해당 필드(FK : B 칼럼) 값이 NULL로 변경된다.

18. USER2가 아래와 같은 작업을 수행할 수 있도록 권한을 부여하는 DCL로 옳은 것은?

```
UPDATE USER1.TBL1
SET COL1='AA'
WHERE COL2=30
```

① GRANT SELECT, UPDATE ON USER1.TBL1 TO USER2;
② DENY UPDATE ON USER1.TBL1 TO USER2;
③ REVOKE SELECT ON USER1.TBL1 FROM USER2;
④ GRANT SELECT, UPDATE TO USER2;

해설
권한을 부여하는 것은 GRANT이고 부여한 권한을 회수하는 것은 REVOKE이다. USER1.TBL1을 업데이트할 수 있는 권한을 USER2에 부여하는 것이므로 ON USER1.TBL1 TO USER2 옵션이 추가되어야 한다. UPDATE 권한을 부여할 때는 SELECT 권한, 즉 조회 권한도 같이 부여한다.

19. 기출 아래의 SQL문을 순차적으로 수행한 결과로 옳은 것은?

```
CREATE TABLE TBL (COL1 NUMBER);
INSERT INTO TBL VALUES(1);
INSERT INTO TBL VALUES(2);
CREATE TABLE TMP_TBL (COL1 NUMBER);
INSERT INTO TBL VALUES(3);
INSERT INTO TMP_TBL VALUES(1);
ROLLBACK;
TRUNCATE TABLE TMP_TBL;
COMMIT;
SELECT SUM(COL1) FROM TBL;
```

① 3
② 6
③ 1
④ 2

해설

CREATE, TRUNCATE은 DDL 명령어로 자동커밋(AUTOCOMMIT)이 되고 INSERT는 DML 명령어로 자동커밋이 안되며 롤백이 가능하다.

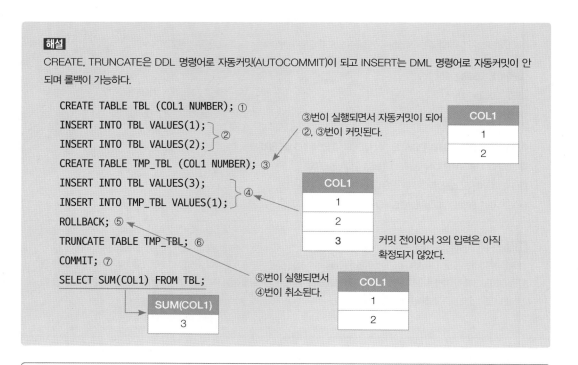

20. **기출** 다음의 Oracle 데이터베이스용 SQL문에 해당하는 SQL Server용 SQL문으로 올바른 것은?

```
[Oracle]
CREATE TABLE TBL
AS SELECT * FROM EMP;
```

① SELECT * TO TBL FROM EMP;

② SELECT * INTO TBL FROM EMP;

③ SELECT * ON TBL FROM EMP;

④ SELECT * AS TBL FROM EMP;

해설

기존 테이블에서 새로운 테이블로 데이터를 복사하는 SQL문에 대한 문제이다.

SQL Server의 구문 형식은 다음과 같다.

```
SELECT *
INTO <새 테이블> [IN <외부 DB>]
FROM <테이블>;
```

이때, * 대신 특정 칼럼만 지정할 수도 있다. IN 옵션을 사용하면 다른 DB에 복사할 수도 있다.

Appendix

(복원)기출문제

1회 (복원)기출문제 1회

1과목 데이터 모델링의 이해

01. 다음 중 데이터베이스 논리 모델에 대한 설명으로 올바르지 않은 것은?

① 개념 데이터 모델은 사용자 관점에서 데이터 요구사항을 식별한다.

② 논리 데이터 모델은 M:N 관계 해소, 식별자 확정, 정규화, 무결성 정의 등을 수행한다.

③ 논리 모델은 데이터베이스 구축을 위해서만 사용되는 것이다.

④ 데이터가 물리적으로 저장되는 방법을 정의하는 것이 물리적 모델이다.

02. 다음에서 설명하는 것은 ER모델 중 어떤 항목에 대한 설명인가?

> 가) 모든 릴레이션(Relation)은 원자값(Atomic)을 가져야 한다.
> 나) 어떤 릴레이션(Relation)에서 속성값이 가질 수 있는 값의 범위를 의미한다.
> 다) 실제 속성값이 올바르게 되었는지 확인한다.
> 라) 속성명과 반드시 동일할 필요는 없다.

① 카디널리티(Cardinality)

② 도메인(Domain)

③ 인스턴스(Instance)

④ 차수(Degree)

03. 속성에 대한 아래의 설명에서 빈칸에 들어갈 것으로 올바른 것은?

> (㉠)은 엔터티를 식별할 수 있는 속성이고 (㉡)은 다른 엔터티의 관계에 포함되는 속성이다. 다른 엔터티의 관계에 포함되지 않는 속성을 (㉢)이라고 한다.

① ㉠ 기본키 속성 – ㉡ 외래키 속성 – ㉢ 일반 속성

② ㉠ 외래키 속성 – ㉡ 기본키 속성 – ㉢ 파생 속성

③ ㉠ 파생 속성 – ㉡ 외래키 속성 – ㉢ 기본키 속성

④ ㉠ 일반 속성 – ㉡ 기본키 속성 – ㉢ 외래키 속성

04. 아래의 ERD에 대한 설명 중 적절하지 않은 것은?

① 부서와 사원은 M : N 관계이다.

② 사원은 반드시 하나 이상의 부서에 속해야 한다.

③ 부서에는 동일 사원이 중복하여 소속될 수 없다.

④ 부서는 반드시 1명 이상의 소속사원이 있어야 한다.

05. 다음 보기 중 슈퍼/서브타입 데이터 모델의 변환타입에 대한 설명으로 옳은 것은?

① One To One이란 개별로 발생되는 트랜잭션에 대해서는 개별 테이블로 구성하는 것으로 테이블의 수가 많아진다.

② Plus Type은 하나의 테이블을 생성하는 것으로 조인(Join)이 발생하지 않는다.

③ Plus Type은 슈퍼 + 서브타입 형식으로 데이터를 처리하는 경우로 조인성능이 우수하여 Super Type과 Sub Type 변환 시에 항상 사용된다.

④ One To One Type은 조인성능이 우수하기 때문에 관리가 편리하다.

06. 다음 주어진 그림에 해당하는 ERD 표기법으로 알맞은 것은?

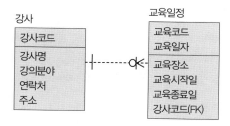

① Barker

② IE

③ UML

④ IDEF1X

07. 다음 보기 중 아래 시나리오에서 엔터티로 가장 적절한 것은?

> [시나리오]
> 한림대학교 성심병원은 상급종합병원이고 국내에는 약 43개의 상급종합병원이 있다.
> 상급종합병원에서 진료를 받기 위해서는 예약을 해야 한다.
> 예약을 하기 위해서 환자로 등록해야 하는데, 환자 등록을 위해서는 환자이름, 주소, 전화번호,
> 나이, 최근 병력 등의 정보를 한림대학교 성심병원 웹사이트에 접속해서 입력해야 한다.

① 나이
② 환자
③ 이름
④ 주소

08. 다음 보기 중 엔터티 간의 관계에서 1:1, 1:M과 같이 관계의 기수성을 나타내는 것은?

① 관계명(Relationship Membership)
② 관계차수(Relationship Cardinality)
③ 도메인(Domain)
④ 관계정의(Relationship Definition)

09. 다음 주어진 ERD 관계에 대한 설명으로 옳지 않은 것은?

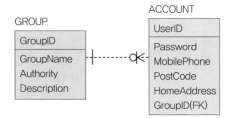

① 하나의 UserID는 여러 개의 GroupID를 가질 수 없다.
② GROUP 릴레이션과 ACCOUNT 릴레이션은 식별관계를 가진다.
③ GROUP 릴레이션은 한 명의 UserID도 없을 수 있다.
④ GROUP 릴레이션은 여러 명의 UserID를 가질 수 있다.

10. 다음 중 아래에서 엔터티 내에 주식별자를 도출하는 기준을 묶은 것으로 가장 적절한 것은?

가) 쇼핑몰 사이트에서는 회원번호가 쇼핑몰 사이트를 운영할 때 자주 이용되는 속성이므로 주식별자로 지정한다.

나) 엔터티 내에서 고객 리스트, 상품 리스트 등과 같은 것을 주식별자로 지정한다.

다) 주식별자로 지정할 때 자주 변경되는 속성을 지정한다.

라) 여러 개의 속성으로 구성된 복합속성의 경우 주식별자에 너무 많은 속성이 포함되지 않게 한다.

① 가, 나
② 가, 라
③ 나, 라
④ 가, 다

2과목 SQL 기본 및 활용

11. 트랜잭션이 동시에 실행될 경우 다른 트랜잭션에 의해 영향을 받지 않고 독립적으로 실행되어야 하는 것은?

① 원자성
② 일관성
③ 고립성
④ 지속성

12. 아래의 테이블에 대한 INSERT 구문 수행 시 에러가 발생하지 않는 것을 고르시오.

```
CREATE TABLE T1(
    C1 NUMBER PRIMARY KEY,
    C2 NUMBER NOT NULL,
    C3 NUMBER UNIQUE,
    C4 NUMBER CHECK (C4 IS NOT NULL)
);
```

① INSERT INTO T1 VALUES(NULL, 1, 2, 3);
② INSERT INTO T1 VALUES(1, NULL, 2, 3);
③ INSERT INTO T1 VALUES(1, 2, NULL, 3);
④ INSERT INTO T1 VALUES(1, 2, 3, NULL);

13. SUBSTR 결과가 다른 것을 고르시오.

① SELECT SUBSTR('DATABASE', 7) FROM DUAL;

② SELECT SUBSTR('DATABASE', -2) FROM DUAL;

③ SELECT SUBSTR('DATABASE', 8, -2) FROM DUAL;

④ SELECT SUBSTR('DATABASE', INSTR('DATABASE', 'S'), 2) FROM DUAL;

14. 아래와 같은 테이블에 SQL 구문이 실행되었을 경우 최종 출력 값을 작성하시오. [SQL Server]

[품목]

품목ID	단가
001	1000
002	2000
003	1000
004	2000

```
[SQL]
BEGIN TRANSACTION
INSERT INTO 품목(품목ID, 단가) VALUES('005', 2000)
COMMIT
BEGIN TRANSACTION
DELETE 품목 WHERE 품목ID='002'
BEGIN TRANSACTION
UPDATE 품목 SET 단가=2000 WHERE 단가=1000
ROLLBACK
SELECT COUNT(품목ID) FROM 품목 WHERE 단가=2000
```

① 0

② 2

③ 3

④ 4

15. 다음 SQL의 실행결과로 가장 적절한 것은?

[TBL]

ID	AMT
A	50
A	200
B	300
C	100

```
[SQL]
SELECT ID, AMT
FROM TBL
ORDER BY (CASE WHEN ID = 'A' THEN 1 ELSE 2 END),
         AMT DESC;
```

①

ID	AMT
B	300
A	200
C	100
A	50

②

ID	AMT
A	200
A	50
B	300
C	100

③

ID	AMT
A	50
C	100
A	200
B	300

④

ID	AMT
B	300
A	200
A	50
C	100

16. 다음 중 아래와 같은 집합이 존재할 때, 집합 A와 B에 대하여 집합연산을 수행한 결과 집합 C가 되는 경우 이용되는 데이터베이스 집합연산은?

```
A = {1, 2, 3, 4}
B = {3, 4, 5, 6}
C = {3, 4}
```

① UNION
② DIFFERENCE
③ INTERSECTION
④ PRODUCT

17. 다음 중 아래의 SQL에 대한 설명으로 가장 적절한 것은?

```
[SQL]
SELECT 상품분류코드
     , AVG(상품가격) AS 상품가격
     , COUNT(*) OVER(ORDER BY AVG(상품가격)
                     RANGE BETWEEN 10000 PRECEDING
                     AND 10000 FOLLOWING) AS 유사개수
FROM 상품
GROUP BY 상품분류코드;
```

① WINDOW FUNCTION을 GROUP BY절과 함께 사용하였으므로 위의 SQL은 오류가 발생한다.

② WINDOW FUNCTION의 ORDER BY절에 AVG 집계함수를 사용하였으므로 위의 SQL은 오류가 발생한다.

③ 유사개수 칼럼은 상품분류코드별 평균상품가격을 서로 비교하여 −10000~+10000 사이에 존재하는 상품분류코드의 개수를 구한 것이다.

④ 유사개수 칼럼은 상품 전체의 평균상품가격을 서로 비교하여 −10000~+10000 사이에 존재하는 상품의 개수를 구한 것이다.

18. 다음 중 [사원] 테이블에 대하여 아래와 같은 SQL을 수행하였을 때 예상되는 결과로 가장 적절한 것은?

[사원]

사원ID	부서ID	사원명	연봉
001	100	홍길동	2500
002	100	강감찬	3000
003	200	김유신	4500
004	200	김선달	3000
005	200	유학생	2500
006	300	변사또	4500
007	300	박문수	3000

```
[SQL]
SELECT Y.사원ID, Y.부서ID, Y.사원명, Y.연봉
FROM (SELECT 사원ID, MAX(연봉)
      OVER(PARTITION BY 부서ID) AS 최고연봉
      FROM 사원) X, 사원 Y
WHERE X.사원ID = Y.사원ID
AND X.최고연봉 = Y.연봉;
```

①

사원ID	부서ID	사원명	연봉
002	100	강감찬	3000
003	200	김유신	4500
006	300	변사또	4500

②

사원ID	부서ID	사원명	연봉
001	100	홍길동	2500
005	200	유학생	2500
007	300	박문수	3000

③

사원ID	부서ID	사원명	연봉
003	200	김유신	4500
006	300	변사또	4500

④

사원ID	부서ID	사원명	연봉
004	200	김유신	4500

19. 아래와 같은 SQL문에 대해 삽입이 성공하는 SQL문은?

```
[SQL]
CREATE TABLE TBL (
    ID NUMBER PRIMARY KEY,
    AMT NUMBER NOT NULL,
    DEGREE VARCHAR2(1)
);

가) INSERT INTO TBL VALUES(1, 100)
나) INSERT INTO TBL(ID, AMT, DEGREE) VALUES(2, 200, 'AB')
다) INSERT INTO TBL(ID, DEGREE) VALUES(4, 'X')
라) INSERT INTO TBL(ID, AMT) VALUES(3, 300)
마) INSERT INTO TBL VALUES(5, 500, NULL)
```

① 가, 나
② 나, 다
③ 다, 라
④ 라, 마

20. 다음 중 아래와 같은 테이블에서 SQL을 실행할 때 결과로 가장 적절한 것은?

[고객]

고객번호(PK)	고객명
001	홍길동
002	이순신
003	강감찬
004	이상화
005	이규혁

[월별매출]

판매월(PK)	고객번호(PK)	매출액
202201	001	200
202201	002	300
202201	003	250
202201	004	300
202201	005	250
202202	001	150
202202	002	150
202202	004	200
202202	005	100
202203	002	100
202203	003	100
202203	004	200
202203	005	350

```
[SQL]
SELECT 고객번호, 고객명, 매출액,
     , RANK() OVER(ORDER BY 매출액 DESC) AS 순위
FROM (
    SELECT A.고객번호
            , MAX(A.고객명) AS 고객명
            , SUM(B.매출액) AS 매출액
    FROM 고객 A INNER JOIN 월별매출 B
    ON (A.고객번호 = B.고객번호)
    GROUP BY A.고객번호
    )
ORDER BY 순위;
```

①

고객번호	고객명	매출액	순위
005	이규혁	700	1
004	이상화	700	1
002	이순신	550	3
001	홍길동	350	4
003	강감찬	350	4

②

고객번호	고객명	매출액	순위
005	이규혁	700	1
004	이상화	700	2
002	이순신	550	3
001	홍길동	350	4
003	강감찬	350	5

③

고객번호	고객명	매출액	순위
005	이규혁	700	1
004	이상화	700	1
002	이순신	550	2
001	홍길동	350	3
003	강감찬	350	3

④

고객번호	고객명	매출액	순위
003	강감찬	350	1
001	홍길동	350	1
002	이순신	550	2
004	이상화	700	3
005	이규혁	700	3

21. 아래의 SQL에 대한 결과로 올바른 것은?

[TBL]

COL1	COL2	COL3
100	100	100
200	100	100
300	200	100
400	100	100
500	300	100
600	400	100
700	200	100

```
[SQL]
SELECT MAX(COL1) OVER(ORDER BY COL1 ROWS
                    BETWEEN UNBOUNDED PRECEDING AND 2 FOLLOWING) AS MAX,
     SUM(COL2) OVER(ORDER BY COL1 ROWS
                    BETWEEN 1 PRECEDING AND CURRENT ROW) AS SUM,
   FIRST_VALUE(COL1) OVER(ORDER BY COL1 RANGE
                    BETWEEN 200 PRECEDING AND 200 FOLLOWING) AS FIRST
FROM TBL;
```

①

MAX	SUM	FIRST
300	100	100
400	200	100
500	300	100
600	300	200
700	400	300
700	700	400
700	600	500

②

MAX	SUM	FIRST
300	100	300
400	200	400
500	300	500
600	300	600
700	400	700
700	700	700
700	600	700

③

MAX	SUM	FIRST
300	100	100
400	200	100
500	300	200
600	300	300
700	400	400
700	700	500
700	600	600

④

MAX	SUM	FIRST
200	100	100
300	200	100
400	300	100
500	300	200
600	400	300
700	700	400
700	600	500

22. 아래의 테이블에서 오류가 발생하는 SQL을 고르시오.

[TEAM]

ID	COL1
1	A
2	B
3	C
4	D

[STADIUM]

ID	COL2
1	A
2	B

① SELECT * FROM TEAM A INNER JOIN STADIUM B ON A.ID = B.ID;

② SELECT * FROM TEAM A INNER JOIN STADIUM B USING(ID);

③ SELECT * FROM TEAM A NATURAL JOIN STADIUM B;

④ SELECT * FROM TEAM A INNER JOIN STADIUM B ON (ID);

23 . 아래의 테이블과 데이터에 대한 SQL문의 결과로 올바른 것은?

[TBL]

COL1	COL2
1	A
1	A
1	B
1	B

```
[SQL]
SELECT COUNT(COL1), COUNT(COL2)
FROM (
    SELECT DISTINCT COL1, COL2
    FROM TBL
    );
```

① 1, 1

② 2, 2

③ 1, 2

④ 2, 1

24. 다음 중 USER_B가 아래의 작업을 수행할 수 있도록 권한을 부여하는 DCL로 가장 적절한 것은?

```
UPDATE USER_A.TBL_A
SET COL1='AAA'
WHERE COL2=3;
```

① GRANT SELECT, UPDATE TO USER_B;

② REVOKE SELECT ON USER_A.TBL_A FROM USER_B;

③ DENY UPDATE ON USER_A.TBL_A TO USER_B;

④ GRANT SELECT, UPDATE ON USER_A.TBL_A TO USER_B;

---

25. 아래의 SQL 결과로 올바른 것은?

```
[SQL]
SELECT SUBSTR('123456789', -4, 2) FROM DUAL;
```

① 12　　　　　　　　　　　　　　② 45

③ 67　　　　　　　　　　　　　　④ 89

---

26. 아래의 SQL 결과로 올바른 것은?

```
[SQL]
SELECT LENGTH('SQL EXPERT') FROM DUAL;
```

① 3　　　　　　　　　　　　　　② 6

③ 9　　　　　　　　　　　　　　④ 10

---

27. 아래의 ANSI JOIN SQL에서 가장 올바르지 않은 것은?

① SELECT EMP.DEPTNO, EMPNO, ENAME, DNAME FROM EMP INNER JOIN DEPT ON EMP.DEPTNO = DEPT.DEPTNO;

② SELECT EMP.DEPTNO, EMPNO, ENAME, DNAME FROM EMP NATURAL JOIN DEPT;

③ SELECT * FROM DEPT JOIN DEPT_TEMP USING(DEPTNO);

④ SELECT E.EMPNO, E.ENAME, D.DEPTNO, D.DNAME FROM EMP E INNER JOIN DEPT D ON (E.DEPTNO = D.DEPTNO);

28. 아래의 SQL 구문 중 결과가 다른 것은?

① SELECT NO, C1, C2 FROM TBL_01 NATURAL JOIN TBL_02;

② SELECT NO, A.C1, B.C2 FROM TBL_01 A JOIN TBL_02 B USING(NO);

③ SELECT A.NO, A.C1, B.C2 FROM TBL_01 A JOIN TBL_02 B ON (A.NO = B.NO);

④ SELECT A.NO, A.C1, B.C2 FROM TBL_01 A CROSS JOIN TBL_02 B;

29. UNION에 대한 설명 중 바른 것은?

① 데이터의 중복 행을 제거한다.

② 데이터의 중복 행을 포함한다.

③ 정렬 작업을 수행하지 않는다.

④ 두 테이블에 모두 포함된 행을 검색한다.

30. 다음 주어진 데이터에 대해서 LIKE문을 사용하여 결과값에 "_"가 들어간 문자열을 찾는 SQL문으로 올바른 것은?

[TBL]

USERID	USERNAME
1	__H
2	_B_
3	___
4	D__

[RESULT]

USERID	USERNAME
1	__H
2	_B_
3	___
4	D__

① SELECT * FROM TBL WHERE NAME LIKE '%H';

② SELECT * FROM TBL WHERE NAME LIKE '%#_%';

③ SELECT * FROM TBL WHERE NAME LIKE '%@_%' ESCAPE '@';

④ SELECT * FROM TBL WHERE NAME LIKE '%_%' ESCAPE '_';

31. 다음 중 PL/SQL에 대한 설명으로 가장 적절하지 않은 것은?

① 변수와 상수 등을 사용하여 일반 SQL 문장을 실행할 때 WHERE절의 조건 등으로 대입할 수 있다.

② Procedure, User Defined Function, Trigger 객체를 PL/SQL로 작성할 수 있다.

③ Procedure 내부에 작성된 절차적 코드는 PL/SQL 엔진이 처리하고 일반적인 SQL 문장은 SQL 실행기가 처리한다.

④ PL/SQL문의 기본 구조로 DECLARE, BEGIN ~ END, EXCEPTION은 필수적으로 써야 한다.

32. 다음(   )에 해당되는 서브쿼리(Subquery)의 이름으로 올바른 것은?

```
SELECT (   ㉠   )
FROM (    ㉡    )
WHERE EXISTS (   ㉢   );
```

① ㉠ 스칼라 서브쿼리, ㉡ 인라인 뷰, ㉢ 중첩 서브쿼리
② ㉠ 인라인 뷰, ㉡ 인라인 뷰, ㉢ 스칼라 서브쿼리
③ ㉠ 메인쿼리, ㉡ 인라인 뷰, ㉢ 서브쿼리
④ ㉠ 서브쿼리, ㉡ 인라인 뷰, ㉢ 메인 서브쿼리

33. 다음 주어진 테이블에서 SQL문의 결과값으로 알맞은 것은?

[TBL]

JOB_TITLE	EMP_NAME	SALARY
CLERK	JACSON	2000
SALESMAN	KING	3000
SALESMAN	BOAN	4000
CLERK	LUCAS	5000
SALESMAN	CADEN	6000
CLERK	GRAYSON	7000
DEVELOPER	LOGAN	8000
CLERK	JIM	9000

```
[SQL]
SELECT COUNT(*)
FROM TBL
WHERE JOB_TITLE = 'CLERK'
OR (EMP_NAME LIKE 'K%' AND SALARY >= 3000)
```

① 4건
② 5건
③ 6건
④ 8건

34. 주어진 SQL문의 빈칸에 올 수 있는 함수로 옳지 않은 것은?

[TBL]

DEPT	NAME	SALARY
MARKETING	A	30
SALES	B	40
MARKETING	C	40
SALES	D	50
MANUFACTURE	E	50
MARKETING	F	50
MANUFACTURE	G	60
SALES	H	60
MANUFACTURE	I	70

```
[SQL]
SELECT * FROM TBL
WHERE SALARY (      );
```

① <= (SELECT MAX(SALARY) FROM TBL GROUP BY DEPT)

② >= ANY(30, 40, 50, 60, 70)

③ <= ALL(30, 40, 50, 60, 70)

④ IN (SELECT SALARY FROM TBL WHERE DEPT = 'MARKETING')

35. 다음 보기 중 데이터베이스 테이블의 제약조건(Constraint)에 대한 설명으로 올바르지 않은 것은?

① 외래키(Foreign Key)는 두 개의 테이블 간의 참조 무결성을 제약한다.

② 기본키(Primary Key) 제약사항은 테이블 당 하나만 제약할 수 있다.

③ Check 제약조건(Constraint)은 특정 값만 입력되게 제약한다.

④ 고유키(Unique Key) 제약이 설정되면 Null 값을 가질 수 없다.

36. 다음 중 아래 SQL의 실행결과로 가장 적절한 것은?

[TBL]

ID
100
100
200
200
200
999
999

```
[SQL]
SELECT ID FROM TBL
GROUP BY ID
HAVING COUNT(*) = 2
ORDER BY (CASE WHEN ID = 999 THEN 0 ELSE ID END);
```

①

ID
100
999

②

ID
999
100

③

ID
100
200

④

ID
999
200

37. 다음 보기 중 해시조인(Hash Join)에 대한 설명으로 옳지 않은 것은?

① 해시조인은 두 개의 테이블 간에 조인을 할 때 범위검색이 아닌 동등조인(EQUI Join)에 적합한 방식이다.

② 작은 테이블(Build Input)을 먼저 읽어서 Hash Area에 해시 테이블을 생성하는 방법으로 큰 테이블로 Hash Area를 생성하면 과다한 Sort가 유발되어 성능이 저하될 수 있다.

③ 온라인 트랜잭션 처리(OLTP)에 유용하다.

④ 해시조인은 수행빈도가 낮고 수행시간이 오래 걸리는 대용량 테이블에 대한 조인을 할 때 유용하다.

38. 다음 주어진 테이블에 대해서 아래와 같은 결과값이 나오도록 SQL문의 빈칸에 들어갈 수 있는 내용을 고르시오.

[T_TEST]

DEPTNO	JOB	SAL
10	CLERK	1300
10	MANAGER	2150
20	CLERK	1900
20	ANALYST	6000
20	MANAGER	2000

[결과]

DEPTNO	JOB	SUM(SAL)
10	CLERK	1300
10	MANAGER	2150
10	NULL	3450
20	CLERK	1900
20	ANALYST	6000
20	MANAGER	2000
20	NULL	9900
NULL	NULL	13350

```
[SQL]
SELECT DEPTNO, JOB, SUM(SAL)
FROM T_TEST
GROUP BY (          );
```

① DEPTNO, JOB

② GROUPING SETS(DEPTNO, JOB)

③ ROLLUP(DEPTNO, JOB)

④ CUBE(DEPTNO, JOB)

39. 다음 주어진 SQL문과 동일한 결과값을 반환하는 SQL문으로 올바른 것은?

```
SELECT * FROM T1
WHERE COL1 BETWEEN A AND B;
```

① SELECT * FROM T1
   WHERE COL1 >= A AND COL1 <= B;

② SELECT * FROM T1
   WHERE COL1 <= A AND COL1 >= B;

③ SELECT * FROM T1
   WHERE COL1 >= A OR COL1 <= B;

④ SELECT * FROM T1
   WHERE COL1 <= A OR COL1 <= B;

40. 다음 주어진 테이블에서 아래의 SQL을 수행한 결과로 알맞은 것은?

[TBL]

COL1	COL2	COL3	COL4
10	10	10	20
20	20	NULL	30
30	NULL	NULL	10
NULL	30	10	40

```
[SQL]
SELECT SUM(COL1+COL2+COL3+COL4) FROM TBL;
SELECT SUM(COL1) + SUM(COL2) + SUM(COL3) + SUM(COL4) FROM TBL;
```

① 50, NULL

② NULL, 240

③ 50, 240

④ NULL, NULL

41. 다음의 SQL문이 순서대로 수행되고 난 후 결과값으로 알맞은 것은?

```
[SQL]
CREATE TABLE TBL(COL1 NUMBER(10));
INSERT INTO TBL VALUES(1);
INSERT INTO TBL VALUES(4);
SAVEPOINT SV1;
UPDATE TBL SET COL1=8 WHERE COL1=2;
SAVEPOINT SV2;
DELETE TBL WHERE COL1 >= 2;
ROLLBACK TO SV1;
INSERT INTO TBL VALUES(3);
SELECT MAX(COL1) FROM TBL;
```

①

MAX(COL1)
2

②

MAX(COL1)
3

③

MAX(COL1)
4

④

MAX(COL1)
1

42. 파티션 별 윈도우에서 가장 먼저 나온 값을 구하는 WINDOW FUNCTION은 무엇인가?

① FIRST_VALUE
② LAG
③ LAST_VALUE
④ LEAD

43. 다음 주어진 테이블에 대해서 아래의 SQL문을 수행하였을 때 결과 행의 수는?

[TBL]

COL1	COL2
10000	ABC
10000	NULL
10000	AbC
20000	ABC

[SQL]
```
SELECT * FROM TBL WHERE (COL1, COL2) IN ((10000, 'ABC'));
```

① NULL   ② 1
③ 2   ④ 3

44. 주어진 ERD에서 오류가 나지 않는 SQL문을 고르시오.

① SELECT * FROM 계좌마스터

   WHERE 회원번호 = (SELECT DISTINCT 회원번호 FROM 고객);

② SELECT * FROM 계좌마스터

   WHERE 회원번호 IN (SELECT DISTINCT 회원번호 FROM 고객);

③ SELECT 회원번호, 종목코드 FROM 일자별주문내역

   WHERE 주문일자 EXISTS (SELECT DISTINCT 주문일자 FROM 계좌마스터);

④ SELECT 회원번호, 종목코드 FROM 일자별주문내역

   WHERE 주문일자 ALL (SELECT DISTINCT 주문일자 FROM 계좌마스터);

45. 주어진 테이블에 대해서 아래와 같은 결과값을 반환하는 SQL문을 고르시오.

[TBL]

BAN	NAME
1	조민준
1	조민준
1	조민준
2	김민재
2	김수빈
3	이현우
3	이현우

[RESULT]

BAN	RESULT
1	1
2	2
3	1

① SELECT BAN, COUNT(*) AS RESULT
   FROM TBL
   GROUP BY BAN;

② SELECT BAN, COUNT(1) AS RESULT
   FROM TBL
   GROUP BY BAN;

③ SELECT BAN,
   COUNT(DISTINCT NAME) AS RESULT
   FROM TBL
   GROUP BY BAN;

④ SELECT
   COUNT(CASE WHEN BAN=1 THEN 1 END)
   AS RESULT,
   COUNT(CASE WHEN BAN=2 THEN 1 END)
   AS B,
   COUNT(CASE WHEN BAN=3 THEN 1 END)
   AS C
   FROM TBL;

46. SELECT NVL(COUNT(*), 9999) FROM TBL WHERE 1 = 2의 결과값은?

① 9999

② 0

③ NULL

④ 1

---

47. 다음 보기 중 인덱스 생성 구문으로 올바른 것은?

① ALTER TABLE 〈테이블명〉 ADD INDEX 〈인덱스명〉(〈칼럼명〉)

② INDEX 〈인덱스명〉(〈칼럼명〉)

③ CREATE INDEX 〈인덱스명〉 ON 〈테이블명〉(〈칼럼명〉)

④ DROP INDEX FROM 〈테이블명〉

---

48. 아래의 보기가 설명하는 것으로 알맞은 것은?

[보기]
가) SQL이 데이터베이스에서 실행될 때 실행 절차 및 방법을 표현하여 DBA에게 알려준다.
나) 옵티마이저의 종류를 확인할 수 있는 RULE, COST가 표현되고 SQL이 내부적으로 어떤 방식으로 실행되었는지 확인할 수 있다.

① 실행계획

② 내부계획

③ 절차계획

④ 표현계획

---

49. 보기의 연산자 중 우선순위가 가장 나중인 것은?

① 연결 연산자

② 비교 연산자

③ NOT 연산자

④ OR 연산자

50. TABLE1, TABLE2, TABLE3 테이블에 대한 아래의 INSERT 결과 개수로 알맞은 것은?

[TBL]

N1
1
2
5

```
[SQL]
INSERT FIRST
    WHEN N1 >= 2 THEN INTO TABLE1(N1) VALUES(N1)
    WHEN N1 >= 3 THEN INTO TABLE2(N1) VALUES(N1)
    ELSE INTO TABLE3 VALUES(N1)
SELECT N1 FROM TBL;
```

① 2, 0, 1
② 0, 1, 2
③ 2, 1, 1
④ 2, 2, 2

1과목 데이터 모델링의 이해

01. 엔터티의 종류 중 다대다 관계를 해소하려는 목적으로 인위적으로 만들어진 엔터티는 무엇인가?

① 기본 엔터티
② 행위 엔터티
③ 교차 엔터티
④ 종속 엔터티

02. 모델링의 단계 중 가장 재사용성이 높은 모델링은?

① 논리적 데이터 모델링
② 개념적 데이터 모델링
③ 물리적 데이터 모델링
④ 추상적 데이터 모델링

03. 아래 내용이 설명하는 스키마 구조로 가장 적절한 것은?

가) 모든 사용자 관점을 통합한 조직 전체 관점의 통합적 표현
나) 모든 응용시스템들이나 사용자들이 필요로 하는 데이터를 통합한 조직 전체의 DB를 기술한 것으로 DB에 저장되는 데이터와 그들 간의 관계를 표현하는 스키마

① 외부 스키마
② 개념 스키마
③ 내부 스키마
④ 논리 스키마

04. 다음 중 엔터티 내에 주식별자를 도출하는 기준으로 옳지 않은 것은?

① 해당 업무에서 자주 이용되는 속성을 주식별자로 지정한다.
② 지정된 주식별자의 값은 자주 변하지 않는 것이어야 한다.
③ 명칭, 내역 등과 같이 이름으로 기술되는 것들을 주식별자로 지정한다.
④ 복합으로 주식별자를 구성할 경우 너무 많은 속성을 포함하지 않도록 한다.

05. 아래의 ERD처럼 분산 데이터베이스 설계가 되어 있을 때 가장 부적절한 것은?

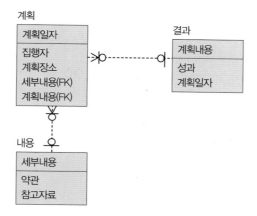

① 하나의 결과에는 여러 개의 계획이 있을 수 있다.

② 한 개의 계획에는 내용이 없을 수도 있다.

③ 데이터 조회성능을 위해서 공통된 속성은 하나의 테이블로 묶을 수 있다.

④ 데이터 무결성을 보장하지 못할 때 분산 데이터베이스 설계가 좋다.

06. 관계 표기법으로 옳지 않은 것은?

① 관계명(Membership)

② 관계차수(Cardinality)

③ 관계선택사양(Optionality)

④ 관계분류(Classification)

07. 다음 중 데이터를 조회할 때 빠른 성능을 낼 수 있도록 하기 위해 원래 속성의 값을 계산하여 저장할 수 있도록 만든 속성으로 가장 적절한 것은?

① 파생 속성(Derived Attribute)

② 기본 속성(Basic Attribute)

③ 설계 속성(Designed Attribute)

④ PK 속성(Primary Key Attribute)

08. 아래 ERD에 대한 설명으로 가장 올바르지 않은 것은?

① 사원은 동일한 콘도를 예약해서 반복적으로 방문할 수 있다.

② 회사 콘도는 누구도 이용하지 않을 수 있다.

③ 사원은 동일 일자에 여러 콘도를 이용할 수 있다.

④ 여러 사원이 동일한 콘도를 이용할 수 있다.

09. 아래의 ERD에 대한 설명으로 가장 부적절한 것은?

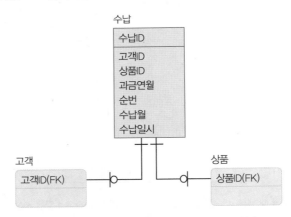

테이블에 많은 칼럼들이 과도하게 밀집되어 있는 형태

① 자주 쓰는 칼럼과 그렇지 않은 칼럼으로 나눠서 성능을 향상시킬 수 있다.

② Row Chaining이 발생하여 속도가 느려질 수 있다.

③ 한 테이블에 많은 수의 칼럼들이 존재하게 되면 데이터가 디스크의 여러 블록에 존재하므로 디스크에서 데이터를 읽는 I/O양이 많아지게 되어 성능이 저하 될 수 있다.

④ 데이터 행(Row)이 과도하게 밀집되지 않도록 스키마 구조와 동일하게 파티션을 분할한다.

10. 인스턴스에 대한 설명 중 가장 적절하지 않은 것은?

① 한 개의 속성은 한 개의 속성값을 갖는다.

② 인스턴스는 속성이 없을 수도 있다.

③ 엔터티는 유일한 식별자가 있어야 한다.

④ 인스턴스는 데이터베이스에 저장된 데이터 내용의 전체 집합을 의미한다.

2과목 SQL 기본 및 활용

11. 아래 NULL 값에 대한 설명 중에 올바른 것을 고르시오.

① 데이터베이스의 NULL 값의 의미는 DBMS 종류별로 다르게 해석한다.

② MSSQL에서 NULL 값은 0이다.

③ ORACLE에서 NULL은 TRUE 혹은 FALSE의 의미이다.

④ NULL 값은 아직 알려지지 않은 미지의 값이다.

12. 다음 보기 중 SQL의 결과가 다른 것은?

[TBL]

NUM	CODE	COL1	COL2
1	A	100	350
2	A	130	300
3	B	150	400
4	A	200	300
5	B	250	200
6	A	300	150

① SELECT * FROM TBL WHERE 1=1 AND CODE IN ('A', 'B') AND COL1 BETWEEN 200 AND 400;

② SELECT * FROM TBL WHERE 1=1 AND (CODE='A' AND 200 BETWEEN COL1 AND COL2) OR (CODE='B' AND 200 BETWEEN COL1 AND COL2);

③ SELECT * FROM TBL WHERE 1=1 AND 200 BETWEEN COL1 AND COL2;

④ SELECT * FROM TBL WHERE 1=1 AND COL1 <= 200 AND COL2 >= 200;

13. 다음 주어진 SQL문의 결과에서 값이 다른 것은?

[TBL]

COL1	COL2	COL3
A	300	50
B	300	150
C	NULL	300
D	300	100

```
[SQL]
SELECT NVL(COL2, COL3) AS 금액1,
       COALESCE(COL2, COL3) AS 금액2,
       NULLIF(COL2, COL3) AS 금액3,
       CASE WHEN COL2 IS NOT NULL THEN
            COL2 ELSE COL3 END AS 금액4
FROM TBL;
```

① 금액 1

② 금액 2

③ 금액 3

④ 금액 4

14. 다음은 ABC기업에 대한 데이터베이스 모델링이다. 다음의 설명 중에서 올바른 것은?

① 제품코드에 대한 배송지 정보는 제품마스터 테이블이 주문이력을 직접 조인하면 된다.

② 제품마스터와 주문이력을 조인하면 카테시안 곱이 발생한다.

③ 제품마스터와 제품생산은 비식별관계이다.

④ 제품마스터에서 주문일자를 조회하기 위해서는 WHERE의 조건이 최소 4개 이상이다.

15. 아래의 SQL문에 대한 설명으로 올바른 것은?

```
SELECT * FROM TBL
WHERE EMP_NAME LIKE 'A%';
```

① 테이블의 EMP_NAME이 A 또는 a로 시작하는 모든 ROW

② 테이블의 EMP_NAME이 A로 시작하는 모든 ROW

③ 테이블의 EMP_NAME이 A로 끝나는 모든 ROW

④ 테이블의 EMP_NAME이 A 또는 a로 끝나는 모든 ROW

16. 다음 보기 중 아래 SQL문의 결과값으로 올바른 것은?

```
[SQL]
SELECT SUBSTR('123456789', -6, 2)
FROM DUAL;
```

① 45

② 65

③ 43

④ 67

17. 다음 주어진 테이블에서 집계 함수를 수행하였을 때 결과값으로 다른 것을 고르시오.

[TBL]

USERID	USERCOUNT
KIM	10
PARK	20
LIM	NULL
SHIN	NULL

① SELECT COUNT(NVL(USERCOUNT, 0)) FROM TBL;

② SELECT SUM(NVL(USERCOUNT, 0)) / 4 FROM TBL;

③ SELECT AVG(NVL(USERCOUNT, 0)) FROM TBL;

④ SELECT AVG(NVL(USERCOUNT, 1)) - 0.5 FROM TBL;

18. 다음 보기 중 조인(Join) 기법에 대한 설명으로 가장 적절한 것은?

① Nested Loop Join은 OLTP 시스템에서 데이터를 조인할 때, 먼저 나오는 테이블의 선택도가 낮은 테이블을 참조하는 것이 유리하다.

② Sort Merge Join은 오직 동등조인(EQUI Join)에서만 사용할 수 있다.

③ Hash Join은 결과 행의 수가 큰 테이블을 선행 테이블로 사용하면 Hash Area 사이즈가 작아져서 성능에 유리하다.

④ Hash Join은 Sort Merge Join, Nested Loop Join보다 항상 성능이 우수하다.

19. 아래의 TBL 테이블에 대해서 아래의 SQL문을 수행하였을 때의 결과 건수는?

[TBL]

EMPNO	NAME	MANAGER
1	LIM	NULL
2	PARK	1
3	KIM	2

```
[SQL]
SELECT LPAD('**', (LEVEL-1) * 2, ' ') || EMPNO AS EMP, NAME
FROM TBL
WHERE EMPNO <> 3
START WITH EMPNO = 3
CONNECT BY EMPNO = PRIOR MANAGER;
```

① 0

② 1

③ 2

④ 3

20. 테이블에 대한 권한을 부여하는 DCL 명령어는?

① COMMIT

② GRANT

③ REVOKE

④ ROLLBACK

21. 아래의 테이블들에 대해서 SQL문을 수행하였을 때의 결과값은?

[TBL_1]

COL
1
2
3
4

[TBL_2]

COL
2
NULL

```
[SQL]
SELECT COUNT(*)
FROM TBL_1 A
WHERE A.COL NOT IN (SELECT COL FROM TBL_2);
```

① 0

② 1

③ 3

④ 6

22. 테이블 TBL에서 UNIQUE INDEX SCAN을 수행할 수 없는 경우는 무엇인가?

TBL

KEY1
KEY2
COL1
COL2
COL3

① SELECT COL1, COL2, COL3
   FROM TBL WHERE KEY1 = 5 AND KEY2 = 6;

② SELECT COL1, COL2, COL3
   FROM TBL WHERE KEY1 = 1 AND KEY2 = 2;

③ SELECT COL1, COL2, COL3
   FROM TBL WHERE (KEY1, KEY2) IN ((1, 2));

④ SELECT * FROM TBL WHERE KEY1 = 1;

23. 다음 주어진 테이블에서 해당 SQL문을 실행한 결과로 알맞은 것은?

[TBL]

COL1	COL2
NULL	A
1	B
2	C
3	D
4	E

```
[SQL]
SELECT * FROM TBL WHERE COL1 IN (1, 2, NULL);
```

①

COL1	COL2
1	B
2	C

②

COL1	COL2
2	B
2	B

③

COL1	COL2
1	B
2	C
3	D
4	E

④

COL1	COL2
NULL	A
1	B
2	C

24. 다음의 PL/SQL에 대한 설명이다. 올바르지 않은 것은?

① PL/SQL은 절차형 언어이다.

② PL/SQL에서 테이블을 생성할 수는 없다.

③ PL/SQL에서 조건문은 IF ~ THEN ~ ELSE IF ~ END IF와 CASE ~ WHEN을 사용한다.

④ PL/SQL에서 NAME이라는 변수에 'aaa'를 대입할 경우 ":="을 사용한다.

25. ORDERS 테이블에는 CUSTOMERS 테이블에 존재하지 않는 고객ID가 있다. 이를 조회하는 아래의 SQL문에서 (   )에 들어갈 올바른 것은?

```
SELECT * FROM ORDERS
WHERE (    ㉠    ) (
              SELECT * FROM
              CUSTOMERS
              WHERE(   ㉡   )
              );
```

① ㉠ : EXISTS, ㉡ : CUSTOMERS.ID = ORDERS.ID

② ㉠ : EXISTS, ㉡ : CUSTOMERS.ID 〈〉 ORDERS.ID

③ ㉠ : NOT EXISTS, ㉡ : CUSTOMERS.ID = ORDERS.ID

④ ㉠ : NOT EXISTS, ㉡ : CUSTOMERS.ID 〈〉 ORDERS.ID

26. 아래의 테이블들에 대해서 SQL문을 수행하였을 때의 결과값은?

[TBL_1]

EMPNO	ENAME
1000	조민준
2000	이현우
3000	조유진

[TBL_2]

NO	CONDITION
1	조%
2	%우%

```
[SQL]
SELECT COUNT(*) ROWCNT
FROM TBL_1 A, TBL_2 B
WHERE A.ENAME LIKE B.CONDITION;
```

① 0

② 3

③ 4

④ 6

27. 주어진 테이블에서 해당 SQL문을 수행한 결과로 올바른 것은?

[TBL]

COL1	COL2
조민준	1
조민준	1
조민준	1
조민준	2
조민준	3

```
[SQL]
SELECT COUNT(COL1), COUNT(COL2)
FROM (SELECT DISTINCT COL1, COL2
     FROM TBL);
```

① 1, 2
② 2, 1
③ 2, 2
④ 3, 3

28. 다음 보기 중 NUMERIC(숫자)형이 아닌 것은?

① INT
② CHAR
③ FLOAT
④ DECIMAL

29. 순위 함수에 대한 설명 중 틀린 것은 무엇인가?

① RANK 함수는 같은 값에 대해 동일순위 처리가 가능하다.
② DENSE_RANK 함수는 RANK 함수와 같은 역할을 하지만 동일 등수의 개수가 다음 순위에 영향을 주지 않는다.
③ ROW_NUMBER 함수는 특정 동일 순위가 부여되지 않는다.
④ 순위 함수 사용 시 ORDER BY절은 입력하지 않아도 된다.

30. 주어진 테이블들에 대해서 아래의 SQL문을 수행하였을 때 반환되는 건수는 얼마인가?

[TBL_1]

COL
1
2
3
4
5
6

[TBL_2]

COL
3
7
8

[TBL_3]

COL
4
5
6

```
[SQL]
SELECT * FROM TBL_1
UNION ALL
SELECT * FROM TBL_2
MINUS
SELECT * FROM TBL_3;
```

① 2
② 3
③ 4
④ 5

31. 다음의 SQL문의 (   )에 들어가는 것으로 올바르지 않은 것은?

```
SELECT (          ), COUNT(EMPNO)
FROM EMP
WHERE EMPNO > 0
GROUP BY DEPTNO, SAL;
```

① EMPNO
② DEPTNO
③ SAL
④ DEPTNO, SAL

32. 다음 중 문자에 대한 설명으로 부적절한 것은 무엇인가?

① VARCHAR(가변길이 문자열형)은 비교 시 서로 길이가 다를 경우 서로 다른 내용으로 판단한다.

② CHAR(고정길이 문자열형)은 비교 시 서로 길이가 다를 경우 서로 다른 내용으로 판단한다.

③ 문자열형과 숫자형을 비교 시 문자열형을 숫자형으로 묵시적 변환하여 비교한다.

④ 연산자 실행 순서는 괄호, 비교연산자, NOT, AND, OR순이다.

33. BSC는 기업의 성과를 균형 있게 관리하는 성과관리 시스템이다. BSC는 KPI를 사용해서 기업을 평가하는데 KPI는 상위, 중위, 하위 등의 KPI로 세분화된다. 다음의 TBL 테이블에서 특정 하나의 값에 대한 자신의 상위 KPI를 검색하는 SQL문으로 올바른 것은?

[TBL]

SUBKPI	KPINAME	MAINKPI
10	고객만족도	0
20	콜센터만족도	10
30	불만건수	20
40	대기시간	30
50	건의건수	40

①
```
SELECT * FROM TBL
START WITH MAINKPI = 0
CONNECT BY PRIOR SUBKPI = MAINKPI;
```

②
```
SELECT * FROM TBL
WHERE SUBKPI = 30
START WITH MAINKPI = 0
CONNECT BY PRIOR MAINKPI = SUBKPI;
```

③
```
SELECT * FROM TBL
START WITH MAINKPI = 100
CONNECT BY PRIOR SUBKPI = MAINKPI;
```

④
```
SELECT * FROM TBL
WHERE SUBKPI = 30
START WITH MAINKPI = 0
CONNECT BY PRIOR SUBKPI = MAINKPI;
```

34. 다음 보기 중 서브쿼리에 대한 설명으로 옳지 않은 것은?

① 서브쿼리에서는 정렬을 수행하기 위해서 내부에 ORDER BY를 사용하지 못한다.

② 메인쿼리를 작성할 때 서브쿼리에 있는 칼럼을 자유롭게 사용할 수 있으므로 편리하다.

③ 여러 개의 행을 반환하는 서브쿼리는 다중행 연산자를 사용해야 한다.

④ EXISTS는 TRUE와 FALSE만 반환한다.

35. 다음 중 SELECT 문장의 실행 순서를 올바르게 나열한 것은?

① SELECT - FROM - WHERE - GROUP BY - HAVING - ORDER BY

② FROM - SELECT - WHERE - GROUP BY - HAVING - ORDER BY

③ FROM - WHERE - GROUP BY - HAVING - ORDER BY - SELECT

④ FROM - WHERE - GROUP BY - HAVING - SELECT - ORDER BY

36. 아래의 SQL 오류를 수정하는 명령문으로 올바른 것은?

```
CONN USER1
CREATE TABLE USER1.TBL1
CONN USER2
SELECT * FROM USER1.TBL1
```

① GRANT SELECT ON USER1.TBL1 TO USER2;

② REVOKE SELECT ON USER1.TBL1 TO USER2;

③ RENAME SELECT ON USER1.TBL1 TO USER2;

④ ALTER SELECT ON USER1.TBL1 TO USER2;

37. 아래의 SQL에서 1건만 출력되는 SQL이 아닌 것을 고르시오.

① SELECT * FROM TBL WHERE ROWNUM = 1;

② SELECT * FROM TBL WHERE ROWNUM < 2;

③ SELECT * FROM TBL WHERE ROWNUM <= 2;

④ SELECT * FROM TBL WHERE ROWNUM <= 2-1;

38. 아래 데이터에 대한 SQL 결과로 올바른 것은?

[TBL]

COL1	COL2	COL3
A	NULL	1
B	A	2
C	A	3
D	B	4

```
[SQL]
SELECT COUNT(*)
FROM TBL
WHERE COL3 <> 2
START WITH COL3 = 4
CONNECT BY COL1 = PRIOR COL2;
```

① 4 ② 3

③ 2 ④ 1

39. 다음 주어진 데이터에서 아래의 결과값과 같이 "_"가 들어가 있는 것을 출력하는 SQL문은?

[TBL]

ID	NAME
1	__A
2	B
3	__C
4	D
5	E
6	__F

[결과값]

ID	NAME
1	__A
3	__C
6	__F

① SELECT * FROM TBL WHERE NAME LIKE '%%';

② SELECT * FROM TBL WHERE NAME LIKE '%#_%';

③ SELECT * FROM TBL WHERE NAME LIKE '%@_%' ESCAPE '@';

④ SELECT * FROM TBL WHERE NAME LIKE '%_%' ESCAPE '_';

40. 아래의 SQL과 동일한 결과를 출력하는 ANSI 표준 SQL로 적절한 것은? [Oracle]

```
SELECT A.KEY_A, B.KEY_B, A.COL, B.COL
FROM TBL1 A, TBL2 B
WHERE A.KEY_A = B.KEY_B(+)
UNION ALL
SELECT A.KEY_A, B.KEY_B, A.COL, B.COL
FROM TBL1 A, TBL2 B
WHERE B.KEY_B = A.KEY_A(+);
```

① SELECT A.KEY_A, B.KEY_B, A.COL, B.COL
   FROM TBL1 A FULL OUTER JOIN TBL2 B
   ON (A.KEY_A = B.KEY_B);

② SELECT A.KEY_A, B.KEY_B, A.COL, B.COL
   FROM TBL1 A LEFT OUTER JOIN TBL2 B
   ON (A.KEY_A = B.KEY_B)
   UNION ALL
   SELECT A.KEY_A, B.KEY_B, A.COL, B.COL
   FROM TBL1 A RIGHT OUTER JOIN TBL2 B
   ON (B.KEY_B = A.KEY_A);

③ SELECT A.KEY_A, B.KEY_B, A.COL, B.COL
   FROM TBL1 A LEFT OUTER JOIN TBL2 B
   ON (A.KEY_A = B.KEY_B)
   UNION
   SELECT A.KEY_A, B.KEY_B, A.COL, B.COL
   FROM TBL1 A RIGHT OUTER JOIN TBL2 B
   ON (A.KEY_A = B.KEY_B);

④ SELECT A.KEY_A, B.KEY_B, A.COL, B.COL
   FROM TBL1 A CROSS JOIN TBL2 B;

41. 다음 중 결과값이 다른 질의어는?

① SELECT * FROM T1 NATURAL JOIN T2;

② SELECT * FROM T1 JOIN T2 USING(COL);

③ SELECT * FROM T1 INNER JOIN T2 ON T1.COL = T2.COL;

④ SELECT * FROM T2 WHERE T2.COL IN (SELECT COL FROM T1 WHERE T2.COL = T1.COL);

---

42. 인덱스에 대한 특징으로 잘못된 것은?

① Insert, Update, Delete 등과 같은 DML 작업은 테이블과 인덱스를 함께 변경해야 하기 때문에 오히려 속도가 느려질 수 있다.

② 인덱스 사용의 목적은 검색 성능의 최적화이다.

③ 인덱스 데이터는 인덱스를 구성하는 칼럼의 값으로 정렬을 수행한다.

④ 인덱스는 Equal 조건만 사용할 수 있다.

---

43. 주어진 테이블에서 SQL문을 수행하였을 때 T1, T2, T3의 결과 건수로 알맞은 것은?

[TBL]

C1
1
2
3

```
[SQL]
INSERT FIRST
  WHEN C1 >= 2 THEN INTO T1
  WHEN C1 >= 3 THEN INTO T2
  ELSE INTO T3
SELECT * FROM TBL;
```

① 0, 1, 2

② 2, 0, 1

③ 1, 2, 0

④ 0, 2, 1

44 . 다음 중 차집합을 구하는 집합 연산자는 무엇인가?

① UNION
② UNION ALL
③ EXCEPT
④ INTERSECT

45. 다음의 테이블을 보고 실행한 SQL문 중에서 그 결과가 올바르지 않은 것은?

[T_ORDER]

ORDERYEAR	ORDERMONTH	PRICE
2020	01	1000
2020	02	6000
2020	03	2000
2020	04	3000
2020	05	2000
2020	06	1500

① SELECT SUM(PRICE) AS TOTAL

FROM T_ORDER WHERE ORDERYEAR

BETWEEN '2020' AND '2021' AND ORDERMONTH

BETWEEN '01' AND '12';

→ 결과 : 15,500

② SELECT SUM(PRICE) AS TOTAL

FROM T_ORDER WHERE ORDERMONTH IN ('01', '06');

→ 결과 : 2,500

③ SELECT SUM(PRICE) AS TOTAL

FROM T_ORDER WHERE ORDERMONTH = '01'

OR ORDERMONTH = '06';

→ 결과 : 2,500

④ SELECT SUM(DECODE('06', 0, PRICE)) AS TOTAL

FROM T_ORDER WHERE ORDERYEAR

BETWEEN '2020' AND '2021';

→ 결과 : 1,500

46. 다음 주어진 SQL문에서 오류가 발생하지 않는 것은?

```
CREATE TABLE TBL(
    ID NUMBER PRIMARY KEY,
    AGE NUMBER NOT NULL,
    NAME VARCHAR2(1)
);
```

① INSERT INTO TBL VALUES(10, 20, SYSDATE);

② INSERT INTO TBL VALUES(20, NULL, 'A');

③ INSERT INTO TBL(AGE, NAME) VALUES(20, 'A');

④ INSERT INTO TBL(ID, AGE, NAME) VALUES(20, 10, NULL);

47. 아래와 같은 결과가 나오도록 SQL문 ORDER BY절의 물음표에 들어갈 답을 고르시오.

[TBL]

회원ID	주문금액
B	255
C	255
A	450
D	100

[RESULT]

회원ID	RANK	주문금액
A	1	450
B	2	255
C	2	255
D	3	100

```
[SQL]
SELECT 회원ID,
DENSE_RANK() OVER(ORDER BY  ?  )
AS RANK, 주문금액
FROM TBL;
```

① 주문금액

② RANK

③ 주문금액 DESC

④ 회원ID

48. CROSS JOIN과 NATURAL JOIN의 차이점에 대해서 잘못 설명한 것은?

① NATURAL JOIN은 테이블 간 동일한 이름을 가진 모든 칼럼들에 대해 조인을 수행한다.

② CROSS JOIN은 테이블 간 조건이 없는 경우 생길 수 있는 모든 데이터의 조합을 의미한다.

③ CROSS JOIN과 NATURAL JOIN은 ON절에서 JOIN 조건을 걸 수 없다.

④ CROSS JOIN은 ON절에 JOIN 조건을 추가할 수 있다.

49. TBL 테이블에 1, 2, 3의 3개의 행이 있을 때 다음의 SQL 실행결과로 올바른 것은?

```
SELECT * FROM TBL
MINUS
SELECT 1 FROM DUAL;
```

① 1, 2, 3

② 2, 3

③ 1, 2

④ 1

50. 아래의 테이블에 대한 SQL 결과는?

[TBL]

C1
10
20
NULL

```
[SQL]
SELECT AVG(NVL(C1, 0)) FROM TBL;
```

① 20

② 10

③ 15

④ 30

1과목 데이터 모델링의 이해

01. 다음 보기 중에서 데이터베이스 모델링에 대한 특징으로 옳지 않은 것은?

① 내부화
② 추상화
③ 단순화
④ 명확화

02. 속성의 특징으로 가장 올바른 것은?

① 엔터티는 한 개의 속성만으로 구성될 수 있다.
② 엔터티를 설명하고 인스턴스의 구성요소가 된다.
③ 하나의 속성은 여러 개의 속성값을 가질 수 있다.
④ 속성의 특성에 따른 분류에는 PK 속성, FK 속성, 일반 속성이 있다.

03. 아래의 그림에 대한 식별자의 분류를 알맞게 짝지은 것은?

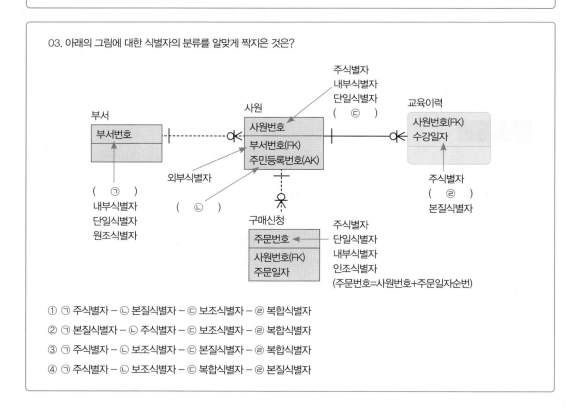

① ㉠ 주식별자 – ㉡ 본질식별자 – ㉢ 보조식별자 – ㉣ 복합식별자
② ㉠ 본질식별자 – ㉡ 주식별자 – ㉢ 보조식별자 – ㉣ 복합식별자
③ ㉠ 주식별자 – ㉡ 보조식별자 – ㉢ 본질식별자 – ㉣ 복합식별자
④ ㉠ 주식별자 – ㉡ 보조식별자 – ㉢ 복합식별자 – ㉣ 본질식별자

04. 다음의 ERD에 대한 설명으로 올바르지 않은 것은?

① 상급종합병원에는 의사가 근무하지 않을 수도 있다.

② 한 개의 상급종합병원에는 여러 명의 의사가 근무한다.

③ 진료는 반드시 의사가 해야 한다.

④ 의사 없이 진료할 수 있다.

05. 다음 중에서 도메인(Domain)에 대한 특징으로 옳지 않은 것은?

① 릴레이션의 속성에 대한 데이터 타입과 크기이다.

② 속성에 대하여 NOT NULL 제약사항을 설정하여 NULL 값을 허용하지 않는다.

③ 속성에 값을 입력할 때 CHECK 기능을 사용해서 입력값을 검사한다.

④ 하나의 릴레이션과 관계된 다른 릴레이션의 FK(Foreign Key) 제약조건이다.

06. 엔터티의 분류 중 발생 시점에 따른 분류가 아닌 것은?

① 기본 엔터티

② 사건 엔터티

③ 중심 엔터티

④ 행위 엔터티

07. 비식별자 관계로 구성된 테이블에 대한 설명 중 적절하지 않은 것은?

① 부모 자식간 1 : M 관계이고 부모 테이블이 생성되지 않았을 때 자식 테이블이 생성된다.

② 부모 테이블의 삭제 시점이 자식 테이블보다 빠르다.

③ 테이블간 조인을 최소화한다.

④ 자식 테이블의 주식별자를 부모 테이블에서 받아오는 것보다 직접 생성하는 게 더 효율적이다.

14Day

08. 아래의 두 가지 모델에 대한 설명으로 가장 적절한 것은?

(가) 모델

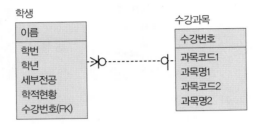

(나) 모델

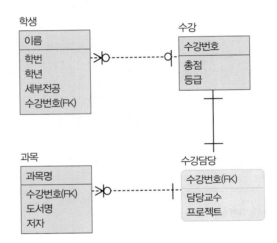

① 수강과목 신청에 관한 내용을 조회할 때 (가) 모델이 (나) 모델보다 좋다.

② 하나의 SQL로 하나도 수강하지 않은 과목을 찾을 수 없다.

③ 정규화 측면에서는 (나) 모델이 (가) 모델보다 우수하다.

④ 두 개 모델의 장점은 동일하다.

09. 아래의 내용 중 파생 속성으로만 선택된 것으로 적절한 것은?

① 회원번호, 총주문금액, 회원이름

② 최초주문일자, 주문금액, 총주문금액

③ 회원이름, 주문금액, 회원주소

④ 주문금액, 총주문금액, 회원주소

10. 부모 엔터티로부터 속성을 받았지만 자식 엔터티의 주식별자로 사용하지 않고 일반적인 속성으로만 사용하는 경우로 가장 적절하지 않은 것은?

① 자식 엔터티에서 받은 속성이 반드시 필수가 아니어도 무방하기 때문에 부모 없는 자식이 생성될 수 있는 경우이다.

② 데이터의 생명주기(Data Life Cycle)가 같은 경우이다.

③ 여러 개의 엔터티가 하나의 엔터티로 통합되어 표현되었는데 각각의 엔터티가 별도의 관계를 가질 때의 경우이다.

④ 자식 엔터티에 주식별자로 사용해도 되지만 자식 엔터티에서 별도의 주식별자를 생성하는 것이 더 유리하다고 판단될 때이다.

2과목 SQL 기본 및 활용

11. 다음 보기 중 트랜잭션의 특징이 아닌 것은?

① 원자성

② 일관성

③ 연관성

④ 고립성

12. 다음 보기 중 COL1의 값이 NULL이 아닌 데이터를 찾는 SQL로 올바른 것은?

① `SELECT COL1 FROM T1 WHERE COL1 <> '';`

② `SELECT COL1 FROM T1 WHERE COL1 != '';`

③ `SELECT COL1 FROM T1 WHERE COL1 IS NOT NULL;`

④ `SELECT COL1 FROM T1 WHERE COL1 NOT IN (NULL);`

13. 다음 중 데이터 무결성을 보장하기 위한 방법으로 가장 부적절한 것은?

① 애플리케이션에서 처리한다.

② Trigger에 검사 로직을 넣는다.

③ 데이터 변경 시 Lock을 사용하지 않는다.

④ 제약조건을 추가한다.

14. 다음 중 문자열이 입력될 때 빈 공간을 공백으로 채우는 형태의 데이터 타입은?

① VARCHAR2

② CHAR

③ DATE

④ NUMBER

15. 다음 중 결과값이 다른 것은?

① SELECT UPPER('ebac') FROM DUAL;

② SELECT RTRIM(' EBAC') FROM DUAL;

③ SELECT SUBSTR('ABCEBACED', 4, 4) FROM DUAL;

④ SELECT CONCAT('EB', 'AC') FROM DUAL;

16. 다음 보기 중 조인(Join)에 대한 설명으로 올바르지 않은 것은?

① Nested Loop Join은 랜덤액세스(Random Access)가 발생한다.

② Sort Merge Join은 정렬을 유발하여 조인하는 형태를 사용한다.

③ 대용량 데이터를 조인할 때 후행 테이블에 인덱스가 없을 경우 Nested Loop Join을 사용해야 한다.

④ Hash Join은 정렬작업이 없어 정렬이 부담되는 대량배치작업에 유리하다.

17. 다음 주어진 SQL문을 수행하였을 때의 결과가 아래와 같을 때 빈칸에 들어갈 것으로 알맞은 것은?

```
[SQL]
SELECT 10+20 * ((    )(NULL, 0.1, 0.2))
FROM DUAL;


[RESULT]
14
```

① ISNULL

② NVL

③ NVL2

④ COALESCE

18. 아래의 WINDOW FUNCTION을 사용한 SQL 중 가장 올바르지 않은 것은?

① SUM(SAL) OVER()

② SUM(SAL) OVER(PARTITION BY JOB ORDER BY EMPNO RANGE BETWEEN UNBOUNDED PRECEDING AND UNBOUNDED FOLLOWING) SAL1

③ SUM(SAL) OVER(PARTITION BY JOB ORDER BY JOB RANGE BETWEEN UNBOUNDED PRECEDING AND CURRENT ROW) SAL2

④ SUM(SAL) OVER(PARTITION BY JOB ORDER BY EMPNO RANGE BETWEEN UNBOUNDED PRECEDING AND UNBOUNDED PRECEDING) SAL3

19. 다음 주어진 데이터에서 해당 SQL문을 실행했을 때의 결과값으로 알맞은 것은?

[TBL]

A	X
1	100
1	NULL
2	100
2	200

[SQL]
SELECT A, SUM(X) AS TAB FROM TBL GROUP BY A;

①

A	TAB
1	100

②

A	TAB
1	NULL
2	300

③

A	TAB
1	100
2	300

④

A	TAB
1	100
1	NULL
2	100
2	200

14Day

20. 다음 중 데이터베이스 테이블의 제약조건(Constraint)에 대한 설명으로 가장 부적절한 것은?

① Check 제약조건은 데이터베이스에서 데이터의 무결성을 유지하기 위하여 테이블의 특정 칼럼에 설정하는 제약이다.

② 기본키(Primary Key)는 반드시 테이블 당 하나의 제약만을 정의할 수 있다.

③ 고유키(Unique Key)로 지정된 모든 칼럼들은 Null 값을 가질 수 없다.

④ 외래키(Foreign Key)는 테이블 간의 관계를 정의하기 위해 기본키(Primary Key)를 다른 테이블의 외래키가 참조하도록 생성한다.

21. 아래의 실행계획을 순서대로 바르게 나열한 것은?

```
0 -   SELECT ~
1 -     NESTED LOOP JOIN
2 -       NESTED LOOP JOIN
3 -         TABLE ACCESS(FULL)
4 -         TABLE ACCESS(BY INDEX ROWID)
5 -           INDEX(RANGE SCAN)
6 -       TABLE ACCESS(BY INDEX ROWID)
7 -         INDEX(RANGE SCAN)
```

① 0-1-2-3-4-5-6-7
② 3-4-5-4-2-7-6-0
③ 3-5-4-2-7-6-1-0
④ 3-4-2-5-7-6-1-0

22. 주어진 SQL문에서 ORDER BY로 사용할 수 없는 것은?

```
[SQL]
SELECT JOB, COUNT(*) AS ROWCNT
FROM TBL GROUP BY JOB;
```

① ORDER BY JOB
② ORDER BY ROWCNT DESC
③ ORDER BY COUNT(*)
④ ORDER BY 3

23. 다음 ERD로 작성한 SQL문에서 오류가 발생하는 것은?

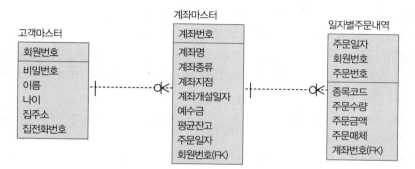

① SELECT (SELECT SUM(주문금액) FROM 일자별주문내역)

   FROM 고객마스터 GROUP BY 회원번호;

② SELECT SUM(일자별주문내역.주문금액)

   FROM 일자별주문내역

   FULL OUTER JOIN 고객마스터

   ON 고객마스터.회원번호 = 일자별주문내역.회원번호

   GROUP BY 고객마스터.회원번호;

③ SELECT SUM(일자별주문내역.주문금액)

   FROM 고객마스터, 일자별주문내역

   WHERE 고객마스터.회원번호 = 일자별주문내역.회원번호

   GROUP BY 고객마스터.회원번호;

④ SELECT SUM(주문금액)

   FROM 일자별주문내역

   WHERE EXISTS (SELECT * FROM 고객마스터

          UNION ALL SELECT * FROM 일자별주문내역)

   GROUP BY 회원번호;

24. 다음 보기 중 SQL 명령어가 올바르지 않은 것은?

① DDL : TRUNCATE

② DDL : ALTER

③ DCL : REVOKE

④ DML : RENAME

14Day

25. 다음 파티션에 대한 설명으로 틀린 것을 고르시오.

① RANK() OVER (PARTITION BY JOB ORDER BY 급여 DESC) JOB_RANK
  → 직업별 급여가 높은 순서대로 순위가 부여되고 동일한 순위는 동일한 값이 부여된다.

② SUM(급여) OVER (PARTITION BY MGR ORDER BY 급여 RANGE UNBOUNDED PRECEDING)
  → RANGE는 논리적 주소에 의한 행 집합을 의미하고 MGR별로 급여 순으로 정렬하여 파티션 첫 번째 행부터 현재 행
  까지 급여의 합계를 계산한다.

③ AVG(급여) OVER (PARTITION BY MGR ORDER BY 날짜 ROWS BETWEEN 1 PRECEDING AND 1
  FOLLOWING)
  → 각 MGR별로 앞의 한 건, 현재 행, 뒤의 한 건 사이에서 급여의 평균을 계산한다.

④ COUNT(*) OVER (ORDER BY 급여 RANGE BETWEEN 10 PRECEDING AND 300 FOLLOWING)
  → 급여 순으로 정렬하여 현재 행 급여의 −10 ~ +300사이의 급여를 가지는 행의 수를 COUNT한다.

26. 다음 주어진 테이블에 대해서 아래의 결과와 같이 반환되게 하는 아래 SQL문의 빈칸에 들어갈 것으로 올바른 것은?

[TBL]

DNAME	JOB	SAL
ACCOUNTING	CLERK	1000
ACCOUNTING	MANAGER	2000
ACCOUNTING	PRESIDENT	3000
RESEARCH	CLERK	4000
RESEARCH	MANAGER	5000
RESEARCH	PRESIDENT	6000
SALES	CLERK	7000
SALES	MANAGER	8000
SALES	PRESIDENT	9000

```
[SQL]
SELECT DNAME, JOB, SUM(SAL)
FROM TBL
GROUP BY(          )
```

[결과]

DNAME	JOB	SUM(SAL)
		45000
	CLERK	12000
	MANAGER	15000
	PRESIDENT	18000
SALES		24000
SALES	CLERK	7000
SALES	MANAGER	8000
SALES	PRESIDENT	9000
RESEARCH		15000
RESEARCH	CLERK	4000
RESEARCH	MANAGER	5000
RESEARCH	PRESIDENT	6000
ACCOUNTING		6000
ACCOUNTING	CLERK	1000
ACCOUNTING	MANAGER	2000
ACCOUNTING	PRESIDENT	3000

① CUBE(DNAME, JOB)

② ROLLUP(DNAME, JOB)

③ GROUPING SETS(DNAME, JOB)

④ CUBE(DNAME)

---

27. 다음 보기 중 인덱스에 대한 설명으로 올바르지 않은 것은?

① 인덱스는 순차인덱스, 결합인덱스, 비트맵인덱스, 클러스터인덱스, 해시인덱스가 있다.

② VARCHAR, CHAR, DATE, NUMBER 모두 인덱스 생성이 가능하다.

③ 파티션 테이블은 파티션 키에 대해서 인덱스를 생성할 수 없다.

④ 인덱스의 수가 증가하면 입력과 삭제, 수정 속도가 저하될 수 있다.

14Day

28. 다음 주어진 테이블에서 해당 SQL문을 실행한 결과로 알맞은 것은?

[TBL]

COL1	COL2
NULL	A
1	B
2	C
3	D
4	E

[SQL]
```
SELECT * FROM TBL WHERE COL1 IN (1, 2, NULL);
```

①

COL1	COL2
1	B
2	C

②

COL1	COL2
2	B
2	C

③

COL1	COL2
1	B
2	C
3	D
4	E

④

COL1	COL2
NULL	A
1	B
2	C
3	D
4	E

29. SQL의 특징이 아닌 것을 고르시오.

① 절차적(Procedural)
② 구조적(Structured)
③ 집합적(Set-Based)
④ 선언적(Declarative)

30. 주어진 SQL문을 수행한 결과로 올바른 것은?

```
[SQL]
INSERT INTO TBL VALUES(1);
INSERT INTO TBL VALUES(2);
COMMIT;
INSERT INTO TBL VALUES(3);
SAVEPOINT SP;
INSERT INTO TBL VALUES(4);
ROLLBACK TO SP;
SELECT COUNT(*) FROM TBL;
```

① 2

② 3

③ 5

④ 6

---

31. 주어진 테이블에 대해서 아래의 SQL문을 수행하였을 때 결과로 올바른 것은?

[TBL]

COL1	COL2
조민준	1
김수빈	2
김수빈	3
이현우	4
이현우	5
이현우	6
김민재	7
진서윤	8

```
[SQL]
SELECT COUNT(*) FROM TBL
GROUP BY COL1
HAVING COUNT(*) > 2;
```

① NULL

② 3

③ 5

④ 6

32. 다음 주어진 테이블에 대해서 SQL을 수행하였을 때 결과값으로 잘못된 것은?

[TBL]

EMPNO	ENAME	SAL
1	김수빈	1000
2	조민준	2000
3	이현우	3000
4	김민재	4000
5	진서윤	5000
6	정태윤	6000

① SELECT ENAME, SAL

  FROM (SELECT ENAME, SAL FROM TBL

  ORDER BY SAL DESC)

  WHERE ROWNUM = 1;

  → SAL은 6000이 조회된다.

② SELECT ENAME, SAL

  FROM (SELECT * FROM TBL

  ORDER BY SAL DESC)

  WHERE ROWNUM = 2;

  → 끝에서 2건의 데이터가 추출된다.

③ SELECT ENAME, SAL

  FROM (SELECT * FROM TBL

  ORDER BY SAL DESC)

  WHERE ROWNUM > 0;

  → 총 6개의 행이 출력된다.

④ SELECT ENAME, SAL

  FROM (SELECT * FROM TBL

  ORDER BY SAL DESC)

  WHERE ROWNUM <= 3;

  → 3개의 행이 출력된다.

33. 다음 주어진 테이블에 대해서 아래의 결과와 같이 반환되도록 아래 SQL문의 빈칸에 들어갈 것으로 알맞은 것을 고르시오.

[TBL]

이름	부서	직책	급여
조민준	IT팀	부장	5000
김민재	IT팀	대리	3000
김수빈	보안팀	차장	4000
이현우	보안팀	사원	2000
장현준	총무팀	부장	5000
윤승민	인사팀	차장	4000

[RESULT]

순위	이름	부서	직책	급여
1	조민준	IT팀	부장	5000
1	장현준	총무팀	부장	5000
3	윤승민	인사팀	차장	4000
3	김수빈	보안팀	차장	4000
5	김민재	IT팀	대리	3000
6	이현우	보안팀	사원	2000

```
[SQL]
SELECT
(        ) OVER (ORDER BY 급여 DESC)
AS 순위, 이름, 부서, 직책, 급여
FROM TBL;
```

① RANK()

② DENSE_RANK()

③ ROW_NUMBER()

④ NTILE()

34. 아래의 SQL문에 대해서 실행 순서를 올바르게 나열한 것은?

```
SELECT DEPTNO, COUNT(EMPNO)
FROM SCOTT.EMP
WHERE SAL >= 400
GROUP BY DEPTNO
HAVING COUNT(EMPNO) >= 3
ORDER BY DEPTNO;
```

① FROM → WHERE → GROUP BY → HAVING → ORDER BY → SELECT

② FROM → WHERE → HAVING → GROUP BY → ORDER BY → SELECT

③ FROM → WHERE → GROUP BY → SELECT → HAVING → ORDER BY

④ FROM → WHERE → GROUP BY → HAVING → SELECT → ORDER BY

35. 다음의 GROUP BY 구문과 동일한 SQL문을 고르시오.

```
GROUP BY CUBE(DEPTNO, JOB)
```

① GROUP BY ROLLUP(DEPTNO)

② GROUP BY GROUPING SETS
   (DEPTNO, JOB, (DEPTNO, JOB), ())

③ GROUP BY DEPTNO UNION ALL
   GROUP BY JOB UNION ALL
   GROUP BY (JOB, DEPTNO)

④ 해당사항 없음.

36. PL/SQL에서 데이터베이스 CURSOR를 사용할 때 FETCH 전에 해야 하는 것은?

① DEFINE

② OPEN

③ CLOSE

④ EXIT

37. 다음 주어진 테이블에 대해서 아래의 SQL문의 실행결과로 가장 올바른 것은?

[TBL]

ID	AGE	NAME
10	20	A
11	30	B
12	40	C
13	50	D
14	60	E

```
[SQL]
SELECT ID, AGE
FROM TBL
ORDER BY (CASE WHEN ID = 10 OR ID = 13 THEN 1 ELSE 2 END),
AGE DESC;
```

①

ID	AGE
13	50
10	20
14	60
12	40
11	30

②

ID	AGE
13	50
10	20
11	30
12	40
14	60
13	50
10	20

③

ID	AGE
10	20
11	30
12	40
13	50
14	60

④

ID	AGE
10	20
14	60
13	50
12	40
11	30

38. 다음의 VIEW를 조회한 SQL문의 실행결과로 올바른 것은?

[TBL]

COL1	COL2
A	1000
A	2000
B	1000
B	NULL
NULL	3000
NULL	NULL

```
[뷰 생성 스크립트]
CREATE VIEW V_TBL
AS
SELECT * FROM TBL
WHERE COL1 = 'A' OR COL1 IS NULL;

[SQL]
SELECT SUM(COL2) 합계
FROM V_TBL
WHERE COL2 >= 2000;
```

① 1000

② 3000

③ 4000

④ 5000

39. 다음 중 결과값이 다른 것은?

① SELECT SUBSTR(TO_CHAR('20190504'), 5, 2) FROM DUAL;

② SELECT EXTRACT(MONTH FROM DATE '2020-05-01') FROM DUAL;

③ SELECT CONCAT('0', '5') FROM DUAL;

④ SELECT TRIM('05') FROM DUAL;

40. 아래와 같은 데이터를 가진 테이블이 있을 때 아래의 SQL 결과로 알맞은 것은?

[TBL]

COL1	COL2
1	A
1	A
1	A
1	B

```
[SQL]
SELECT COUNT(COL1), COUNT(COL2)
FROM (
    SELECT DISTINCT COL1, COL2
    FROM TBL
    );
```

① 1, 2　　　　　　　　　　　　　② 2, 1

③ 2, 2　　　　　　　　　　　　　④ 3, 3

41. 아래 쿼리의 결과값을 고르시오

[TBL]

C1	C2	C3
1	2	3
NULL	2	3
NULL	NULL	3

```
[SQL]
SELECT SUM(COALESCE(C1, C2, C3)) FROM TBL;
```

① 0

② 1

③ 6

④ 14

42. 아래와 같은 스키마를 가진 테이블에 데이터가 있을 때 보기의 SQL 중 에러가 나지 않는 것은?

```
[TBL]
COL1 : NUMBER
COL2 : VARCHAR DEFAULT '000'
COL3 : DATE
COL4 : VARCHAR : 12345, 45677
```

① ALTER TABLE TBL MODIFY COL1 VARCHAR2(10);

② ALTER TABLE TBL MODIFY COL2 NUMBER;

③ ALTER TABLE TBL MODIFY COL3 TIMESTAMP;

④ ALTER TABLE TBL MODIFY COL4 NUMBER;

43. 아래의 SQL 수행 후 T1, T2, T3의 건수는?

[TBL]

COL1
1
2
4

```
[SQL]
INSERT FIRST
WHEN COL1 >= 2 THEN INTO T1 VALUES(COL1)
WHEN COL1 >= 4 THEN INTO T2 VALUES(COL1)
ELSE INTO T3 VALUES(COL1)
SELECT * FROM TBL;
```

① 1, 2, 0

② 2, 0, 1

③ 0, 1, 2

④ 2, 1, 0

44. 아래 SQL의 수행결과로 올바른 것은?

[TBL]
COL1 VARCHAR2(30)
COL2 NUMBER

COL1	COL2
Y	20
X	30
A	40
A	50
NULL	10
NULL	80

```
[SQL]
SELECT NVL(COUNT(*), 9999)
FROM TBL
WHERE 1=2;
```

① 0

② 9999

③ 1

④ ERROR

45. 문자열 중 M위치에서 N개의 문자 길이에 해당하는 문자를 리턴하는 함수를 고르시오.

① SUBSTR(STR, M, N) / SUBSTRING(STR, M, N)

② TRIM(STR, M, N)

③ CONCAT(STR, M, N)

④ STRING_SPLIT(STR, M, N)

46. 아래의 영화 데이터베이스 테이블의 일부에서 밑줄 친 속성들은 테이블의 기본키이며 출연료가 8888 이상인 영화명, 배우명, 출연료를 구하는 SQL로 가장 적절한 것은?

> 배우 (<u>배우번호</u>, 배우명, 성별)
> 영화 (<u>영화번호</u>, 영화명, 제작연도)
> 출연 (<u>배우번호</u>, <u>영화번호</u>, 출연료)

① SELECT 출연.영화명, 영화.배우명, 출연.출연료
   FROM 배우, 영화, 출연
   WHERE 출연료 >= 8888
   AND 출연.영화번호 = 영화.영화번호
   AND 출연.배우번호 = 배우.배우번호;

② SELECT 영화.영화명, 배우.배우명, 출연료
   FROM 배우, 영화, 출연
   WHERE 출연료 >= 8888
   AND 출연.영화번호 = 영화.영화번호
   AND 영화.영화번호 = 배우.배우번호;

③ SELECT 영화명, 배우명, 출연료
   FROM 배우, 영화, 출연
   WHERE 출연료 >= 8888
   AND 영화번호 = 영화.영화번호
   AND 배우번호 = 배우.배우번호;

④ SELECT 영화.영화명, 배우.배우명, 출연료
   FROM 배우, 영화, 출연
   WHERE 출연료 >= 8888
   AND 출연.영화번호 = 영화.영화번호
   AND 출연.배우번호 = 배우.배우번호;

---

47. 제약조건(Constraint)에 대한 설명 중 틀린 것은?

① 조건에 맞지 않는 데이터를 원천적으로 입력할 수 없도록 한다.
② Primary Key는 NOT NULL + Unique Key 제약조건을 가진다.
③ Unique 제약조건은 NULL이 여러 개 들어가면 위반이다.
④ Check 제약조건은 True, False를 반환한다.

48. 주어진 두 개의 테이블에 대해서 아래의 SQL문을 수행한 이후에 TBL_1 테이블의 건수는?

[TBL_1]

COL1	COL2	COL3
A	X	1
B	Y	2
C	Z	3

[TBL_2]

COL1	COL2	COL3
A	X	1
B	Y	2
C	Z	3
D	가	4
E	나	5

```
[SQL]
MERGE INTO TBL_1
USING TBL_2
 ON (TBL_1.COL1 = TBL_2.COL1)
WHEN MATCHED THEN
 UPDATE SET TBL_1.COL3 = 4
      WHERE TBL_1.COL3 = 2
 DELETE WHERE TBL_1.COL3 <= 2
WHEN NOT MATCHED THEN
 INSERT(TBL_1.COL1, TBL_1.COL2, TBL_1.COL3)
 VALUES(TBL_2.COL1, TBL_2.COL2, TBL_2.COL3);
```

① 4

② 3

③ 5

④ 8

14Day

49. 다음 주어진 데이터에 대해서 아래의 계층형 SQL문을 실행하였을 때의 결과값이 아래와 같을 때 계층형 SQL문에서 빈칸에 들어갈 것으로 올바른 것은?

[TBL]

EMPNO	MGR
8000	NULL
7788	7566
7566	8000
7876	7788

[SQL]
```
SELECT LEVEL, LPAD(' ', 2 * (LEVEL-1)) ||
EMPNO EMPLOYEE, MGR MANAGER,
CONNECT_BY_ISLEAF AS LEAF FROM TBL
START WITH (   ㉠   )
CONNECT BY PRIOR (   ㉡   );
```

[RESULT]

LEVEL	EMPLOYEE	MANAGER	LEAF
1	8000	NULL	0
2	7566	8000	0
3	7788	7566	0
4	7876	7788	1

① ㉠ MGR
   ㉡ MGR = EMPNO
② ㉠ EMPNO
   ㉡ MGR = EMPNO
③ ㉠ EMPNO IS NULL
   ㉡ EMPNO = MGR
④ ㉠ MGR IS NULL
   ㉡ EMPNO = MGR

50. 다음 주어진 테이블에 대해서 아래의 SQL문을 수행하였을 때의 결과로 올바른 것은?

[TBL]

COL1	COL2
NULL	10
12	NULL
NULL	NULL
10	12

```
[SQL]
SELECT CASE WHEN SUM(COL1 + COL2)
IS NULL THEN 0
ELSE SUM(COL1 + COL2)
END AS 합계
FROM TBL;
```

① NULL

② 12

③ 22

④ 25

14Day

1과목 데이터 모델링의 이해

01. 업무에서 필요로 하는 인스턴스로 관리하고자 하는 의미상 더 이상 분리되지 않는 최소의 데이터 단위는 무엇인가?

① 인스턴스
② 속성
③ 엔터티
④ 관계

02. 성능을 고려한 데이터 모델링에서 고려해야 할 사항으로 올바르지 않은 것은?

① 성능 튜닝을 위해서 애플리케이션이 데이터베이스에 접근하는 트랜잭션 유형은 무시해도 된다.
② 배치를 통해서 입력되는 데이터 용량이 크면 클수록 성능 튜닝을 위한 비용은 증가된다.
③ 성능 향상을 위해서 튜닝을 수행하면 데이터베이스 모델링이 변경될 수 있다.
④ 데이터베이스 모델링 시에 성능을 고려한 모델링을 수행하면 성능 비용을 감소시킬 수 있다.

03. 발생시점 엔터티가 아닌 것을 고르시오.

① 기본 엔터티
② 중심 엔터티
③ 행위 엔터티
④ 유형 엔터티

04. 다음 보기 중 아래 ERD에 대한 설명으로 올바르지 않은 것은?

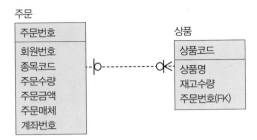

① 상품은 주문을 하나 이상 반드시 가져야 한다.
② 주문은 상품을 1개 이상 가질 수 있다.
③ 주문은 상품이 없을 수 있다.
④ 주문, 상품은 비식별관계로 부모가 없어도 자식이 생길 수 있다.

05. 아래의 설명 중 속성에 대한 설명으로 가장 적절하지 않은 것은?

[설명]

우리은행은 예금분류(일반예금, 특별예금 등)의 원금, 예치기간, 이자율을 관리할 필요가 있다.
또한 원금에 대한 이자율을 적용하여 계산된 이자에 대해서도 속성으로 관리하고자 한다.
예를 들어 원금이 1000원이고 예치기간이 5개월이며 이자율이 5.0%라는 속성을 관리하고 계산된
이자도 관리한다.
일반예금이나 특별예금 등에 대해서는 코드를 부여(예: 01-일반예금, 02-특별예금 등)하여 관리한다.

① 일반예금은 코드 엔터티를 별도로 구분하고 값에는 코드값만 포함한다.
② 원금, 예치기간은 기본(BASIC) 속성이다.
③ 이자와 이자율은 파생(DERIVED) 속성이다.
④ 예금분류는 설계(DESIGNED) 속성이다.

06. 데이터 모델링 시 유의점으로 적절하지 않은 것은?

① 여러 장소에 같은 정보를 저장하지 않도록 한다.
② 성능을 위한 반정규화를 고려한다.
③ 사소한 업무변화에 데이터 모델이 수시로 변경되면 유지보수가 어렵다.
④ 데이터의 중복이 없어도 비일관성이 발생한다.

07. 주식별자에 대한 설명으로 적절하지 않은 것은?

① 해당 업무에서 자주 이용되는 속성을 사용한다.
② 복합 식별자에는 최대한 많은 속성이 포함되도록 하여야 한다.
③ 명칭은 되도록 지정하지 않는다.
④ 엔터티 내 유일하게 식별 가능한 속성을 주식별자로 선택한다.

08. 테이블 반정규화 기법 중 테이블 병합이 아닌 것은?

① 1 : 1 관계 테이블 병합
② 1 : M 관계 테이블 병합
③ 슈퍼/서브타입 테이블 병합
④ 통계 테이블 추가

14Day

09. 아래와 같은 테이블이 있을 때 그 설명으로 부적절한 것은?

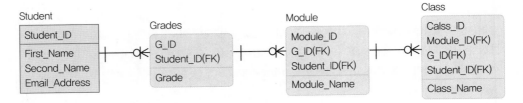

① 4개의 테이블을 조인하기 위한 최소 조건은 3개이다.

② 식별자 관계로만 연결될 경우 조인의 복잡성이 증가하므로 비식별자 관계를 고려해야 한다.

③ Student, Module을 조인할 때 Student와 Grades를 비식별자 관계로 설계하면 조인이 더욱 편리해진다.

④ Student의 Student_ID는 내부 식별자이고 Grades의 Student_ID는 외부 식별자이다.

10. 다음 보기 중 3차 정규화에 대한 설명으로 올바른 것은?

① 해당 릴레이션에 기본키를 식별한다.

② 기본키가 하나 이상의 키로 되어 있는 경우에 부분함수 종속성을 제거한다.

③ 조인으로 발생하는 종속성을 제거한다.

④ 이행함수 종속성을 제거한다.

2과목 SQL 기본 및 활용

11. 다음 중 아래에서 조인(Join)에 대한 설명으로 올바르지 않은 것은?

가) 마스터 테이블과 슬레이브 테이블 간의 조인은 일반적으로 기본키와 외래키 사이에서 발생한다.
나) EQUI Join은 두 개의 테이블 간에 칼럼 값이 일치하는 것을 조회한다.
다) EQUI Join은 >, <, >=, <= 를 사용한다.
라) EQUI Join은 두 개의 테이블에서 교집합을 찾는다.

① 가
② 나
③ 다
④ 라

12. 아래의 SQL문을 수행하였을 때의 결과가 RESULT와 같을 때 RESULT에 대한 설명으로 적절하지 않은 것은?

```
[SQL]
SELECT CONNECT_BY_ROOT LAST_NAME AS BOSS,
MANAGER_ID, EMPLOYEE_ID, LAST_NAME,
LEVEL,
CONNECT_BY_ISLEAF AS ISLEAF,
SYS_CONNECT_BY_PATH(LAST_NAME, '-') "PATH"
FROM TBL
WHERE 1=1 START WITH MANAGER_ID IS NULL
CONNECT BY PRIOR EMPLOYEE_ID = MANAGER_ID
ORDER BY ISLEAF, LAST_NAME;
```

[RESULT]

BOSS	MANAGER_ID	EMPLOYEE_ID	LAST_NAME	LEVEL	ISLEAF	PATH
[ ]		100	A	1	0	-A
A	100	101	B	2	0	-A-B
A	101	108	C	3	0	-A-B-C
A	101	205	L	3	0	-A-B-L
A	108	109	D	4	1	-A-B-C-D
A	108	110	E	4	1	-A-B-C-E
A	108	111	F	4	1	-A-B-C-F
A	108	112	G	4	1	-A-B-C-G
A	108	113	H	4	1	-A-B-C-H
A	101	200	I	3	1	-A-B-I
A	101	203	J	3	1	-A-B-J
A	101	204	K	3	1	-A-B-K
A	205	206	M	4	1	-A-B-L-M

① [ ]는 A이다.

② ISLEAF는 LEAF면 1을 LEAF가 아니면 0을 반환한다.

③ 자식에서 부모로 가는 역방향이다.

④ LEVEL은 계층의 깊이를 의미하며 A는 최상위 계층이다.

14Day

13. 다음 주어진 테이블에서 수행한 SQL문의 결과값으로 잘못된 것은?

[TBL]

EMPNO	ENAME	SAL
1	NOAH	1000
2	LIAM	2000
3	AIDEN	3000
4	JAMES	4000
5	ETHAN	5000
6	OLIVER	6000

① SELECT ENAME, SAL

   FROM (SELECT ENAME, SAL FROM TBL

      ORDER BY SAL DESC)

   WHERE ROWNUM = 1;

   → 맨 끝에 데이터가 추출된다.

② SELECT ENAME, SAL

   FROM (SELECT ENAME, SAL FROM TBL

      ORDER BY SAL DESC)

   WHERE ROWNUM = 2;

   → 끝에서 2건의 데이터가 추출된다.

③ SELECT ENAME, SAL

   FROM (SELECT ENAME, SAL FROM TBL

      ORDER BY SAL DESC)

   WHERE ROWNUM > 0;

   → 밑에서부터 위까지 모든 데이터가 추출된다.

④ SELECT ENAME, SAL

   FROM (SELECT ENAME, SAL FROM TBL

      ORDER BY SAL DESC)

   WHERE ROWNUM <= 3;

   → 끝에서 3건의 데이터가 추출된다.

14. 다음 중 아래의 요구사항을 반영한 SQL문의 결과가 다른 것은?

[요구사항]

팀이 A이거나 B이면서 무게가 65보다 큰 플레이어를 검색하라.

① SELECT * FROM PLAYER
   WHERE TEAM IN ('A', 'B') AND WEIGHT > 65;
② SELECT * FROM PLAYER
   WHERE TEAM = 'A' OR TEAM = 'B' AND
   WEIGHT > 65;
③ SELECT * FROM PLAYER
   WHERE (TEAM = 'A' AND WEIGHT > 65) OR
   (TEAM = 'B' AND WEIGHT > 65);
④ SELECT * FROM PLAYER
   WHERE (TEAM = 'A' OR TEAM = 'B') AND
   WEIGHT > 65;

15. 다음 주어진 테이블에 대한 아래 SQL문의 결과로 알맞은 것은?

[TBL]

COL1	COL2
A	100
B	200
C	300
C	400

[SQL]
SELECT COUNT(*)
FROM TBL
GROUP BY ROLLUP(COL1), COL1;

① 3   ② 4
③ 6   ④ 8

16. 아래와 같은 테이블에 데이터가 있다. 각 보기에서의 SQL 실행결과가 잘못된 것은?

[TBL_1]

JOB_TITLE	NAME
MANAGER	A
CLERK	B
SALESMAN	C
DEVELOPER	D

[TBL_2]

JOB_TITLE	NAME
MANAGER	A
SALESMAN	C

① SELECT A.JOB_TITLE, A.NAME
   FROM TBL_1 A, TBL_2 B
   WHERE A.JOB_TITLE = B.JOB_TITLE;

[RESULT]

JOB_TITLE	NAME
MANAGER	A
SALESMAN	C

② SELECT A.JOB_TITLE, A.NAME
   FROM TBL_1 A LEFT OUTER JOIN TBL_2 B
   ON A.JOB_TITLE = B.JOB_TITLE;

[RESULT]

JOB_TITLE	NAME
DEVELOPER	D

③ SELECT A.JOB_TITLE, A.NAME
   FROM TBL_1 A RIGHT OUTER JOIN TBL_2 B
   ON A.JOB_TITLE = B.JOB_TITLE;

[RESULT]

JOB_TITLE	NAME
MANAGER	A
SALESMAN	C

④ SELECT A.JOB_TITLE, A.NAME
   FROM TBL_1 A INNER JOIN TBL_2 B
   ON A.JOB_TITLE = B.JOB_TITLE;

[RESULT]

JOB_TITLE	NAME
MANAGER	A
SALESMAN	C

17. 보기에서 SELECT 결과가 NULL이 아닌 경우는?

① SELECT COALESCE(1, 2, 3) FROM DUAL;

② SELECT CASE 0 WHEN 1 THEN 2 ELSE NULL END FROM DUAL;

③ SELECT DECODE('A', 'B', 'C', NULL) FROM DUAL;

④ SELECT NULLIF('A', 'A') FROM DUAL;

18. 다음 보기 중 아래의 SQL에 대한 설명으로 가장 올바른 것은?

```
[SQL]
SELECT 분류코드,
       AVG(상품가격) AS 상품가격,
       COUNT(*) OVER
       (ORDER BY AVG(상품가격)
                 RANGE BETWEEN 10000 PRECEDING
                 AND 10000 FOLLOWING) AS CNT
FROM 상품
GROUP BY 분류코드;
```

① WINDOW FUNCTION을 GROUP BY(분류코드)절과 함께 사용하였으므로 위의 SQL은 오류가 발생한다.

② WINDOW FUNCTION의 ORDER BY절로 인하여 문법오류가 발생한다.

③ CNT 칼럼은 분류코드별 평균상품가격을 서로 비교하여 −10000 ~ +10000 사이에 존재하는 분류코드의 개수를
구한 것이다.

④ CNT 칼럼은 상품전체의 평균상품가격을 서로 비교하여 −10000 ~ +10000 사이에 존재하는 상품의 개수를
구한 것이다.

19. 다음 중 TEST 사용자가 아래의 작업을 수행할 수 있도록 권한을 부여하는 DCL로 올바른 것은?

```
[SQL]
UPDATE A_USER.TBL SET COL1 = 'TEST' WHERE COL2 = 100;
```

① GRANT UPDATE TO TEST;

② REVOKE SELECT ON A_USER.TBL FROM TEST;

③ REVOKE UPDATE ON A_USER.TBL TO TEST;

④ GRANT SELECT, UPDATE ON A_USER.TBL TO TEST;

20. 아래의 테이블에 대해서 주어진 SQL문을 수행한 결과로 알맞은 것은?

[TBL_1]

JUMUN	PRICE
10	2000
10	3000
20	4000
20	3500

[TBL_2]

CUSTRANK	MINPRICE	MAXPRICE
VVIP	6000	6999
VIP	5000	5999
GOLD	4000	4999

```
[SQL]
SELECT A.JUMUN AS JUMUN, B.CUSTRANK AS CUSTRANK
FROM (SELECT JUMUN, SUM(PRICE) AS TOTAL
    FROM TBL_1 GROUP BY JUMUN) A, TBL_2 B
WHERE A.TOTAL BETWEEN B.MINPRICE AND B.MAXPRICE;
```

①

JUMUN	CUSTRANK
10	VIP
20	GOLD

②

JUMUN	CUSTRANK
10	SILVER
20	GOLD

③

JUMUN	CUSTRANK
10	VIP

④

JUMUN	CUSTRANK
10	VIP
10	VIP
20	GOLD
20	GOLD

21. 다음 보기 중 순수 관계 연산자에 해당하지 않는 것은?

① SELECT

② DELETE

③ JOIN

④ DIVISION

22. 주어진 테이블에 대해서 아래의 SQL문을 수행한 결과로 적절한 것은?

[TBL]

COL1	COL2	COL3
A		1
B	A	2
C	A	3
D	B	4

```
[SQL]
SELECT COUNT(*) FROM TBL
WHERE COL3 <> 3
START WITH COL3 = 4
CONNECT BY COL1 = PRIOR COL2;
```

① 0
② 1
③ 2
④ 3

23. 다음 보기 중 주어진 테이블에 대해서 수행하였을 때 결과값이 다른 것은?

[TBL]

MEMBERID	NAME
NULL	조민준
2	김민재
3	이현우
4	장현준
5	조유진
NULL	김수빈

① SELECT COUNT(3) FROM TBL;

② SELECT COUNT(MEMBERID) FROM TBL;

③ SELECT COUNT(NULLIF(MEMBERID, NULL)) FROM TBL;

④ SELECT COUNT(*) FROM TBL WHERE MEMBERID IS NOT NULL;

24. 다음 주어진 테이블에 대해서 아래의 SQL문을 실행하였을 때의 결과로 올바른 것은?

[TBL]

C1	C2
1	80
2	70
3	80
4	90
5	100
6	110

```
[SQL]
SELECT C1, C2,
CASE
WHEN C2 <= 100 THEN 'B'
WHEN C2 <= 300 THEN 'A'
ELSE 'S'
END GRADE
FROM TBL
ORDER BY C2;
```

①

C1	C2	GRADE
2	70	B
1	80	B
3	80	B
4	90	B
5	100	B
6	110	A

②

C1	C2	GRADE
6	70	B
2	80	B
1	80	B
3	90	A
4	100	A
5	110	A

③

C1	C2	GRADE
6	30	A
2	70	A
1	80	A
3	100	A
4	150	B
5	300	B

④

C1	C2	GRADE
6	70	A
2	80	A
1	80	A
3	90	B
4	100	B
5	110	B

25. 다음의 A, B 테이블에 대한 설명을 보고 알맞은 것을 고르시오.

```
CREATE TABLE A(
A NUMBER(10) PRIMARY KEY,
B NUMBER(10)
);

CREATE TABLE B(
A NUMBER(10),
B NUMBER(10)
REFERENCES A(A) ON DELETE CASCADE);

INSERT INTO A VALUES(1, 1);
INSERT INTO A VALUES(2, 2);

INSERT INTO B VALUES(1, 1);
INSERT INTO B VALUES(2, 2);

DELETE FROM A WHERE A=1;
SELECT * FROM B;
```

①

A	B
2	2

②

A	B
1	1
1	1

③

A	B
2	2
1	1

④

A	B
1	1

26. TBL 테이블에는 COL1과 COL2의 칼럼이 있다. 이때 아래의 SQL문을 실행할 경우 각각의 결과로 올바른 것은?

```
INSERT INTO TBL VALUES(NULL, 10);
INSERT INTO TBL VALUES(12, NULL);
INSERT INTO TBL VALUES(NULL, NULL);
INSERT INTO TBL VALUES(10, 12);


[SQL1]
SELECT COUNT(COL1) FROM TBL; -- 출력값


[SQL2]
SELECT * FROM TBL WHERE COL1 IN (12, 10, NULL); -- 행의 수


[SQL3]
SELECT COL1, COUNT(*) FROM TBL GROUP BY COL1; -- 행의 수
```

① 2, 3, 4   ② 2, 1, 3
③ 2, 2, 3   ④ 4, 2, 3

27. 주어진 데이터에서 아래의 SQL문이 수행된 결과로 옳은 것은?

[TBL]

COL1	COL2
100	100
NULL	60
NULL	NULL

```
[SQL]
SELECT COALESCE(COL1, COL2*50, 50)
FROM TBL;
```

① 100, 3000, 50
② 100, NULL, 50
③ 100, 60, 50
④ 100, 3000, NULL

28. 아래의 SQL문을 실행했을 때 조회되는 행 수가 가장 많이 나오는 SQL문과 가장 적게 나오는 SQL문은?

```
INSERT INTO A1 VALUES(1, 4);
INSERT INTO A1 VALUES(2, 5);
INSERT INTO A1 VALUES(3, 6);
INSERT INTO A1 VALUES(4, 7);

INSERT INTO A2 VALUES(1, 4);
INSERT INTO A2 VALUES(2, 5);
INSERT INTO A2 VALUES(NULL, 6);
INSERT INTO A2 VALUES(NULL, 7);

(1)
SELECT * FROM A1, A2
WHERE A1.COL1 = A2.COL1;

(2)
SELECT * FROM A1 LEFT OUTER JOIN A2
ON A1.COL1 = A2.COL1;

(3)
SELECT * FROM A1 RIGHT OUTER JOIN A2
ON A1.COL1 = A2.COL1;

(4)
SELECT * FROM A1 FULL OUTER JOIN A2
ON A1.COL1 = A2.COL1;
```

① (1), (2)
② (2), (3)
③ (3), (4)
④ (4), (1)

29. 다음 SQL문과 결과를 확인 후 ( )에 올바른 것이 무엇인지 고르시오.

```
[SQL]
SELECT LEVEL, LPAD(' ', 2 * (LEVEL-1)) || EMPNO AS EMPNO,
       MGR, CONNECT_BY_ISLEAF
FROM EMP
START WITH MGR IS NULL
(       ) PRIOR EMPNO = MGR;
```

[RESULT]

LEVEL	EMPNO	MGR	CONNECT_BY_ISLEAF
1	1000		0
2	1001	1000	0
3	1005	1001	1
3	1006	1001	0
4	1007	1006	1
4	1008	1006	1
3	1011	1001	1
2	1002	1000	0
3	1009	1002	1
3	1010	1002	1
…	…	…	…

① CONNECT BY

② GROUP BY

③ WHERE

④ HAVING

30. 테이블 생성 후 복제(CTAS)에서 제약조건 적용 중 적절한 것을 고르시오.

① Primary Key(PK)가 복제되지 않는다.

② NOT NULL 조건 적용이 안 된다.

③ Check가 적용된다.

④ VARCHAR2(3) DEFAULT '000'이 적용된다.

31. 다음 보기 중 주어진 테이블에서 아래의 SQL문의 실행결과로 가장 적절한 것은?

[TBL]

ID
1000
1000
1000
3000
3000
4000
9999
9999

```
[SQL]
SELECT ID FROM TBL
GROUP BY ID
HAVING COUNT(*) = 2
ORDER BY (CASE WHEN ID = 1000 THEN 0 ELSE ID END);
```

①

ID
3000
9999

②

ID
9999
3000

③

ID
1000
3000
9999

④

ID
9999
3000
1000

32. HASH 조인에 대한 설명으로 옳지 않은 것은?

① 두 개의 테이블 중에서 작은 테이블을 HASH 메모리에 로딩하고 두 개 테이블의 조인 키를 사용해서 테이블을 생성한다.

② HASH 함수를 사용해서 주소를 계산하고 해당 주소를 사용해서 테이블을 조인하기 때문에 CPU 연산이 많이 수행된다.

③ HASH 함수를 사용해서 조인 시 RANDOM ACCESS로 인한 부하로 성능지연이 발생할 수 있다.

④ HASH 조인 시에는 선행 테이블의 크기가 작아서 충분히 메모리에 로딩되어야 한다.

14Day

33. 다음 주어진 테이블들에 대해서 아래의 SQL문을 수행한 결과로 가장 적절한 것은?

[TBL_1]

COL1	COL2	COL3
1	A	10
2	B	20
3	A	10

[TBL_2]

COL1	COL2	COL3
X	A	10
Y	B	20
Z	B	10

```
[SQL]
SELECT COUNT(DISTINCT COL1)
FROM TBL_1
WHERE COL3 = (SELECT COL3
              FROM TBL_2
              WHERE COL2 = 'A');
```

① 1

② 2

③ 0

④ 3

34. 아래의 SQL 중 결과가 다른 것은?

① SELECT * FROM TBL WHERE V1 = 'A' AND V2 IN ('T1', 'T2', 'T3');

② SELECT * FROM TBL WHERE V1 = 'A' AND V2='T1' OR V2='T2' OR V2='T3';

③ SELECT * FROM TBL WHERE (V1, V2) IN (('A', 'T1'), ('A', 'T2'), ('A', 'T3'));

④ SELECT * FROM TBL WHERE V1 = 'A' AND (V2 = 'T1' OR V2 = 'T2' OR V2 = 'T3');

35. 다음의 SQL문 중에서 결과가 동일한 하나의 SQL문은?

[TBL]

SUBKPI	KPINAME	MAINKPI
10	고객만족도	0
20	콜센터만족도	10
30	불만건수	20
40	대기시간	30
50	건의건수	40

```
[SQL]
SELECT * FROM TBL
WHERE (SUBKPI, MAINKPI)
IN ((20, 10), (0, 30));
```

① SELECT * FROM TBL WHERE SUBKPI=20;

② SELECT * FROM TBL WHERE SUBKPI IN (20, 10);

③ SELECT * FROM TBL WHERE (SUBKPI, MAINKPI) IN ((10, 20), (20, 30));

④ SELECT * FROM TBL WHERE (SUBKPI, MAINKPI) IN ((20, 30), (30, 40));

36. 아래 SQL 결과로 올바른 것은?

[T1]

COL1
10
20

[T2]

COL1
10
NULL

```
[SQL]
SELECT COUNT(*)
FROM T1
WHERE NOT EXISTS (SELECT 'X' FROM T2 WHERE T1.COL1 = T2.COL1);
```

① 2

② 0

③ 1

④ 오류 발생

37. 아래의 SQL 결과 중 다른 것을 고르시오.

[TBL]

COL1	COL2
A	a
B	b
C	c

① SELECT COL1 FROM TBL WHERE COL1 IN ('A', 'B') OR COL2 <> 'c';

② SELECT COL1 FROM TBL WHERE COL1 IN ('A', 'B')

   UNION ALL

   SELECT COL1 FROM TBL WHERE COL2 <> 'c';

③ SELECT COL1 FROM TBL WHERE COL1 IN ('A', 'B')

   UNION

   SELECT COL1 FROM TBL WHERE COL2 <> 'c';

④ SELECT COL1 FROM TBL WHERE COL1 = 'A' OR COL1 = 'B' OR COL2 <> 'c';

38. 아래의 SQL문을 수행한 결과로 올바른 것은?

[TBL]

COL1
100
200
300

```
[SQL]
SELECT COUNT(*) FROM TBL
WHERE COL1 IN (100, 200, 100);
```

① 3

② 2

③ 1

④ 0

39. 릴레이션 EMP, DEPT가 다음과 같이 정의되어 있다. 사원이 한 명도 없는 부서(DEPTNO)를 검색하는 질의를 작성했을 때, 가장 거리가 먼 것은? (단, EMP의 DEPTNO은 DEPT의 DEPTNO을 참조하는 외래키이다.)

```
EMP(EMPNO, ENAME, JOB, MGR, HIREDATE, SAL, COMM, DEPTNO)

DEPT(DEPTNO, DNAME, LOC)
```

① SELECT DEPTNO FROM DEPT
   WHERE DEPTNO NOT IN
   (SELECT DEPTNO FROM EMP);

② SELECT DEPTNO FROM DEPT A
   WHERE NOT EXISTS
   (SELECT * FROM EMP B WHERE
   A.DEPTNO = B.DEPTNO);

③ SELECT B.DEPTNO FROM EMP A
   RIGHT OUTER JOIN
   DEPT B ON A.DEPTNO = B.DEPTNO
   WHERE EMPNO IS NULL;

④ SELECT DEPTNO FROM DEPT
   WHERE DEPTNO <> ANY (SELECT
   DEPTNO FROM EMP);

40. 아래의 SQL 결과로 알맞은 것은?

```
[SQL]
SELECT SYSDATE FROM DUAL;
→ 2024-03-10
SELECT TO_DATE('2024', 'YYYY') FROM DUAL;
```

① 2024-03-01
② 2024-01-01
③ 2024-03-10
④ 2024-01-10

41. 아래의 데이터에 대해 결과처럼 누적합을 구하는 SQL로 부적절한 것은?

[TBL]

V1	N1
20231101	100
20231102	150
20231102	250
20231103	100
20231104	150

```
[결과]
20231101   100
20231102   500
20231102   500
20231103   600
20231104   750
...
```

① SELECT V1, SUM(N1) OVER(ORDER BY V1) FROM TBL;

② SELECT V1, SUM(N1) OVER(ORDER BY V1 ROWS BETWEEN UNBOUNDED PRECEDING AND CURRENT ROW) FROM TBL;

③ SELECT V1, SUM(N1) OVER(ORDER BY V1 RANGE BETWEEN UNBOUNDED PRECEDING AND CURRENT ROW) FROM TBL;

④ SELECT V1, (SELECT SUM(B.N1) FROM TBL B WHERE A.V1 >= B.V1) AS SUM FROM TBL A;

42. NATURAL JOIN의 특징이 아닌 것은?

① 두 테이블 간 동일한 이름을 가진 칼럼으로 조인이 이루어진다.

② 등가조인(EQUI Join), 비등가조인(Non EQUI Join)이 가능하다.

③ USING절을 사용할 수 없다.

④ ON절을 사용할 수 없다.

43. 다음 릴레이션에 대하여 아래와 같이 인덱스를 생성하였다. 다음 중 생성된 인덱스에 의하여 검색속도를 향상시킬 수 있는 질의로 가장 적절하지 않은 것은?

[릴레이션]

ARTICLES(ID, TITLE, JOURNAL, ISSUE, YEAR, STARTPAGE, ENDPAGE, TR_ID)

[인덱스]

CREATE INDEX IDX1 ON ARTICLES(YEAR, STARTPAGE);

CREATE INDEX IDX2 ON ARTICLES(STARTPAGE, ENDPAGE);

CREATE INDEX IDX3 ON ARTICLES(JOURNAL, ISSUE, YEAR);

① SELECT TITLE FROM ARTICLES

   WHERE JOURNAL = 'JACM' AND

   ISSUE = 55;

② SELECT TITLE FROM ARTICLES

   WHERE ENDPAGE - STARTPAGE > 50;

③ SELECT TITLE FROM ARTICLES

   WHERE YEAR > 1995 AND

   YEAR < 2000;

④ SELECT TITLE FROM ARTICLES

   WHERE JOURNAL = 'JACM';

44. 데이터 제어어(DCL) 및 트랜잭션 제어어(TCL)에 해당하지 않는 것은?

① GRANT

② ROLLBACK

③ REVOKE

④ ALTER

45. 아래의 WINDOW FUNCTION을 사용한 SQL 중 가장 올바르지 않은 것은?

① SUM(SAL) OVER()

② SUM(SAL)

OVER(PARTITION BY JOB

ORDER BY EMPNO RANGE

BETWEEN UNBOUNDED PRECEDING

AND UNBOUNDED FOLLOWING

) SAL1

③ SUM(SAL)

OVER(PARTITION BY JOB

ORDER BY JOB RANGE

BETWEEN UNBOUNDED PRECEDING

AND CURRENT ROW

) SAL2

④ SUM(SAL)

OVER(PARTITION BY JOB

ORDER BY EMPNO RANGE

BETWEEN UNBOUNDED PRECEDING

AND UNBOUNDED PRECEDING

) SAL3

46. SQL 집합 연산자에서 교집합에 해당하는 것은?

① UNION ALL
② EXCEPT
③ INTERSECT
④ UNION

47. 아래와 같은 결과를 내는 SQL문으로 옳은 것은?

[EMP]

부서코드	상위부서코드
1	NULL
2	NULL
4	1
5	1
7	2
8	3
11	7

[RESULT]

부서코드	상위부서코드
11	7
7	2
2	NULL

① SELECT * FROM EMP
   START WITH 부서코드=2
   CONNECT BY 상위부서코드 = PRIOR 부서코드;

② SELECT * FROM EMP
   START WITH 부서코드=2
   CONNECT BY PRIOR 상위부서코드 = 부서코드;

③ SELECT * FROM EMP
   START WITH 부서코드=11
   CONNECT BY 상위부서코드 = PRIOR 부서코드;

④ SELECT * FROM EMP
   START WITH 부서코드=11
   CONNECT BY PRIOR 상위부서코드 = 부서코드;

48. PLAYER 테이블에서 선수명과 팀명은 오름차순, 연봉은 내림차순으로 조회하는 SQL로 바른 것은?

① SELECT 선수명, 팀명, 연봉 FROM ORDER BY 선수명 DESC, 팀명 DESC, 연봉 ASC;
② SELECT 선수명, 팀명, 연봉 FROM ORDER BY 선수명 ASC, 팀명, 3 DESC;
③ SELECT 선수명, 팀명, 연봉 FROM ORDER BY 선수명 ASC, 팀명 ASC, 연봉;
④ SELECT 선수명, 팀명, 연봉 FROM ORDER BY 선수명, 팀명, DESC 연봉;

14Day

49. 다음 중 아래와 같은 데이터 상황에서 SQL의 수행 결과로 가장 적절한 것은?

[TBL1]

C1	C2
A	1
B	2
C	3
D	4
E	5

[TBL2]

C1	C2
B	2
C	3
D	4

```
[SQL]
SELECT * FROM TBL1 A LEFT OUTER JOIN TBL2 B
ON (A.C1 = B.C1 AND B.C2 BETWEEN 1 AND 3)
ORDER BY A.C1;
```

①

C1	C2	C1	C2
A	1	NULL	NULL
B	2	B	2
C	3	C	3
D	4	D	4
E	5	NULL	NULL

②

C1	C2	C1	C2
A	1	NULL	NULL
B	2	B	2
C	3	C	3
D	4	NULL	NULL
E	5	NULL	NULL

③

C1	C2	C1	C2
A	1	NULL	NULL
B	2	B	2
C	3	C	3

④

C1	C2	C1	C2
A	1	NULL	NULL
B	2	B	2
C	3	C	3
D	4	D	4

50. 아래 테이블에 대한 [뷰 생성 스크립트]를 실행한 후, 조회 SQL의 실행결과로 맞는 것은?

[TBL]

C1	C2
A	100
B	200
B	100
B	
	200

```
[뷰 생성 스크립트]
CREATE VIEW V_TBL
AS
SELECT * FROM TBL
WHERE C1 = 'B' OR C1 IS NULL

[조회 SQL]
SELECT SUM(C2) C2
FROM V_TBL
WHERE C2 >= 200 AND C1 = 'B'
```

① 0

② 200

③ 300

④ 400

정답 01. ③
해설
논리 모델은 업무의 논리적 구조를 파악하고 이를 가시화, 명세화하는 목적도 가진다.

정답 02. ②
해설
도메인이란 속성이 가질 수 있는 값의 허용범위를 나타낸다.

정답 03. ①
해설
기본키: 엔터티를 식별할 수 있는 최소성과 유일성을 만족하는 속성
외래키: 논리적 모델링에서 관계로 표현되며 다른 테이블의 기본키를 참조하는 속성

정답 04. ④
해설
부서는 소속사원이 없을 수도 있다. (0명 이상의 소속사원을 가짐)

정답 05. ①
해설
One To One Type: 테이블 수가 많아져서 관리가 어렵다.
Plus Type: 항상 사용되는 것은 아니며, 서브 타입별로 테이블이 나뉘므로 조인이 발생할 수 있다.

정답 06. ②
해설
IE 표기법은 실선과 점선으로 식별관계, 비식별관계를 구분하며 까치발(Crow's Foot) 표기를 사용한다.

정답 07. ②
해설
엔터티는 속성을 하위요소로 가진다. 환자라는 엔터티에 나이, 이름, 주소가 속성이 된다.

정답 08. ②
해설
관계차수를 카디널리티(Cardinality)라고 하며 1 : 1, 1 : M, M : N과 같은 관계의 기수성을 나타낸다.

정답 09. ②

해설

점선으로 연결된 관계는 비식별관계이다.

정답 10. ②

해설

주식별자는 해당 업무에서 자주 이용되는 속성으로 정하되 복합식별자의 경우 너무 많은 속성이 포함되지 않도록 하여 유일성과 최소성을 만족해야 한다.

정답 11. ③

해설

고립성(Isolation): 동시에 실행되는 트랜잭션 사이에 상호 간섭이 없어야 한다.

정답 12. ③

해설

C3 : UNIQUE 제약조건은 NULL 입력을 허용한다.

정답 13. ③

해설

SUBSTR의 세 번째 인자는 길이를 나타내므로 양수를 입력해야 한다. 0또는 음수 입력 시 NULL을 반환한다.

정답 14. ③

해설

ROLLBACK으로 DELETE와 UPDATE는 취소된다.

정답 15. ②

해설

CASE문으로 만들어진 칼럼(1, 1, 2, 2) 기준 오름차순 정렬하고, 동일 값에 대해 AMT 기준으로 내림차순 정렬한다.

정답 16. ③

해설

공통으로 속한 원소만 추출하는 것은 INTERSECTION(교집합) 연산이다.

정답 17. ③
해설
GROUP BY → SELECT 순으로 실행되므로 AVG(상품가격)은 상품분류코드별 평균상품가격을 계산한다.

정답 18. ①
해설
서브쿼리 내 윈도우 함수에 의해 부서ID별 연봉 최댓값을 구하여 연봉이 이 값과 같은 사원을 출력한다.

정답 19. ④
해설
가)는 DEGREE 값 입력이 누락됐고, 나)는 DEGREE 값이 크기 초과이며, 다)는 AMT에 NULL을 입력하게 되어 실패한다.

정답 20. ①
해설
고객번호별 매출액 합계를 구하여 RANK( ) 함수로 순위를 표시한다. RANK( ) 함수는 동일 값은 같은 순위를 가지며, 다음 순위는 동일 값 숫자만큼 건너 뛰므로 700, 700, 550, 350, 350에 대해서 순위는 1 → 1 → 3 → 4 → 4가 된다.

정답 21. ①
해설
MAX: 전체의 첫 행(UNBOUNDED PRECEDING)부터 2 이후 행(2 FOLLOWING)까지, COL1의 최댓값
SUM: 1 이전 행(1 PRECEDING)부터 현재 행(CURRENT ROW)까지, COL2 값 합산
FIRST: 현재 행의 상하로 현재 행 COL1 값의 −200(200 PRECEDING) ~ +200(200 FOLLOWING) 범위를 파티션으로 묶고 그 중의 첫 번째 값

정답 22. ④
해설
ON절에는 조건식이 따라와야 한다. 조건식이 아니라 칼럼명만으로 사용하려면 2번과 같이 USING을 사용해야 한다.

정답 23. ②
해설
SELECT절에 DISTINCT를 사용하면 중복되는 값에 대해 1번만 출력한다. 따라서 서브쿼리의 결과는 (1, A), (1, B) 두 건이다.

정답 24. ④
해설
USER_B에게 USER_A.TBL_A 테이블에 대한 UPDATE 권한을 부여하는 GRANT 명령문은 ④번이다.

정답 25. ③
해설
뒤에서 4번째부터 시작하여 길이가 2인 문자열을 추출하면 '67'이다.

정답 26. ④
해설
'SQL EXPERT'의 문자열 길이는 10이다. (공백 문자도 1개로 계산된다.)

정답 27. ②
해설
NATURAL JOIN은 동일한 이름의 칼럼에 대해 같은 값을 가지는 행을 조인하므로 동일한 이름의 칼럼을 별도의 OWNER 표시 없이 사용한다. (NATURAL JOIN을 할 때는 모든 칼럼에 OWNER 표시가 없어야 함)

정답 28. ④
해설
CROSS JOIN은 두 테이블의 모든 행을 M:N으로 조합하여 출력한다. ①, ②, ③번은 모두 TBL_01에는 NO, C1 칼럼이 있고 TBL_02에는 NO, C2 칼럼이 있을 때 NO가 같은 값을 가지는 행을 조인한다.

정답 29. ①
해설
UNION은 중복 행을 제거하고 정렬까지 수행한다. 중복 행을 포함하는 것은 UNION ALL이다.

정답 30. ③
해설
LIKE문 사용시 '%'는 0개 이상의 문자, '_'는 1개의 문자를 의미하는 메타문자이므로 이 문자 자체를 검색할 수 없다. ESCAPE를 사용하여 이스케이프 문자를 지정하면 해당 문자 뒤의 문자는 메타문자가 아니라 문자 고유의 의미대로 사용할 수 있다.

정답 31. ④
해설
예외처리(EXCEPTION)는 필수가 아니다.

정답 32. ①
해설
SELECT절: 스칼라 서브쿼리, FROM절: 인라인 뷰, WHERE/HAVING절: 중첩 서브쿼리

정답 33. ②
해설
(1) JOB_TITLE이 'CLERK'이거나, (2) EMP_NAME이 'K'로 시작하면서 SALARY가 3000 이상인 건은 5건이다.

정답 34. ①
해설
비교연산자(〈, 〉, 〈=, 〉=, =, 〈〉) 뒤에 GROUP BY를 사용한 다중행 서브쿼리는 올 수 없다.

정답 35. ④
해설
Unique Key 제약은 NULL을 허용한다.

정답 36. ②
해설
GROUP BY→HAVING→SELECT→ORDER BY 순으로 실행된다. ID로 GROUP BY 한 후(100, 200, 999) HAVING 에서 개수가 2인 것을 출력하며(100, 999), ORDER BY절에서 CASE문으로 999가 0으로 처리되어 999가 100보다 먼 저 출력된다.

정답 37. ③
해설
온라인 트랜잭션 처리(OLTP)에는 Nested Loop Join이 더 적합하다.

정답 38. ③
해설
(DEPTNO, JOB), (DEPTNO), (전체)로 그룹핑되는 것은 ROLLUP(DEPTNO, JOB)이다.

정답 39. ①
해설
BETWEEN A AND B는 A 이상, B 이하를 의미한다.

정답 40. ③

해설

덧셈 시 NULL을 더하면 결과도 NULL이 되고, SUM 함수는 NULL인 행은 제외하고 합산을 한다. 첫 번째 SELECT문은 COL1 + COL2 + COL3 + COL4를 먼저 계산한 후 여기에 SUM을 호출하고 있으므로 각 행의 결과는 50, NULL, NULL, NULL이 되며 이에 대해 SUM을 호출하면 결과는 50이다. 두 번째 SELECT문은 각각의 칼럼에 먼저 SUM을 호출한 후 더하고 있으므로 60+60+20+100이 되어 240이다.

정답 41. ③

해설

ROLLBACK TO SV1은 SV1 저장점까지 되돌리는 명령이다. 따라서 직전 UPDATE와 DELETE는 취소된다. UPDATE문은 어차피 조건에 해당하는 행이 없어서 영향이 없고 DELETE가 취소되어 최종 결과는 4가 된다.

정답 42. ①

해설

FIRST_VALUE: 파티션에서 가장 처음에 나오는 값

LAST_VALUE: 파티션에서 가장 나중에 나오는 값

LAG: N번 이전 행의 값

LEAD: N번 이후 행의 값

정답 43. ②

해설

(COL1, COL2)가 (10000, 'ABC')인 것은 첫 번째 행 1건뿐이다.

정답 44. ②

해설

WHERE절에서 조건 비교 시 다중행 서브쿼리에 대해서는 IN이나 EXISTS를 사용해야 한다. ③번의 경우 EXISTS 앞에 주문일자가 없어야 한다.

정답 45. ③

해설

BAN으로 GROUP BY 해서 NAME의 종류를 카운트한 결과이다. NAME의 종류를 카운트하려면 DISTINCT로 중복을 제거해서 COUNT 함수를 사용하면 된다.

정답 46. ②

해설

WHERE절의 조건을 만족하는 행이 없을 때 COUNT(*)는 0을 반환한다. 따라서 NVL(0, 9999)가 되며 NVL은 첫 번째 인자가 NULL이 아니면 그대로 반환하므로 결과값은 0이 된다.

정답 47. ③

해설

CREATE INDEX 〈인덱스명〉 ON 〈테이블명〉(〈속성명〉)

정답 48. ①

해설

실행계획이란 SQL을 실행하기 위한 절차와 방법을 말한다.

정답 49. ④

해설

산술 → 연결 → 비교 → IS NULL, LIKE, IN → BETWEEN → NOT → AND → OR

정답 50. ①

해설

1은 TABLE3에 들어가고, 2, 5는 모두 TABLE1에 들어간다. WHEN절에서 가장 위의 조건을 만족하면 그 아래 조건은 체크하지 않는다.

정답 01. ③

해설

M : N 관계는 물리적 모델링이 불가능하므로 중간에 엔터티를 추가하여 1 : N, N : 1 관계로 분리해야 하는데 이렇게 추가된 엔터티를 교차 엔터티라고 한다.

정답 02. ①

해설

논리적 데이터 모델링은 키, 속성, 관계 등을 표현하여 재사용성이 높다.

정답 03. ②

해설

모든 사용자 관점을 통합한 전체 관점은 개념 스키마이다. (통합 → 개념 스키마)

정답 04. ③

해설

명칭은 중복될 수 있고 내역은 계속 변경될 수 있는 것이므로 주식별자로 적합하지 않다.

정답 05. ④

해설

분산 데이터베이스는 데이터 무결성을 보장하기 위한 것이 아니고 시스템의 가용성을 높이기 위한 것이다.

정답 06. ④

해설

관계 표기는 관계명(Membership), 관계차수(Cardinality), 관계선택사양(Optionality)으로 구성된다.

정답 07. ①

해설

다른 속성으로부터 계산되거나 특정 규칙에 따라 변형되어 만들어지는 속성을 파생 속성이라고 한다.

정답 08. ③

해설

[이용내역] 엔터티에 이용일자 + 사원번호가 PK로 되어 있으므로 콘도 이용 시 콘도번호는 사원과 이용일자로 특정된다. 다시 말해서 사원은 동일한 일자에 하나의 콘도번호만 대응되므로 이는 하나의 콘도만 이용 가능하다는 의미이다.

정답 09. ④
해설
테이블에 많은 칼럼이 과도하게 밀집한 경우 수직분할을 해야 하며 ①, ②, ③번은 모두 수직분할에 대해 설명하고 있다. ④번은 수평분할(파티셔닝)을 설명한 것으로 여기에는 적절하지 않다.

정답 10. ②
해설
엔터티는 반드시 속성을 가져야 하고 인스턴스는 엔터티의 설계에 따라 실제로 데이터베이스에 저장된 것이므로 인스턴스에 속성이 없는 경우는 없다.

정답 11. ④
해설
NULL은 미지의 값 또는 정해지지 않은 값을 의미하며 0도 아니고 공백도 아니다.

정답 12. ①
해설
①번: COL1 BETWEEN 200 AND 400 → COL1 >=200 AND COL1 <=400
②, ③, ④번: 200 BETWEEN COL1 AND COL2 → COL1 <= 200 AND COL2 >= 200

정답 13. ③
해설
금액1, 금액2, 금액4는 300, 300, 300, 300이 되고 금액 3은 300, 300, NULL, 300이 된다.

NVL: 첫 번째 인자가 NULL이 아니면 첫 번째, NULL이면 두 번째 인자 반환
COALESCE: 인자들 순으로 값을 확인하여 NULL이 아닌 첫 번째 값 반환
NULLIF: 두 인자의 값이 같으면 NULL, 다르면 첫 번째 인자 반환

정답 14. ②
해설
제품마스터와 주문이력을 조인하면 공통의 기준키가 없으므로 CROSS JOIN이 되어 카테시안 곱이 발생한다.

정답 15. ②
해설
LIKE문은 문자열을 패턴으로 비교하여 TRUE, FALSE를 반환한다. 'A%'는 A로 시작하는 문자열을 의미한다. (%는 0개 이상의 문자를 의미)

정답 16. ①

해설

'123456789'에서 뒤에서 6번째 문자부터 2개를 추출하면 '45'가 된다.

정답 17. ①

해설

①번은 4이고 ②, ③, ④번은 7.5이다.

COUNT, SUM, AVG 등 집계함수는 값이 NULL인 행은 제외하고 계산한다. NVL(USERCOUNT, 0)은 USERCOUNT 칼럼을 <u>10, 20, 0, 0</u>으로 만들기 때문에 2번, 3번은 (10 + 20 + 0 + 0)/4 = 7.5가 된다. 4번은 약간 헷갈리게 만든 보기로 (10 + 20 + 1 + 1)/4 − 0.5 = 7.50이다.

정답 18. ①

해설

②번: Non EQUI Join에서도 사용할 수 있다.

③번: 결과 행이 적은 테이블을 선행 테이블로 사용하는 것이 유리하다.

④번: Sort Merge Join과 Nested Loop Join의 단점을 해결한 것이나 항상 성능이 우수한 것은 아니다.

정답 19. ③

해설

아래와 같이 전개되며, WHERE절에 의해 EMPNO가 3인 KIM은 제외되므로 결과는 2이다.

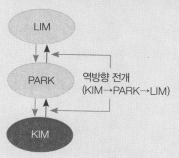

* LPAD(a, b, c): a 문자열을 b크기로 만들며 c로 빈칸을 채운다.

정답 20. ②

해설

권한을 부여하는 DCL 명령어는 GRANT이다. (권한 회수는 REVOKE)

정답 21. ①
해설
③번을 답으로 고르기 쉬운데, NOT IN의 경우 AND 조건으로 리스트의 모든 항과 비교하게 되는데 NULL과의 비교는 결과가 무조건 FALSE가 되므로 COUNT(*)는 0이 된다. (NULL과의 비교는 IS NULL, IS NOT NULL만 가능)

정답 22. ④
해설
보기의 테이블은 PK가 KEY1, KEY2로 이루어져 있으므로 UNIQUE INDEX SCAN이 수행되려면 WHERE절에서 KEY1과 KEY2를 모두 사용해야 한다.

정답 23. ①
해설
IN의 경우 OR 조건으로 리스트의 각 항과 비교하므로 NULL은 제외된다. (NULL과의 비교는 무조건 FALSE이므로 애초에 제외됨) 따라서 첫 번째 행의 COL1이 NULL이라고 하더라도 결과에는 포함되지 않는다.

정답 24. ②
해설
PL/SQL은 절차형 언어로서 변수 대입, 조건문 사용이 가능하고 테이블 생성도 가능하다. 단, PL/SQL에서 생성되는 테이블은 영구적으로 생성하는 것이 아니라 임시 테이블인 경우가 많다.

정답 25. ③
해설
서브쿼리에서 CUSTOMERS.ID와 ORDERS.ID가 같은 행을 조회한 다음 메인쿼리의 WHERE절에서 NOT EXISTS를 사용하면 된다.

정답 26. ②
해설
FROM TBL_1 A, TBL_2 B라고 하면 CROSS JOIN이 되어 TBL_1의 각 행에 TBL_2의 각 행이 결합하여 총 6건이 출력된다. 여기에서 WHERE절의 조건에 맞는 것만 추리면 3건이 된다.

정답 27. ④
해설
DISTINCT가 중복을 제거하므로 SELECT DISTINCT COL1, COL2 FROM TBL의 결과는 (조민준, 1), (조민준, 2), (조민준, 3)이 된다.

정답 28. ②

해설

CHAR은 문자열형이다.

정답 29. ④

해설

순위 함수 사용 시 순위에 따라 정렬해서 출력하려면 ORDER BY절을 입력해야 한다.

정답 30. ④

해설

먼저 TBL_1과 TBL_2를 UNION ALL 하면 <u>1, 2, 3, 3, 4, 5, 6, 7, 8</u>이 되고, 여기에 MINUS TBL_3를 하면 <u>1, 2, 3, 7, 8</u>이 된다. (MINUS 연산 시 중복이 제거되어 3이 한 번만 포함됨)

정답 31. ①

해설

[해설] GROUP BY → SELECT 순으로 실행되므로 GROUP BY에 없는 칼럼을 SELECT에 출력하면 값을 특정할 수 없어 출력이 불가능하다. (GROUP BY로 그룹핑한 칼럼에 대해 다른 칼럼은 1 : N의 관계가 성립)

정답 32. ②

해설

CHAR는 고정길이를 가지며 비교 시 길이가 다르면 짧은 쪽에 공백을 추가하여 길이를 맞춘 후 비교하므로 문자열값 자체가 같은 경우 같은 내용으로 판단한다.

(예를 들어 'ABC'와 'ABC '를 비교하면 같은 것으로 판단한다.)

정답 33. ④

해설

PRIOR 자식 = 부모 → 자식 앞에 부모이므로 순방향, PRIOR 부모 = 자식 → 부모 앞에 자식이므로 역방향임을 고려하면 문제를 풀면,

①번: MAINKPI가 0인 노드부터 순방향 전개 모두 출력, 고객만족도 → 콜센터만족도 → 불만건수 → 대기시간 → 건의건수

②번: MAINKPI가 0인 노드부터 역방향 전개(고객만족도 하나), WHERE절에 따라 출력 건수 0

③번: MAINKPI가 100인 노드부터 순방향 전개이나 MAINKPI가 100인 노드가 없으므로 출력 건수는 0

④번: MAINKPI가 0인 노드부터 순방향 전개, 그 중 SUBKPI가 30인 항만 출력(이때 상위 KPI도 같이 출력)하므로 정답

정답 34. ②
해설
메인쿼리에서는 서브쿼리의 칼럼을 자유롭게 사용할 수 없다. 반대로 서브쿼리에서는 메인쿼리의 칼럼을 사용할 수 있다.

정답 35. ④
해설
<u>FWGHSO</u>: FROM → WHERE → GROUP BY → HAVING → SELECT → ORDER BY

정답 36. ①
해설
USER1이 생성한 테이블을 USER2가 조회하고 있으므로 USER2에 적절한 권한이 없을 경우 오류가 발생한다. 따라서 USER2 계정에 USER1.TBL1을 조회하는 권한을 부여하면 된다.

→ GRANT SELECT ON USER1.TBL1 TO USER2

정답 37. ③
해설
③번은 두 건, 나머지는 1건만 출력된다. ROWNUM은 전체 행을 순회하면서 1부터 차례로 번호를 부여하며 WHERE절에서 ROWNUM을 조건식에 사용할 경우 FALSE가 되면 그 즉시 순회를 멈추고 출력이 중단된다.

정답 38. ③
해설
COL3가 4인 노드(D)에서 시작하여 역방향 전개(COL1이 자식, COL2가 부모이며 COL1 = PRIOR COL2로 부모 앞에 자식이므로 역방향 전개임)이다. COL3이 2인 노드(B)을 제외하므로 D→B→A에서 B를 제외한 D, A만 조회되어 COUNT(*)에 의해 2가 출력된다.

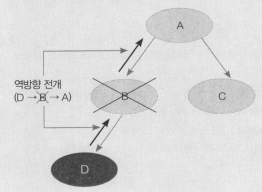

정답 39. ③

해설

"_"는 메타문자로 직접 검색이 불가능하여 ESCAPE를 사용해야 한다. (1회 30번 해설 참고)

정답 40. ②

해설

Oracle 문법에서 WHERE절에 (+)를 사용하면 OUTER JOIN이다. (+)가 표시된 것의 반대쪽 테이블이 조인의 기준이 되므로 TBL1, TBL2에 대해서 위쪽은 LEFT OUTER JOIN, 아래쪽은 RIGHT OUTER JOIN이 된다.

정답 41. ④

해설

①, ②, ③번은 T1, T2를 NATURAL JOIN 하여 T1, T2의 모든 칼럼이 출력되며, 4번은 T2의 칼럼만 출력된다.

정답 42. ④

해설

인덱스 중 B-Tree 인덱스는 Equal 조건 외에도 BETWEEN, 〈, 〉 등 범위 검색도 가능하다.

정답 43. ②

해설

1은 T3에 들어가고 2, 3은 T1에 들어간다. WHEN절에서 가장 위의 조건을 만족하면 그 아래 조건은 체크하지 않는다.

정답 44. ③

해설

차집합은 MINUS 또는 EXCEPT이다.

정답 45. ④

해설

④번에서 DECODE('06', 0, PRICE)는 '06'과 0이 같으면 PRICE, 같지 않으면 NULL을 반환한다. 따라서 NULL이 반환되어 SUM(NULL)이 되며 결과는 NULL이다.

정답 46. ④
해설
①번: SYSDATE 반환값을 VARCHAR2에 대입하려면 VARCHAR2의 크기가 8 이상이어야 한다.
②번: AGE는 NOT NULL이므로 NULL을 입력할 수 없다.
③번: ID는 PRIMARY KEY이므로 입력을 생략할 수 없다. (입력을 생략하면 NULL이 자동 입력되나 PRIMARY KEY는 NOT NULL + UNIQUE이므로 오류 발생)
④번: NAME은 NULL 입력이 가능하므로 입력 성공

정답 47. ③
해설
주문금액에 따라 내림차순 정렬하여 순위를 매기고 있다.

정답 48. ④
해설
NATURAL JOIN과 CROSS JOIN은 ON절을 사용할 수 없다. 단, CROSS JOIN의 경우 WHERE절을 사용해서 조인 조건을 명시할 수 있는데 이 경우 INNER JOIN과 같은 결과를 보여준다.

정답 49. ②
해설
{1, 2, 3}에서 {1}을 제외하면 {2, 3}이 남는다.

정답 50. ②
해설
NVL(C1, 0)에 의해 C1에서 값이 NULL인 경우 0을 반환하므로 10, 20, 0에 대해 평균을 구하게 된다. 따라서 (10 + 20 + 0)/3 = 10이 된다.

정답 01. ①
해설
데이터베이스 모델링의 특징은 추상화(Abstraction), 단순화(Simplification), 명확화(Clarity)이다.

정답 02. ②
해설
①번: 엔터티는 2개 이상의 속성으로 구성된다.
③번: 하나의 속성은 하나의 속성값을 가진다.
④번: 속성은 특성에 따라 기본 속성, 설계 속성, 파생 속성으로 나뉜다.

정답 03. ③
해설
㉠ 주식별자
㉡ AK로 표시되고 있으므로 보조식별자
㉢ 본질식별자
㉣ PK가 2개의 속성으로 구성되므로 복합식별자

정답 04. ④
해설
의사는 진료에 대해 필수적 관계이므로 의사 없이 진료할 수 없다.

정답 05. ④
해설
FK 제약조건은 참조 무결성을 위한 것으로 도메인과 상관없다.

정답 06. ②
해설
발생 시점에 따른 분류: 기본 엔터티, 중심 엔터티, 행위 엔터티
물리적 형태의 존재 여부에 따른 분류: 유형 엔터티, 개념 엔터티, 사건 엔터티

정답 07. ③
해설
비식별자 관계라고 하여 조인이 최소화되지는 않는다.

정답 08. ③

해설

①번: 수강과목의 신청에 관한 내용을 조회할 때는 과목 엔터티가 분리되어 있는 (나) 모델이 더 좋다.

②번: 조인과 NOT IN 등의 연산자를 사용하여 하나의 SQL로 하나도 수강하지 않은 과목을 찾을 수 있다.

③번: (가) 모델의 경우 유사한 속성이 반복되고 있어 1차 정규화가 필요하므로 정규화 측면에서는(나) 모델이 더 우수하다.

④번: (가) 모델은 조회 성능 상의 장점이 있고 (나) 모델은 데이터의 중복을 방지하여 일관성 측면에서 장점이 있다.

정답 09. ②

해설

회원번호, 회원이름, 회원주소와 같은 것은 파생 속성이 아니라 기본 속성이다.

정답 10. ②

해설

비식별자 관계가 아닌 것을 찾는 문제이다. 부모와 자식 간에 데이터의 생명주기가 같은 경우에는 식별자 관계가 더 적합하다.

정답 11. ③

해설

트랜잭션의 특징은 원자성(Atomicity), 일관성(Consistency), 고립성(Isolation), 영속성(Durability)이다.

정답 12. ③

해설

NULL과의 비교는 IS NULL, IS NOT NULL만 사용 가능하다.

정답 13. ③

해설

데이터의 무결성을 보장하기 위해서는 제약조건을 걸거나 트리거에 검사 로직을 넣을 수 있고 애플리케이션 코드에서도 처리할 수 있다. 데이터의 일관성과 무결성을 보장하기 위해서는 데이터 변경 시 Lock을 사용해야 한다.

정답 14. ②

해설

CHAR는 고정 크기 문자열형으로 지정된 크기보다 작은 크기의 문자열을 대입하면 남은 자리를 공백으로 채운다.

정답 15. ②

해설

RTRIM은 오른쪽 끝에서 공백이나 지정된 문자를 제거한다.

정답 16. ③

해설

Nested Loop Join은 후행 테이블에 조인을 위한 인덱스가 생성되어 있어야 한다.

정답 17. ③

해설

ISNULL, NVL은 인자의 개수가 2개이므로 답이 될 수 없다. COALESCE가 들어간다면 결과는 12가 된다. NVL2(a, b, c)는 a가 NULL이 아니면 b, NULL이면 c를 반환한다.

정답 18. ④

해설

UNBOUNDED PRECEDING을 End Point, 즉 BETWEEN의 AND 다음에 사용할 수 없다.

정답 19. ③

해설

A로 GROUP BY 하고 있으므로 A, SUM(X)는 그룹핑된 A의 값과 그룹별 X의 합을 출력한다.

정답 20. ③

해설

Unique Key는 Null 값을 가질 수 있다.

정답 21. ③

해설

각 행을 노드로 보고 들여쓰기 수준을 레벨로 보면 다음과 같은 계층 구조가 되며 읽는 순서는 다음과 같다.

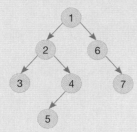

자식(좌) → 자식(우) → 부모 순으로 읽는다.
(이런 방식을 후위(Postorder) 순회라고 한다.)
3 → 5 → 4 → 2 → 7 → 6 → 1

(복원)기출문제 정답 및 해설

정답 22. ④
해설
ORDER BY절은 SELECT보다 나중에 실행되므로 칼럼명 외에도 SELECT절의 칼럼 순서번호를 사용할 수 있다. 따라서 ORDER BY 3은 SELECT절의 세 번째 칼럼으로 정렬한다는 뜻인데 SELECT절에 세 번째 칼럼이 없다.

정답 23. ④
해설
UNION이나 UNION ALL의 대상은 서로 스키마(칼럼의 수와 데이터 타입)가 같아야 한다. 고객마스터와 일자별주문내역은 스키마가 다르므로 UNION ALL 연산에서 오류가 발생한다.

정답 24. ④
해설
RENAME은 DDL 명령어이다.

정답 25. ③
해설
③번은 ORDER BY 날짜가 있으므로 각 MGR별로 날짜 순으로 정렬하여 앞의 한 건, 현재 행, 뒤의 한 건 사이의 급여 평균을 계산한다.

정답 26. ①
해설
(DNAME, JOB), (DNAME), (JOB), (전체)로 그룹핑되고 있으므로 CUBE(DNAME, JOB)이다.

정답 27. ③
해설
파티션 테이블은 파티션 키에 대해서 인덱스를 생성할 수 있으며 이것을 GLOBAL INDEX라고 한다.

정답 28. ①
해설
2회 23번 해설 참고

정답 29. ①
해설
SQL은 비절차적 언어이다. PL/SQL, T-SQL이 절차적 특성을 가진다.

정답 30. ②

해설

ROLLBACK TO SP에 의해서 직전 INSERT는 취소되므로 1, 2, 3이 입력되어 COUNT(*)는 3이 된다.

정답 31. ②

해설

COL1으로 GROUP BY 하고 HAVING절에 의해 개수가 2보다 큰 것은 이현우이며 개수는 3이다.

정답 32. ②

해설

ROWNUM은 1부터 시작해서 각 행을 순회하면서 1씩 증가하며 WHERE절에서 ROWNUM과의 비교 조건이 FALSE 가 되면 즉시 순회를 중단한다. 따라서 2번과 같이 ROWNUM=2 형태의 조건식을 사용하면 아무것도 출력되지 않는다. (ROWNUM이 1일 때 FALSE가 되어 순회를 중단하므로)

정답 33. ①

해설

1 → 1 → 3 → 3 → 5 → 6과 같은 순위를 나타내는 것은 RANK( ) 함수이다. DENSE_RANK( )는 1 → 1 → 2 → 2 → 3 → 4가 되고, ROW_NUMBER( )는 1 → 2 → 3 → 4 → 5 → 6이 된다.

정답 34. ④

해설

FWGHSO: FROM → WHERE → GROUP BY → HAVING → SELECT → ORDER BY

정답 35. ②

해설

CUBE(DEPTNO, JOB)은 (DEPTNO, JOB), (DEPTNO), (JOB), (전체)로 그룹핑한다. 이와 같은 것은 GROUPING SETS((DEPTNO, JOB), DEPTNO, JOB, ( ))이다.

정답 36. ②

해설

CURSOR 순서: DEFINE → OPEN → FETCH → CLOSE

정답 37. ①
해설
ORDER BY절의 CASE문에 의해 ID를 10, 13은 1로 나머지는 2로 바꿔 정렬한 후, 동일 순위는 AGE를 내림차순 정렬한다.

정답 38. ④
해설
V_TBL은 (A, 1000), (A, 2000), (NULL, 3000), (NULL, NULL)이 된다. 여기에서 COL2가 2000이상인 행의 SUM(COL2)는 2000 + 3000 = 5000이다.

정답 39. ②
해설
다른 보기는 '05'를 출력하는데 ②번은 5를 출력한다.

정답 40. ③
해설
1회 23번 해설 참고

정답 41. ③
해설
COALESCE(C1, C2, C3)는 C1, C2, C3 칼럼의 값을 차례대로 검사하여 NULL이 아닌 첫 번째 값을 반환하므로 1, 2, 3이 된다. 여기에 SUM을 적용하면 1 + 2 + 3 = 6이다.

정답 42. ③
해설
ALTER로 데이터 타입을 변경하려면 칼럼이 비어 있어야 한다. TIMESTAMP는 DATE를 확장한 타입으로 DATE를 TIMESTAMP로 변경하는 것은 칼럼이 비어 있지 않아도 가능하다.

정답 43. ②
해설
1은 T3에 들어가고 2, 4은 T1에 들어간다. WHEN절에서 가장 위의 조건을 만족하면 그 아래 조건은 체크하지 않는다.

정답 44. ①
해설
WHERE절이 항상 FALSE이므로 COUNT(*)는 0이 된다. NVL(0, 9999)는 0이므로 결과는 0이 된다.

정답 45. ①
해설
부분 문자열을 반환하는 것은 SUBSTR 함수이다.

정답 46. ④
해설
각 테이블과 테이블의 속성이 맞게 짝지어진 것은 ④번이다.

①번: SELECT절에서 출연.영화명, 영화.배우명이 잘못됐다. (영화명은 출연 테이블에 없고 배우명도 영화 테이블에 없다.)
②번: WHERE절에서 영화.영화번호 = 배우.배우번호가 잘못됐다.
③번: 영화번호와 배우번호는 칼럼명이 서로 다른 테이블에서 사용되고 있으므로 반드시 OWNER 표시를 같이 해야 한다.

정답 47. ③
해설
유니크 제약조건은 NULL의 입력을 허용한다.

정답 48. ③
해설
MERGE는 특정 기준키에 대하여 일치하면 UPDATE, 일치하지 않으면 INSERT를 실행한다. DELETE절은 직전의 UPDATE로 갱신된 행에 대해서만 수행되므로 여기서는 DELETE절이 전혀 수행되지 않는다. 따라서 3건은 수정, 2건은 추가되어 전체 건수는 5가 된다.

정답 49. ④
해설
ROOT 노드부터 순방향 전개를 하므로, START WITH MGR IS NULL CONNECT BY PRIOR EMPNO = MGR이 된다.

정답 50. ③
해설
COL1 + COL2는 NULL, NULL, NULL, 22가 되어 여기에 SUM을 하면 22가 된다. CASE문에 따라 이 값은 NULL이 아니므로 그대로 출력한다.

정답 01. ②
해설
더 이상 분리되지 않는 최소의 데이터 단위는 속성이다.

정답 02. ①
해설
성능 데이터 모델링 시 애플리케이션의 트랜잭션 유형을 파악해서 반정규화를 수행한다.

정답 03. ④
해설
발생 시점에 따른 분류 : 기본 엔터티, 중심 엔터티, 행위 엔터티

정답 04. ①
해설
상품에 대해 주문은 선택적 관계이므로 상품은 주문을 안 가질 수도 있다.

정답 05. ③
해설
이자는 파생 속성이나 이자율은 기본 속성이다.

정답 06. ②
해설
데이터 모델링 시 유의점은 중복(Duplication) 최소화, 비유연성(Inflexibility) 최소화, 비일관성(Inconsistency) 최소화이다.

정답 07. ②
해설
복합 식별자에 너무 많은 속성이 포함되면 안 된다. 유일성과 최소성을 만족해야 한다.

정답 08. ④
해설
통계 테이블 추가는 테이블 병합이 아니라 테이블 추가 기법이다.

정답 09. ③

해설

Student와 Grades를 비식별자 관계로 설계하면 Grades와 Module은 식별자 관계이므로 Student, Module을 조인할 때 조인의 복잡성이 오히려 증가할 수 있다.

정답 10. ④

해설

3차 정규화는 이행함수 종속성을 제거하는 것이다.

정답 11. ③

해설

〉, 〈, 〉=, 〈=와 같은 부등호를 사용하여 범위로 검색하는 것은 Non EQUI Join이다.

정답 12. ③

해설

EMPLOYEE_ID는 자식, MANAGER_ID는 부모이다. CONNECT BY PRIOR EMPLOYEE_ID = MANAGER_ID에 따라 자식 앞에 부모이므로 부모 노드에서 자식 노드 방향으로 이어지는 순방향 전개이다.

정답 13. ②

해설

WHERE ROWNUM = 2라고 하면 아무것도 출력되지 않는다. 3회 32번 해설 참고

정답 14. ②

해설

연산자 우선 순위에 따라서 AND가 OR보다 먼저 실행된다. 즉, (TEAM = 'A') OR (TEAM = 'B' AND WEIGHT 〉 65)와 같이 처리되어 다른 보기들과 다른 결과를 출력한다.

정답 15. ③

해설

ROLLUP(COL1)은 (1) COL1, (2) 전체로 집계하므로 ROLLUP(COL1), COL1은 (1) COL1, COL1 (2) 전체, COL1으로 집계를 구한다. COL1이 두 번 나오나 한 번 나오나 결국은 같은 COL1 기준 집계이므로 (1)도 COL1으로 집계, (2)도 COL1으로 집계한 것이 된다. 따라서 최종 결과는 COL1으로 두 번 집계한 것이 되어 A, B, C, A, B, C로 6건이 된다.

정답 16. ②
해설
LEFT OUTER JOIN은 왼쪽 테이블의 모든 행이 포함된 결과를 출력한다.

JOB_TITLE	NAME
MANAGER	A
SALESMAN	C
DEVELOPER	D
CLERK	B

정답 17. ①
해설
①번: 1, COALESCE는 NULL이 아닌 첫 번째 인자를 반환한다.
②번: NULL, CASE 뒤의 값(0)이 1이면 2, 그렇지 않으면 NULL을 반환
③번: NULL, 첫 번째 인자('A')가 두 번째 인자('B')와 같으면 세 번째 인자('C') 반환, 그 외에는 NULL 반환
④번: NULL, 첫 번째 인자('A')와 두 번째 인자('A')가 같으면 NULL 반환

정답 18. ③
해설
분류코드로 GROUP BY 하여 AVG(상품가격)을 구하고 있으므로 분류코드별 평균상품가격을 구하고 있다. CNT는 분류코드별 평균상품가격의 −10000 ~ +10000 범위의 상품 개수를 계산한 것이다.

정답 19. ④
해설
TEST 사용자에게 A_USER.TBL에 대해서 UPDATE 할 수 있는 권한을 부여
→ GRANT SELECT, UPDATE ON A_USER.TBL TO TEST;

정답 20. ③
해설
JUMUN별 PRICE의 합을 구해서 고객등급을 출력하는 SQL이다. 10 → 5000, 20 → 7500으로 고객등급은 10 → VIP, 20 → 해당등급없음이다. 따라서 (10, VIP)만 출력된다.

정답 21. ②
해설

순수 관계 연산자: 관계형 데이터베이스에 적용할 수 있도록 개발된 관계 연산자

연산자	기호	설명
SELECT	σ	선택 조건을 만족하는 부분 집합을 구한다.
PROJECT	π	속성 리스트에서 제시된 속성만 추출한다.
JOIN	⋈	공통 속성을 중심으로 두 개의 릴레이션을 병합한다.
DIVISION	÷	부분 속성을 가진 릴레이션의 튜플과 연관된 튜플들을 반환한다.

정답 22. ④
해설

부모: COL2, 자식: COL1, CONNECT BY COL1 = PRIOR COL2 → 부모 앞에 자식이므로 역방향 전개이다. COL3
가 4인 노드에서 시작하여 역방향으로 전개되며 COL3가 3인 노드는 제외한다. 따라서 D → B → A로 개수는 3이다.

정답 23. ①
해설

COUNT(3)을 하면 전체 행의 개수가 반환되어 6이 된다. (여기서 숫자 3은 큰 의미가 없다. 다른 숫자이어도 결과는 같다.)
COUNT(MEMBERID)는 MEMBERID 중에 NULL인 행을 제외하고 카운트하여 4가 된다. ③번 ④번 역시 NULL인 행을
제외하고 카운트하여 4가 된다.

정답 24. ①
해설

CASE문에 의해 C2가 100 이하이면 B, 100 초과 300 이하이면 A, 그 외에는 S 등급이 부여된다. CASE문의 WHEN절
은 앞의 조건에 맞으면 뒤의 것은 실행되지 않는다.

정답 25. ①
해설

참조 무결성 제약조건에서 ON DELETE CASCADE는 참조되고 있는 부모 테이블에서 해당 키가 삭제되면 참조하고 있는
자식에서도 같이 삭제된다. 따라서 A 테이블(부모)에서 A=1인 행을 삭제하면 B 테이블(자식)에서도 A=1인 행이 삭제된다.

정답 26. ③
해설
COUNT(칼럼)을 수행하면 해당 칼럼에서 NULL은 제외하고 카운트한다. 따라서 SQL1은 2가 된다. SQL2의 경우 IN을 사용할 때 리스트에 있는 NULL은 우선 제외되므로 IN (12, 10)이 되어 결과는 2건이 된다. SQL3의 경우 COL1으로 GROUP BY 하면 12, 10, NULL이 되어 3건이 된다.

정답 27. ①
해설
COALESCE 함수는 인자 리스트 중 NULL이 아닌 첫 번째 인자의 값을 반환한다.

정답 28. ④
해설
①번은 INNER JOIN과 같다. A1, A2 두 테이블로부터 INNER JOIN을 하면 공통된 행만 포함하므로 가장 적은 행이 출력된다. 반대로 FULL OUTER JOIN은 공통된 행 외에도 두 테이블의 모든 행이 포함되므로 가장 많은 행이 출력된다.

정답 29. ①
해설
MGR이 NULL인 노드가 최상위(ROOT) 노드이다. EMPNO가 자식, MGR이 부모이며, 최상위 노드로부터 순방향 전개를 하고 있다. 따라서 START WITH 다음에 CONNECT BY PRIOR EMPNO = MGR이 와야 한다.

정답 30. ①
해설
CTAS는 CREATE TABLE AS SELECT를 말하며 NOT NULL 제약조건만 복사된다. 따라서 ②번은 답이 아니고, ③, ④번 역시 CHECK, DEFAULT 모두 적용 안되므로 답이 아니다.

정답 31. ①
해설
GROUP BY → HAVING → SELECT → ORDER BY 순으로 실행된다. ID로 GROUP BY 하여 HAVING절에서 COUNT(*)를 하면 각 그룹별 개수가 카운트된다. 따라서 개수가 2인 그룹은 3000, 9999이며 마지막 ORDER BY에서 CASE문으로 ID가 1000인 것을 0으로 처리하는 것은 영향이 없으므로 그대로 3000, 9999가 출력된다.

정답 32. ③
해설
Random Access로 인한 성능저하는 Nested Loop Join에 대한 설명이다.

정답 33. ②

해설

서브쿼리에서 TBL_2 테이블의 COL2가 'A'인 COL3를 반환하고 있으므로 10을 반환한다. TBL_1에서 COL3가 10인 행은 (1, A, 10), (3, A, 10)으로 2개이다. COL1은 1, 3으로 중복이 없으므로 COUNT(DISTINCT COL1)이라고 하면 결과는 2가 된다.

정답 34. ②

해설

연산의 우선순위에 대한 문제이다. ②번처럼 AND와 OR를 그대로 나열하면 의도하지 않은 결과를 가져온다. ④번처럼 괄호를 사용해서 명확하게 표현해야 한다. ①, ③, ④번은 V1이 'A'이고 V2는 'T1', 'T2', 'T3' 중 하나인 조건을 찾고 있다.

정답 35. ①

해설

WHERE절의 (SUBKPI, MAINKPI) IN ((20, 10), (0, 30))은 SUBKPI와 MAINKPI가 20, 10인 것과 0, 30인 것을 추출한다. TBL에서 여기에 해당하는 것은 (20, 콜센터만족도, 10) 1개이다. ②번은 2건이 출력되고 ③, ④번은 0건이 출력된다.

정답 36. ③

해설

T1의 COL1에 대해서 서브쿼리의 결과가 0건이 아닌 것을 찾는다. 서브쿼리는 T1의 COL1과 T2의 COL1이 같을 때 'X'를 출력하고 있으므로 결국 T1의 COL1 중에서 T2의 COL1에 없는 건 수를 출력한다.

정답 37. ②

해설

②번의 경우 UNION ALL을 하면 중복 출력되어 (A, 'a'), (B, 'b'), (A, 'a'), (B, 'b')가 된다.

정답 38. ②

해설

COL1 IN (100, 200, 100)은 COL1이 100 또는 200일 경우 TRUE를 반환하므로 2건이 출력된다.

정답 39. ④

해설

ANY가 아니라 ALL을 사용해야 한다.

정답 40. ①

해설

보기에 따르면 오늘은 2024년 3월 10일이다. 문자열을 TO_DATE 함수로 DATE형으로 바꿀 때, 연도는 올해, 월은 이번 달, 일은 1일을 기본값으로 하여 생성한다. '2024'를 DATE형으로 변경하고 있으므로 2024년 3월(이번 달) 1일이 된다.

정답 41. ②

해설

결과의 2번째 행과 3번째 행의 값이 같으며 이로부터 행 단위가 아니라 날짜 단위로 누적합을 구하고 있음을 알 수 있다. ② 번은 행 단위 누적합을 구하고 있다. 윈도우 함수를 사용할 때 ROWS를 사용하면 행 단위로 처리하며 RANGE를 사용해야 파티션 단위로 처리된다.

정답 42. ②

해설

NATURAL JOIN은 두 테이블 간 동일한 이름의 칼럼에 대해 같은 값을 가진 행을 조인하므로 등가조인(EQUI Join)이며 별도의 기준키 지정이 필요 없다. (ON, USING 사용 불가)

정답 43. ②

해설

인덱스 생성 칼럼을 대상으로 연산을 하면 인덱스로서 사용되지 않아 검색속도 향상의 효과가 없다.

정답 44. ④

해설

ALTER는 DDL(데이터 정의어)이다.

DCL: GRANT, REVOKE

TCL: COMMIT, ROLLBACK, SAVEPOINT

정답 45. ④

해설

UNBOUNDED PRECEDING을 End Point, 즉 BETWEEN의 AND 다음에 사용할 수 없다.

정답 46. ③

해설

교집합은 INTERSECT, 합집합은 UNION/UNION ALL, 차집합은 MINUS/EXCEPT

정답 47. ④

해설

부서코드가 11인 노드부터 역방향으로 전개하여 최상위(ROOT) 노드까지 출력하고 있다. 자식은 부서코드, 부모는 상위부서코드이므로 역방향 전개를 하려면 CONNECT BY PRIOR 상위부서코드 = 부서코드가 되어야 한다. 시작 노드는 부서코드 11부터 이므로 START WIRH 부서코드 = 11이 되어야 한다.

정답 48. ②

해설

ORDER BY절은 SELECT절보다 나중에 실행되기 때문에 칼럼명 뿐만 아니라 칼럼의 별명, 칼럼 순서번호도 사용이 가능하다. 또한 ASC/DESC 옵션을 생략하면 ASC가 기본 적용된다.

정답 49. ②

해설

ON절의 기준키 조건에서 B.C2는 1이상 3이하로 되어 있으므로 조인되는 공통 행은 B, C이다. LEFT OUTER JOIN이므로 왼쪽 테이블(TBL1)의 모든 행이 출력되며 B, C를 제외한 나머지 행은 오른쪽 테이블(TBL2)의 칼럼값 출력 시 NULL이 출력된다.

정답 50. ②

해설

FROM → WHERE → SELECT 순서로 실행이 되므로 WHERE절에서 C2가 200 이상이고 C1이 'B'인 행만 먼저 추린 후, SELCT절에서 SUM(C2)가 실행된다. 따라서 (B, 200)인 행에 대해서만 SUM(C2)가 수행되므로 결과는 200이다.

Oracle 실습환경 설치가이드

1. Oracle 데이터베이스 설치

본문의 SQL 예제를 학습하기 위해서 가급적 직접 실습을 해보는 것을 권한다. SQLD는 Oracle을 기본으로 문제가 출제되므로 다른 DBMS보다는 Oracle을 설치해서 직접 실행해보는 것이 가장 좋다. SQL Server 전용의 문제가 나오기도 하지만 비중이 다소 적기 때문에 본문의 예제와 문제 풀이로 충분하다. Oracle은 기본적으로 유료이기는 하지만 XE 버전을 개인이 학습을 위해서 사용하는 것은 문제되지 않는다(상업적으로 사용하려면 반드시 유료 라이선스를 구매해야 한다). XE 버전은 메모리나 CPU 코어 사용 상의 제약이 있지만 본문의 예제를 실행하는 데는 부족함이 없다.

01 Oracle 사이트에서 XE 버전의 설치 파일을 다운로드한다(Windows, Linux 지원). 이때 Oracle 계정 로그인이 필요한데 이메일만 있으면 계정 등록에 제약은 없으므로 등록 및 로그인 후 다운로드를 진행한다.
다운로드 주소: https://www.oracle.com/kr/database/technologies/xe-downloads.html

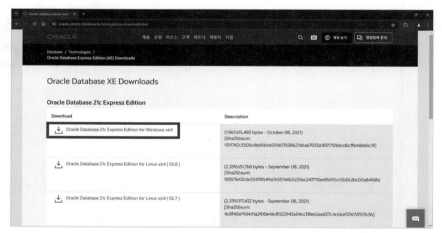

02 다운로드한 OracleXE213_Win64.zip 파일의 압축을 해제한 후, 해당 디렉토리 안에서 Setup.exe 파일을 더블 클릭하여 실행한다.

03 설치 마법사 시작 화면에서 [다음] 버튼을 클릭한다.

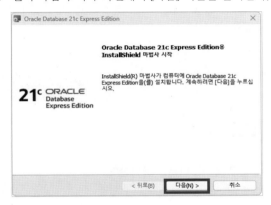

04 라이선스 계약에 대해 [동의함]에 체크하고 [다음] 버튼을 클릭한다.

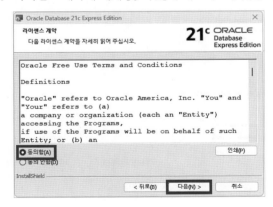

05 설치할 대상 폴더를 지정한 후 [다음] 버튼을 클릭한다.

06 데이터베이스 비밀번호를 지정한 후 [다음] 버튼을 클릭한다.

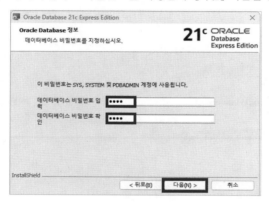

07 설치에 적용될 매개변수를 확인하고 [설치] 버튼을 클릭한다.

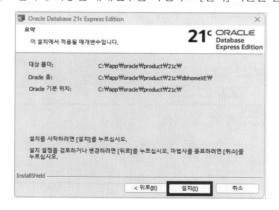

08 이제 파일이 복사되며 설치가 진행된다.

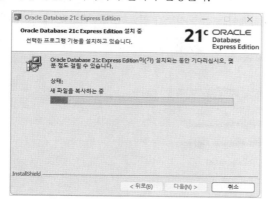

09 설치 중 아래와 같은 메시지가 나타나면 [허용] 버튼을 클릭한다(방화벽 앱 차단 안
내 메시지로 허용을 해주어야 Oracle 접속이 방화벽에 의해 차단되지 않는다).

10 설치 중 Oracle XE Database 구성요소 구성이 진행된다.

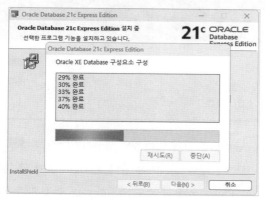

11 설치 완료 화면에서 [완료] 버튼을 클릭하면 설치가 완료된다. 설치된 Oracle에 접속하려면 화면에 표시되는 데이터베이스 접속 정보가 필요하므로 별도로 메모해둔다.

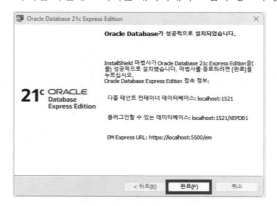

12 [시작 메뉴] 〉 [Oracle − OraDB21Home1] 〉 [SQL Plus]를 실행시킨 후, system 계정에 설치 시 입력한 데이터베이스 비밀번호를 입력하여 아래와 같이 접속이 되면 Oracle 설치가 정상적으로 완료된 것이다.

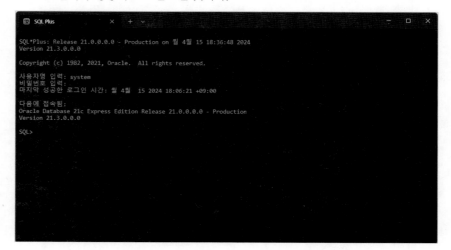

2. DBeaver 설치

Oracle을 설치했으면 이제는 Oracle DB에 직접 테이블을 생성하거나 조회하는 등의 작업을 하기 위해서 데이터베이스 관리 도구를 설치해야 한다. Oracle 설치 시 기본적으로 함께 설치되는 CLI 기반의 SQL Plus를 사용할 수도 있지만 GUI 환경을 제공하는 서드파티 도구를 사용하는 것이 좀 더 편리하다. 여기서는 Oracle뿐만 아니라 MySQL, PostgreSQL 등 다른 DBMS에도 사용이 가능하며 Community 버전을 무료로 사용할 수 있는 DBeaver라는 툴을 사용한다.

01 ① DBeaver 사이트에서 자신에게 맞는 버전의 설치 파일을 다운로드한다 (Windows, MacOS, Linux 지원).

다운로드 주소: https://dbeaver.io/download/

02 다운로드 받은 설치 파일을 더블 클릭하여 실행시킨다. 실행 직후 설치 언어 선택 창 이 나타나면 적절한 언어를 선택한다.

03 설치 시작 화면에서 [다음] 버튼을 클릭한다.

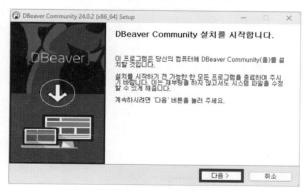

04 사용권 계약 화면에서 [동의함] 버튼을 클릭한다.

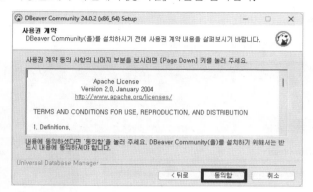

05 사용할 사용자 범위를 선택한 후 [다음] 버튼을 클릭한다.

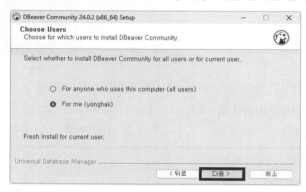

06 구성 요소 선택 화면에서 구성 요소를 선택한 후 [다음] 버튼을 클릭한다(구성 요소는 일반적으로 기본 선택 사항 그대로 진행해도 문제없다).

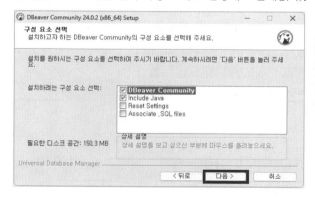

07 설치 위치 선택 화면에서 설치 폴더를 지정한 후 [다음] 버튼을 클릭한다.

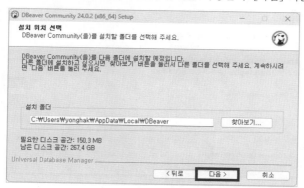

08 시작 메뉴 폴더 선택 화면에서 시작 메뉴 폴더를 입력한 후 [설치] 버튼을 클릭한다 (기본값 그대로 진행해도 문제없다).

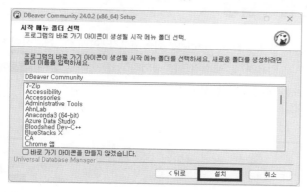

09 설치가 진행된다.

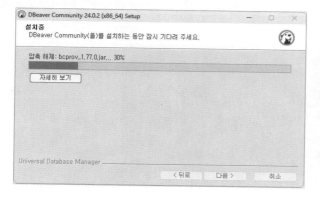

10 설치 완료 화면에서 [마침] 버튼을 클릭하면 설치가 완료된다.

3. 데이터베이스 접속 설정

이제 DBeaver를 사용해서 앞에서 설치한 Oracle에 접속해보자. 이때 Oracle 설치 완료 화면에서 표시된 접속 정보가 필요하다. 패스워드를 제외하고 설치 과정 중에 특별히 변경한 것이 없다면 접속 정보는 아래와 같을 것이다.

> - Host: localhost
> - Port: 1521
> - Database Service Name: XEPDB1

01 [시작 메뉴] 〉 [DBeaver Community] 〉 [DBeaver]를 클릭하여 DBeaver를 시작한다.

02 [데이터베이스] > [새 데이터베이스 연결]을 클릭한다.

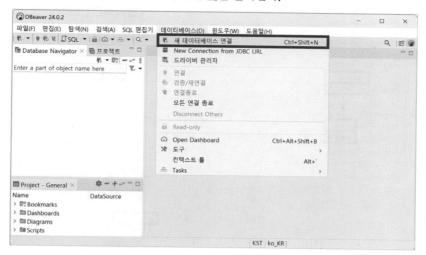

03 여러 DBMS 중에서 Oracle을 선택한 후 [다음] 버튼을 클릭한다.

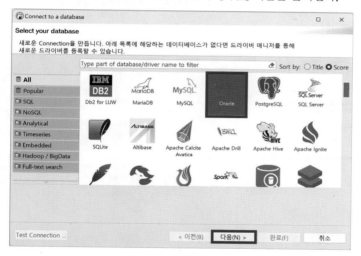

04 접속 정보를 입력한 후 [완료] 버튼을 클릭한다.

- Host: localhost
- Port: 1521
- Database Service Name: XEPDB1
- Username: system
- Password: xxxx (Oracle 설치 시 지정한 비밀번호)

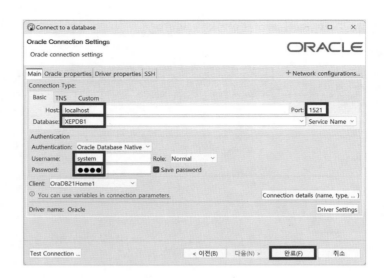

05 아래와 같이 Database Navigator의 [XEPDB1]이 초록색 체크 표시와 함께 표시되고 [XEPDB1] 클릭 시 그 아래 Schemas, Global metadata … 등이 표시되면 접속에 성공한 것이다.

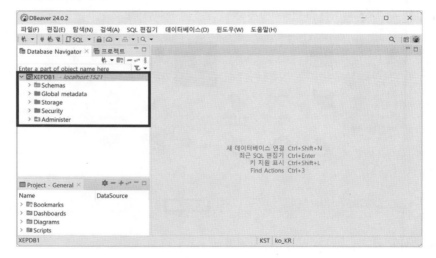

06 [SQL 편집기] 메뉴의 [SQL 편집기]를 클릭한다.

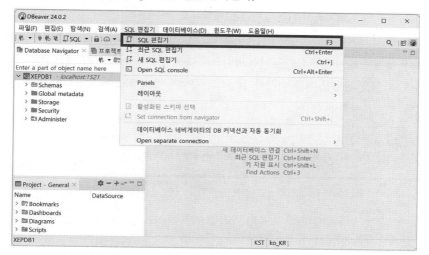

07 아래와 같이 SQL 편집기가 열린다.

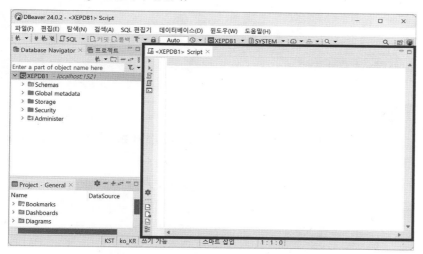

08 실습을 위한 별도의 계정을 만들자. 아래와 같이 입력한 후 Alt + X 를 입력하면 전체 SQL이 실행되면서 TEST1이라는 계정이 만들어진다.

이때 ALTER SESSION SET "_ORACLE_SCRIPT"=TRUE; 구문은 Oracle 12c 이후 변경된 네이밍 규칙을 구버전 방식으로 다루도록 설정하는 것으로 구버전 스크립트 파일을 실행할 때를 위해서 설정한다(구버전 스크립트 파일을 다루지 않는다면 생략해도 상관없다).

Tip

DBeaver 24.0.3 이후 버전에서 CREATE문 뒤에 GRANT문 실행 시 오류가 발생할 경우 아래와 같이 DBeaver의 옵션을 변경하면 된다.

① [윈도우] 〉 [설정(Preferences)] 〉 [편집기] 〉 [SQL 편집기] 〉 [SQL 실행]을 클릭한다.

② Blank line is statement delimiter의 옵션값을 Smart에서 Always로 변경한다.

③ [Apply and Close] 버튼을 클릭한다.

09 새로 생성한 계정으로 접속하기 위해 Database Navigator의 [XEPDB1] 위에서 마우스 우클릭한 후 [Edit Connection]을 클릭한다.

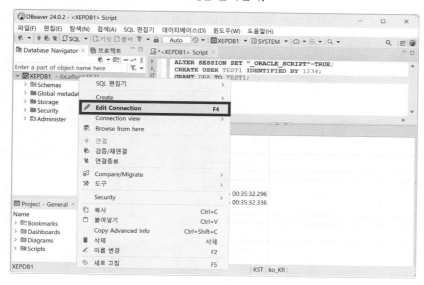

10 새로 생성한 TEST1 계정과 패스워드로 재입력한 후 [확인] 버튼을 클릭한다.

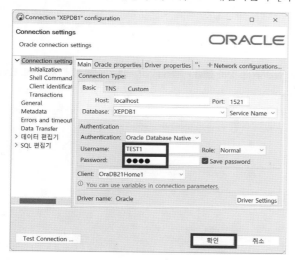

11 바뀐 TEST1 계정으로 테이블 생성을 테스트해보자. [SQL 편집기] 〉 [새 SQL 편집기]를 클릭하여 새 편집기를 열고 아래와 같이 입력한 후 Alt + X 를 입력하여 Results 창에 정상적으로 결과가 출력되는지 확인한다.

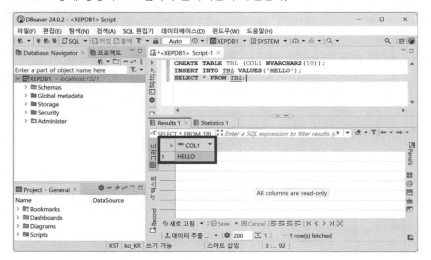

실습을 위한 모든 준비가 끝났다. SQL 편집기에서 자유롭게 SQL을 입력하여 실행해보자.

Tip

SQL 편집기에서 SQL 한 문장을 실행시키는 것은 Ctrl + Enter 이고, 편집기 상의 전체 SQL을 한 번에 실행시키는 것은 Alt + X 이다.